# Michel
## le grand-père et l'enfant

**Éditeur:**

Éditions de la Paix, enr.,
Jean-Paul Tessier
125, Lussier
Saint-Alphonse-de-Granby, (Québec)
J0E 2A0
Tél.: (514) 375-4765

**Typographie électronique:**

CopieBel Enr.
253, Brébeuf
Beloeil, (Québec)
Tél.: (514) 464-1397

**Photographie page couverture:**

Alain Normandin
Saint-Alphonse-de-Granby

**Impression:**

Payette et Simms, St-Lambert

Dépôt légal 4$^e$ trimestre 1989
Bibliothèque Nationale du Québec
Bibliothèque Nationale du Canada

ISBN 2-9800785-8-1

Jean-Paul Tessier

Roman

# Michel
## le grand-père et l'enfant

Éditions de la Paix

# Aux Éditions de la Paix

*« Tenons-nous la main:
je vous aiderai à vivre,
vous m'aiderez à mourir. »*

**Clémenceau**

# Prologue

Claudine voulait porter son enfant en automne et faire un petit Jésus en décembre. « Surtout éviter la grossesse en été, » avait-elle décidé. Grand-père a ressenti un profond malaise en lui quand il a vu l'enfant la première fois. Un peu jaloux, se sentait comme un oiseau qui s'acharnerait à faire son nid à l'automne. « Je me sens stérile. » Puis, réflexe de santé, il a vu apparaître –ou fait apparaître– ce beau gros bébé tout rond, tout chaud au milieu de son grand nid. Les limites de l'absence se sont bientôt rapprochées, l'atmosphère s'est peu à peu réchauffée et... l'enfant s'est réveillé. Ses immenses gestes larges de quelques centimètres, ses multiples deux ou trois petits mouvements des lèvres ont rempli tout l'espace vaste comme le monde que grand-père venait d'ouvrir pour l'enfant qu'il n'aurait jamais. « ... et je l'ai adopté. Oui, il est à moi comme n'étant pas à moi. J'en suis responsable à distance, le père par contumace, le grand-père par trop grande affection. C'est mon fils à moi aussi, mon petit fils, quelle différence? Je suis l'archange Gabriel de l'histoire, Claudine, la Marie et Francis... Complètement perdu dans sa réécriture de l'histoire sainte, il a dit tout haut sans presque s'en rendre compte:

— Francis, t'es cocu!

Francis, le père, l'a calmement regardé, puis lui et sa femme se sont mutuellement compris. Voyant grand-père en extase devant son nouveau petit Jésus de l'autre côté de la vitre, ils ont tout deviné. Mentalement, ils l'ont envoyé paître. Grand-père l'a bien senti en les entendant parler tout bas du petit sans s'occuper de lui. Pour grand-père, ça goûtait un peu la paille fraîche, mais ne s'est pas offusqué de jouer le rôle du boeuf et de l'âne de la crèche.

Il s'est placé pour tout voir et a disposé quelques beaux bergers, trois ou quatre moutons, un vieux bouc, et accroché le choeur des anges aux fluorescents qui pendaient du plafond. Leurs airs de Noël synthétisés l'ont fait sourire. Il a fermé les yeux pour mieux voir et vidé la forêt pour amener tous ses animaux à la crèche du petit Jésus. « J'écrirai bien quelque chose là-dessus, un jour, se promit-il. »
— Grand-papa, c'est une fille!

Grand-père a rouvert les yeux et s'est retrouvé à l'hôpital pour la deuxième fois en quelques minutes devant une maternité.
— Est-ce vraiment une fille, Claudine?
— Bien oui, grand-père.
— Ah ben maudit! Claudine, avec ton féminisme, tu essaies de réécrire l'Evangile au féminin!

Claudine, hébétée, se demandait bien où grand-père était encore rendu. Francis l'a rassurée:
— Ne t'en fais pas, rassura Francis, il doit être en train d'imaginer un autre livre.

Grand-père, lui, essayait d'imaginer plutôt la suite de son histoire. « Qu'est-ce que pourrait bien être la dernière tentation de cette nouvelle petite Christ?... Je la ferais peut-être descendre de la croix des conformismes de la « mâlitude » et partir avec Marie-Madeleine, elle aussi. Pourquoi pas, Jésus-Christ!...

Et l'Histoire, selon Michel Nolin, grand-père et écrivain, reprit son cours normal que certains vieux scribes à lunettes avaient toujours empêché de contempler. Et il a noté ce soir-là avant de se coucher:

*L'adoption spirituelle dépasse les vitres aseptisées d'une salle de maternité et transcende les liens du sang. Pourquoi, à soixante ans, je me sens si près d'elle: désir de survie?... La vie et la mort sont si près l'un de l'autre, se donnent la main. L'acte de naissance et l'avis de décès sont des complices. Comme les deux mains d'humain, ils se rejoignent au-dessus de lui comme dans la prière... ou la mort.*

Grand-père alla se coucher en se disant: « Wow! mon tit-père, t'as pas encore perdu la main!... » Et il s'endormit en souriant aux anges et à Mélodie qui venait de naître. C'était un 25 décembre.

# 1

**D**u haut de ses soixante ans, de l'intérieur de la tour vitrée où l'enfermait son âge, il entourait tout de son regard. Sans jugement, sans condamnation, il constatait. La vie l'avait élevé pour mieux voir, avait chargé ses piles qui allumaient son regard et actionnaient son petit rire saccadé. De haut en bas, il étendait sa vision comme une rosée; de gauche à droite, il ensemençait son silence. De la fenêtre de l'étage, il a vu le râteau tombé, les dents hérissées prêtes à mordre l'enfant jouant près de son repaire. De haut, il a pu percevoir la couleur un peu pâlote de l'avoine, le léger jaunissement du champ de maïs. La rotation des cultures, le besoin de pluie alimenteront ses prochaines conversations. Il partira de loin.

— Francis, quelles sortes d'engrais suggère-t-on aujourd'hui?

Francis Labrecque, le jeune père fermier qui suivait les nouvelles découvertes, sera heureux de partager ses connaissances avec son vieil ami qui lui avait vendu sa terre. Par affection, surtout reconnaissance, Francis, qui avait maintenant deux enfants, l'appelait grand-père. Michel Nolin partageait tout le deuxième étage de la maison avec Jonathan, âgé de deux ans, soit depuis l'arrivée de Mélodie, le petit Jésus des Féministes.

Le grand-père, sans responsabilités trop exigeantes, avait le temps de se laisser imprégner par certaines émotions. Plus ouvert sur et par le silence, il percevait les messages que les autres trop occupés, fatigués, n'arrivaient pas à recueillir. Pour faire prendre conscience de son message, il cherchera alors le moment propice et cuisinera longtemps la formule. Habituellement aux repas ou aux moments de silence. Ses expressions n'étaient pas toujours claires mais ne manquaient pas d'interroger.

— Ca sent bon, la famille.

Francis relevait alors la tête et regardait le grand-père énigmatique. Il portait son regard sur Claudine qui tricotait après sa dure journée et Jonathan qui s'appliquait à son jeu. Francis venait d'être distrait de la télévision, tiré de son petit assoupissement d'après souper. C'est pourquoi on disait parfois que grand-père avait de drôles d'idées. Jonathan n'a-t-il pas déjà répété:

— Bien des fois, grand-papa parle curieux?...

À l'étage, du haut de sa chambre-grenier, grand-père portait son regard sur la vie. De sa fenêtre au bout de la maison, alignée sur le chemin, il voyait venir. De loin. Il se rappelait. Francis adolescent, voyou, narcomane, revenait vers lui, à pied, dans le soleil et le vent. Torturé par le vide de son enfance, recherchait un ami, pressentait un père. Qui était cet homme d'âge mûr qui avait résisté à son attaque homicide en l'appelant lui aussi d'un autre nom que le sien?

— Pourquoi m'as-tu appelé François? Qui est François?

Grand mystère pour Francis, enfant, qui se faisait appeler François les soirs de grande tempête où son beau-père, alcoolique violent, le réveillait la nuit et le jetait aux pieds de sa mère comme la preuve d'un délit, pièce à conviction. Francis entrant par effraction dans la vie de grand-père, lui avait apporté inquiétudes et mort. C'était pourtant bien ce qu'il avait d'avance accepté ce grand-père qui se sentait responsable de cet enfant.

— Aujourd'hui, tu sauras ce que c'est que d'avoir un père.

Francis, alors âgé de dix-huit ans, s'était écroulé. Du mauvais côté des barreaux, le corps immense d'un colosse enfant s'agitait en sanglots. Prisonnier. Prisonnier de la société par un juge, prisonnier de son enfance par de pseudo-parents, prisonnier de la chimie par la magie. La drogue promet tout la première fois et reprend bien plus sitôt après.

— S'ils peuvent me laisser sortir, ces bâtards-là!
— Ce sera encore plus difficile en dehors.

En ce moment, Francis à demi endormi écoutait la télévision. Sa femme Claudine allaitait la petite dernière, Mélodie. Jonathan dormait un peu bruyamment tout à côté du grand-père, près du puits de lumière dans la grande chambre-grenier. C'était plus sec en haut, plus chaud. L'enfant respirait mal. Sa gorge s'encrassait: le ramonage d'un petit humidificateur?... « Autre idée à faire passer », se promit grand-père.

La désintoxication, le suicide de Marco, compagnon de libération de Francis. « Il cherchait son père, lui aussi. » La mort exerce une paternité universelle.

— Je fais faire son rapport à la petite et je la couche. Qu'est-ce que tu dirais si on faisait pareil?

Claudine se plaignit doucement:
— J'ai bien peur qu'elle va encore se réveiller vers minuit.

Francis se leva péniblement et, à tâtons dans les vapeurs de sa somnolence, éteignit le téléviseur, rangea les derniers morceaux de vaisselle lavée, rinça les deux tasses à café de la soirée et s'orienta vers la chambre à coucher. Mélodie dormait déjà, Claudine se déshabilla.

3

— On se couche encore avant grand-père en haut.
— Bien oui, j'ai vu de la lumière dans l'escalier. Il doit être encore en train d'écrire. Bof! s'il aime ça...

Sous les couvertures, les jeunes corps d'homme et de femme se rapprochèrent, caressèrent et s'adaptèrent aux formes de chacun afin de trouver la position la plus confortable, la plus complémentaire de l'autre. Après quelques tâtonnements aux différents morceaux de l'agréable casse-tête, quelques chuchotements et soupirs repus, et après une dernière pensée pour Mélodie, la douce chaleur des corps complices endormit les fatigues du grand champ moissonné.

Et le cauchemar d'une enfance-naufrage, le cauchemar d'un enfant mal-aimé prirent forme et réalité pour Francis. Sa femme et Jonathan subissaient les coups de l'enfant battu devenu batteur à ton tour. Les comportements appris dans l'enfance sont si difficiles à déraciner à l'âge adulte. « J'ai été battu dans mon enfance, je bats aujourd'hui ma femme et mes enfants. Je ne mérite plus de vivre. Et mes enfants, plus tard, seront violents à leur tour. La chaîne du malheur s'arrêtera avec moi. Ce soir. Cette nuit. Michel, si tu es mon ami, tu vas rester avec moi: je ne veux pas mourir seul. » Baratté par la vie, Francis s'enfonçait lentement dans la nuit d'un sommeil de plus en plus agité. Rêvait à son vrai père François déjà parti. Dans le grand champ du voisin, au bas d'une grosse épinette, il vit balancer un corps d'homme au-travers d'un mince voile de neige. 24 décembre. Nuit de terreur. Le voile du temps s'était déchiré et par la blessure, François s'était envolé. Avec le « petit quelque chose« emprunté à la nuit qui traumatisa tant le grand-père aujourd'hui devenu. Trois mois avant la naissance de Francis.

Francis s'agitait encore dans son sommeil.
— François!...
— J'm'appelle pas François! J'm'appelle Francis!

Claudine secoua doucement le bras agité. Le jeune père fit la moue, mâchouilla quelques mots avortés et se cala dans une autre position. Un corps de femme dans ses bras, transforma le bout de ses gestes en caresses. « Pourvu que la petite soit pas réveillée... » Claudine rentra à pas feutrés dans le sommeil, gardant sur le qui-vive un oeil, une oreille et toute la moitié d'elle-même attentive au moindre soupir de son enfant. « Pourquoi j'suis pas né chez le voisin!... » Dans le ciel bas de l'enfance de Francis, des oiseaux criaient, l'attaquaient, voulaient détruire la vie de celui qui détruisait leur nid. Il faisait très sombre dans ses souvenirs. Seules couleurs, le jaune d'un oeuf couvé par l'oiseau dégoulinant entre ses doigts, gluant, puant...: « comme mon coeur », s'était-il condamné. La raie rouge d'une couleuvre écrasée parallèle à son petit corps secoué. « Finis les amis, je détruis tout ce que j'ai aimé! Je n'aimerai plus jamais, je détruirai tout autour de moi. »

À minuit, Claudine alla chercher la petite affamée, la glissa doucement avec elle sous les couvertures et lui offrit son nid. Le bourreau d'oiseaux s'agitait encore tout à côté, ses paupières se plissaient, une tempête magnétique de mauvais souvenirs faisait monter sa tension. Claudine ne craignait rien. Les millions de volts pouvaient circuler près d'elle, elle avait confiance en son fil de terre, son paratonnerre. Elle gardait toujours bien vivante sa ligne de transmission avec « son » Francis. C'était le doux, tendre, l'affectueux contact de ses bras autour du beau corps secoué de son ami.

Dès son devoir de mère nourricière terminé, elle offrit son contact apaisant à celui qui demeurait toujours son amant, deux enfants et trois années de vie commune plus tard. Toute lovée sur lui étendu sur le dos, elle lui caressa la poitrine dont les pectoraux n'avaient rien perdu de la marque éclatante de son entraînement en prison. Elle ferma les yeux sur l'ensemble de tatouages peu rassurants qui transformait son corps en véritable exposé mythologique. Elle plaça sa jambe dans son

5

entrejambes et sa tête sur sa poitrine. De sa main gauche, elle caressa alors le côté droit de sa figure. Francis se calma bientôt, se tourna vers sa fidèle, l'enlaça et après, de part et d'autre, quelques ajustements délicieux, les deux époux replongèrent dans le sommeil profond des enfants heureux. Enfin heureux.

Quelqu'un bougea en bas. Était-ce Francis? Personne n'entendait encore Mélodie. Il faisait clair et Jonathan commençait à bouger plus brusquement. Il ouvrit les yeux. Grandpère souhaitait qu'il restât là, étendu, calme, à se laisser admirer, aimer comme un petit dieu qui réchauffe le coeur. Mais non. Un seul instant de regard embué et hop! en bas du lit. La grande course de la journée commençait.

— Grand-papa, j'ai envie!

La pédale au fond, fonça le petit ouragan tropical. En un éclair, un pied sur chaque île, traversa la mer des Caraïbes. Ses petits talons frappaient le plancher et craquait l'escalier. Ses petits pas pressés s'égrainaient comme des petits raisins. Les bruits répétés et rapides de ses talons sur le plancher froid du salon laissaient deviner son itinéraire à ses parents et à grand-père.

— Papa, maman, je suis réveillé!

Quelqu'un chuchota en bas et...

— Ben, j'voulais vous dire que j'étais réveillé. Vite, j'ai envie!

Mais le papa était arrivé le premier. D'en haut, grandpère entendait maintenant un petit piétinement sur le plancher pour aider Jonathan à retenir son envie. Chacun pouvait deviner ses torsions sur place, ses vrilles de bas en haut en souhaitant au plus tôt un vase communicant. Devant le papa installé, le petit Jonathan s'était planté sur son pied gauche, et avait relevé son pied droit. Ses petits bras s'étaient collés sur son corps et ses petites mains jointes très serrées sur sa poitrine, il se balançait autour de son axe, tortillait autour de son envie.

— Vite papa, j'ai-en-vie! J'ai-en-vie!...
— Papa, en a une plus grosse que la tienne.

Tout autre que Jonathan l'avait remarqué depuis longtemps. Exaspéré:

— Vite donc, papa!...

Puis cessa le piétinement et les supplications... Et dans le silence attentif, concentré, pendant quelques secondes intenses, enfin, un tout petit bruit s'écoula.

Tout occupé à son besoin existentiel, Jonathan n'avait pas prévu, planifié ce qu'il ferait après son père qui en avait si long... C'est ainsi que le pipi terminé, il s'est retrouvé devant une immense liberté. Tout seul dans la cuisine avec tous ces bras et jambes, tout ce corps et tout cet espace à remuer à lui tout seul!... Tout à coup, dans un éclair génial d'affection et dans une grande course, il rejoignit Mélodie. Même d'en haut et malgré le chuchotement, grand-père a pu entendre:

— Ne réveille pas ta petite sœur!

Encore un petit bout de course et le bruit étouffé d'un corps d'enfant sautant sur un lit d'adultes. Un lit d'adultes parce que, même d'en haut et malgré le sommeil de la petite, grand-père a entendu maugréer.

— J'me suis levée cette nuit pour Mélodie, puis ton père a rêvé toute la nuit...

Francis qui rêvait maintenant à... toute autre chose, contrôlait difficilement sa colère. Dans ces cas, il ne disait rien, respirait profondément, réfléchissait. C'est ce qu'il avait appris et pratiqué aux Parents Anonymes: se reconnaître violent, reconnaître les besoins et les droits des autres aussi, et surtout, reconnaître la faiblesse, les limites de la violence. Se rappeler qu'après avoir succombé, c'est l'humiliation, le remords, l'immense culpabilité de l'injustice créée, la souffrance infligée à ses amis, son fils, son amante. Sa tension baissait difficilement. Ses différentes tensions...

— J'peux-tu coucher entre vous autres?

— Surtout pas! Pourquoi tu vas pas jouer avec grand-père?

Le grand-papa saisit le SOS:

— Jonathan, veux-tu venir jouer avec moi?... Monte, je vais te montrer quelque chose.

Le temps qu'il grimpe l'escalier, grand-père cherchait désespérément ce qu'il pourrait bien lui montrer. Un grand-père de soixante ans n'a pas toujours à la main quelque chose à montrer. Comme aspiré par une tornade, Jonathan avala l'escalier qui n'eut même pas le temps de craquer. Grand-père tenant sa main élevée invita:

— Regarde un beau petit rien tout neuf... et bleu à part ça. Viens-tu jouer avec moi?

Jonathan, les yeux pétillants de plaisir, se lança dans le lit de grand-père en cherchant où était passé le petit rien tout bleu de son grand-père pas très neuf. De toute évidence, c'était quelque chose de très amusant pour Jonathan. Ils se sont chamaillés, chatouillés tous les deux, amusés comme des enfants... pendant qu'à l'étage, Francis et Claudine, s'amusaient comme des parents.

# 2

Le soleil chantait, les fleurs s'étalaient, la rivière se détendait vers sa pente... même en hiver! quand Mélodie souriait. Grand-père la tenait dans ses bras comme un trésor aussi précieux que fragile. L'enfant gazouillait, dessinait une moue, sa bouche dégoulinait un surplus de nature, sa gorge présentait quelques sons ronds, mouillés et repus. Les petits gestes se multipliaient, courts et ralentis, lourds d'impuissance.

— Mélodie, ma petite fille bien-aimée, répétait grand-père.

À tout moment, un large sourire faisait tout disparaître autour d'elle, tirant un petit son, un tout petit cri d'oiseau heureux. L'enfant battait des bras, cherchait encore plus de chaleur, tendresse. Grand-père soulevait ses bras, penchait la tête, les petites mains de Mélodie battaient sa figure en gauches caresses. Quelques cris plus aigus, un large sourire mur à mur et la joie qui ne se définit pas envahissait tout son petit corps frétillant.

— C'est Mélodie qui rit-rit-rit. Mon p'tit enfant-fan-fan...

Grand-père la soulevait très haut, l'amenait toucher sa figure à la sienne, la balançait à droite, à gauche: tangage et roulis, creux de vagues et crête d'affection... Le temps coulait et s'écoulait. Grand-père rêvait: « On s'élance ensemble dans le ciel laissant derrière nous une grande traînée de lumières toutes surprises. Ces lumières brusquement éveillées se demandent: pas encore le Père Noël, il vient juste de passer?... Mais reconnaissant bientôt l'ascenseur des émotions d'un enfant et de son grand-papi, les lumières se donnent la main, se mêlent, chantent et dansent l'arc-en-ciel. Une douce poussière lumineuse se soulève du plancher de danse sidéral, puis descend lentement au-dessus d'une petite maison de campagne, à l'Ange-Gardien. Un peu de fumée prolonge la cheminée de l'hiver et s'étire en présence, chaleur, accueil. »

Grand-père se tut parce que Claudine, la mère, s'approchait en s'activant. Concentrée, mobile, du comptoir à la table de cuisine, du salon à la chambre à coucher, de la salle de bain à la chambre de Mélodie, par gestes efficaces et calculés, son passage transformait tout. Un linge lancé par-dessus son épaule; un livre poussé sous l'aisselle; un papier ramassé passait dans sa main gauche; du pied, quelques jouets reculaient dans le coin; et le papier de la gauche tombait dans la poubelle de la salle de bain. Le tapis se replaçait du bout du pied; de la main droite, le lavabo, les robinets et le miroir se rafraîchissaient. « Tiens, le savon diminue... » Puis la voilà rendue à l'étage dans la chambre-grenier. « Faudra bien que je lui demande d'épousseter et passer la balayeuse, » se dit-elle. Le bureau de travail en désordre, les piles de feuilles s'accumulaient, mais elle n'y touchait jamais: c'était la consigne. Griffonnées, « barbouillées », comme dirait la mère de Michel, plusieurs feuilles semblaient d'ailleurs incompréhensibles et sans intérêt. Elle détourna le regard, ramassa la poubelle pleine et la descendit pour la vider dans le poêle.

— Grand-papa, prends-tu quelque chose? Moi, je prends un café.

— J'vais prendre un p'tit café noyé dans le lait.

Claudine venait de penser qu'elle pouvait s'asseoir. Seulement elle pouvait accompagner Francis pour faire de tels enfants et les rendre aussi attachants.

— Grand-père, ta chambre en haut...

— Oui, oui, je sais. Je vais profiter de ton élan, tantôt, quand tu vas recommencer à travailler, puis je vais la faire. Sais-tu, Claudine, que tu en mènes large. Je te regardais aller: tu fais toute la largeur de la maison d'un seul coup. Tu passes une fois et tout l'espace est rafraîchi. Une fée... un coup de baguette et tu es rendue au café.

— Ça doit être parce que j'aime le café.

Grand-père pensait: « Tous les alcooliques et narcomanes que je connais, et qui contrôlent leur maladie, boivent du café au litre. » C'était d'ailleurs à une réunion des Narcomanes Anonymes que Francis et Claudine s'étaient connus.

— Claudine, comment ça s'est passé votre première rencontre aux N.A.? Vous ne l'avez jamais racontée.

— Moi, j'étais tellement désespérée que je n'ai rien vu, senti de Francis. Mon frère, Luc, m'accompagnait et Francis lui a parlé. Devant mon air désemparé, il ne m'a dit que quelques mots de politesse. Francis qui sortait de prison à ce moment-là et qui venait de laisser sa blonde, a été attiré davantage par Luc que par moi. Tu vois le genre?... s'amusa Claudine. Et à chaque réunion, on a allongé le discours... et le café... et on s'est retrouvé chez toi où demeurait Francis en ce temps-là. Le reste, tu le sais.

Bien sûr que grand-père le savait! Après un bon moment où il revit les drames des dernières années qu'il craignait revivre, il continua:

— Est-ce qu'on en sort vraiment de la narcomanie?

— Il s'agit de ne consommer aucune drogue sèche et liquide. Se motiver, se faire aider entr'autres en allant aux rencontres N.A.. Les témoignages que nous présentons dans les Clubs sociaux, dans les écoles, ça nous fait du bien aussi. Il suffit d'être attentifs à nous-mêmes pour reconnaître nos besoins, nos émotions, et de les dire. Communiquer, se faire aider.

— Je te répète encore, Claudine, comme je vous admire tous les deux! Je ne sais pas ce que j'aurais fait, moi, à votre place. Etre narcomane, accroché comme vous, peut-être que je serais resté au fond du baril et n'en serais jamais sorti. Et tout le mal que j'aurais fait autour de moi... et à moi!

— Voyons, grand-papa, chacun a ses problèmes. Si ce n'était pas ça, on aurait pu subir autre chose. Regarde, si c'est pas merveilleux la belle petite vie qu'on mène ici, Francis et moi. Deux beaux enfants, toi qui nous rend tous les services du monde. Notre parenté, nos amis. Tout ça, ça vaut bien une abstinence totale de drogues de rues et quelques réunions. Nous sommes heureux, même gâtés par la vie; nous ne sommes pas à plaindre. Penses-tu qu'on serait mieux avec la guerre, le cancer, le SIDA?

Claudine demeurait toujours cette fille aussi merveilleuse que discrète, aussi silencieuse qu'efficace, responsable, fidèle, dévouée. Grand-père l'avait toujours beaucoup admirée, même si au début, elle avait piqué sa jalousie quand il voyait son Francis s'attacher à elle. « Ce qui me chicotait, s'excusait grand-père tout bas, c'était que moi, je m'étais tué d'inquiétudes, j'avais brûlé tout mon temps, mon énergie pour sauver Francis qui, après, ne parlait plus que d'elle et me délaissait. Et pour qui? Pour celle qui n'avait eu qu'à être narcomane et à se présenter avec son beau petit frère, Luc, aux réunions des Narcomanes Anonymes. »

D'autre part, Claudine et Francis avaient besoin de leurs rencontres de N.A.. Ils ont été tour à tour président, présidente, secrétaire, trésorier. Ils allaient témoigner ici et là dans les groupes N.A. et dans les écoles. « On a besoin d'ça, nous autres: ça nous aide. » Quand ils n'étaient pas dirigeants du groupe, ils passaient parfois plusieurs semaines sans y aller. À d'autres moments, ils y couraient deux fois par semaine. Une espèce de besoin, de rage qui les dévorait. Grand-père, très attentif, les sentait parfois un peu tendus, tristes. Quand ils recevaient de la visite, alors, le jeune couple se forçait pour rire, faire des farces. C'était le seul temps où Francis se permettait des blagues sur le dos des Gais. Il fallait qu'il soit vraiment à bout de ressources quand on le connaissait. Dans ces moments de désarroi, Claudine, elle, racontait ses émotions, sa vie, ce qu'elle ressentait alors, pourquoi faire ceci ou cela, etc. Tous les deux parlaient à tour de rôle sans s'interrompre. C'était d'abord de la véhémence qui les caractérisait. Un certain excès, l'essoufflement, le besoin de se convaincre eux-mêmes. Leurs amis s'étaient habitués. Ils les laissaient se défouler: ça leur faisait tellement de bien! Après, détendus, ils parlaient peu, et dès que la visite était partie, ils s'occupaient un tout petit peu trop fébrilement: la tension s'écoulait en activisme.

À ces moments de tension, grand-père s'occupait à cent pour cent des enfants. Leurs parents avaient besoin de récupérer, de reprendre pied. Leur dépendance les harcelait. Ils disaient parfois à grand-père pour s'en convaincre:

— Pour nous, dépendants, prendre de la drogue une fois, c'est trop; mille fois, pas assez. Notre problème avec la drogue, c'est qu'on peut plus s'en passer et qu'on ne peut plus vivre avec.

Même à leur enfant:

— Jonathan, l'ami qui t'offre de la coke, c'est pas ton ami. Six mois de coke, Jonathan, détruit plus que dix ans d'alcoolisme.

13

Ils pouvaient ainsi rester un peu fébriles pendant quelques heures, puis tout se replaçait et plus rien n'y paraissait. Dans les débuts de leur désintoxication, ils parlaient de drogues presque sans arrêt, racontaient leurs expériences, demandaient aux autres d'en parler aussi. Plus tard, tout se replaça naturellement. Comme chez les Alcooliques Anonymes. Grand-père leur disait parfois:

— C'est si admirable que des gens totalement dépendants deviennent totalement abstinents! Peu de gens ont ce courage.

Francis répondait:

— Heureux sont ceux qui peuvent consommer sans rester accrochés.

Grand-père avait toujours continué à admirer son petit couple d'amis. La belle Claudine rendait son Francis heureux et acceptait sa bisexualité. Elle avait donné à grand-père deux beaux petits enfants qu'elle lui permettait de garder, caresser, aimer, et elle lui faisait confiance où, beaucoup d'autres, sont encore bourrés de préjugés. Grand-père s'occupait de ses enfants autant qu'elle, et elle aimait grand-père discrètement, comme tout ce qu'elle accomplissait d'ailleurs. Une femme intérieure et d'intérieur. Les préjugés, un féminisme à outrance, les excès, ne l'atteignaient pas. Claudine traversait le quotidien comme le courant pénètre l'eau, et la rivière coulait sans qu'on la remarque. Grand-père avait même témoigné devant les amis du dimanche: « Claudine, tu es le genre de femme que je marierais si tu étais un homme. » Bien oui, grand-père, comme Claudine, était aux hommes; Francis, aux deux. Chaque fois, tout le monde avait ri pendant qu'elle, tout simplement, souriait, les yeux pétillants et l'air heureux. Equilibrée, ouverte d'esprit, Claudine s'amusait autant de l'homosexualité de grand-père que de la bisexualité de son Francis. « Tu es mieux de toujours prendre un préservatif avec tes copains, répétait-elle souvent à son mari sur le ton du Capitaine Bonhomme. Je veux pas me ramasser avec des

M.T.S., des SIDA, des... » Francis riait toujours très fort devant ces objurgations lancées devant les amis. Il savait que Claudine y tenait –et avec raison– à ces protections, mais aussi qu'elle exagérait un peu ses avertissements. Francis, responsable, n'aurait jamais risqué sa vie sans raison et empoisonné celle de sa femme et de ses enfants. D'ailleurs, son cercle d'intimes était très restreint et les relations très occasionnelles. Et tout le groupe du dimanche était au courant.

Ces amis du dimanche, c'était une troupe de joyeux drilles réunis les dimanches après-midi chez Francis et Claudine. C'était le temps des règlements de compte affectueux dans tout le groupe, des taquineries et de farces préparées toute la semaine. C'était les petits défoulements, l'exutoire de la pression accumulée. Ce que tout le groupe a ri tous ces dimanches de rencontres! Et jamais une goutte d'alcool, jamais une fuite dans la drogue. Au début, ils pouvaient en parler seulement pour consoler leurs résolutions, justifier leur abstinence. Pour les enfants surtout, les adultes aimaient répéter, à l'occasion, le slogan présenté à la télévision: Pas besoin de ça, nous autres!...Mais il arrivait parfois aussi que le groupe soit triste: il suffisait que quelqu'un parle de ses petits malheurs. Chacun avait déjà vécu quelque grande peine et chacun compatissait naturellement. « Les dimanches après-midi, c'est nos temps de thérapie. »

La famille de Guy Martel s'y retrouvait le plus souvent. Tout le monde le voyait, sentait: Guy c'était un grand ami de grand-père. Depuis toujours. Personne ne posait de questions, tous constataient. Depuis plus de trois ans, Francis plus que tout autre, l'avait pressenti dès son arrivée chez grand-père. Il en avait profité d'ailleurs. Pour Guy, le départ de ses parents pour l'Abitibi d'où ils venaient, l'avait passablement isolé. Sa place naturelle alors fut près de grand-père et Francis, au plus grand dam de son épouse. Elle fut obligée de céder sur ce point, mais Marie devint bientôt une amie de Claudine. Leur petite fille, Sylvie, ne communiquait presque pas et son grand garçon, Daniel, semblait bien mystérieux, fuyant, malgré ses onze ans. Marie, toujours tendue et agressive contre quelqu'un, avait beau se retenir, elle gelait quand même l'atmosphère à l'occasion. Chacun ignorait ses gaucheries par compassion pour Guy.

Jean-Guy, lui, c'était le « partner » de Francis dans le temps de la délinquance, de la drogue et de la prison. Il arrivait avec un nouvel ami presqu'à chacune de ses visites, mais toujours quelqu'un de bien. Puis la parenté de Claudine: ses parents, son frère Robert et son ami de garçon qui cultivaient la terre paternelle, et Luc, le cadet, avec son amie de fille. Francis gardait quelques liens avec d'anciens détenus, et grand-père, avec un ex-danseur nu, avec un ancien enseignant, Pierre Lalumière et sa deuxième femme, ainsi qu'avec de rares anciens élèves. « Qu'ils sont bons ces trois ou quatre sur les trois mille qui viennent me visiter à l'occasion! leur disait grand-père affectueusement. Quels échanges de chaleureux souvenirs! Quelle vie je retrouve à vous serrer dans mes bras! »

Un jour où Sylvain, un autre ex-détenu, s'était ajouté à la troupe du dimanche, Marie avait paru un peu agacée. Elle préférait y retrouver uniquement sa famille et celle de Francis. Les autres: un peu des intrus pour elle. Marie ne se gêna pas pour piquer Sylvain à l'occasion, surtout pour sa bisexualité. C'est là qu'il eut ce mot resté célèbre dans le groupe:
— Madame Martel, vous ne semblez pas m'aimer tellement, mais moi, je vous aime beaucoup...: vous ressemblez à un homme.

La boutade fut souvente fois reprise et appliquée à n'importe quelle situation. Toujours pour rire. Même Claudine se l'est fait servir à son plus grand amusement d'ailleurs.

Malgré les secrets de Claudine et le mystère dont elle s'entourait, grand-père, « senteux » qui voyait tout, et « remarqueux » qui devinait le reste, avait bien pressenti sa petite gêne, son petit malaise parfois. Grand-père essayait de ne pas trop la taquiner. Mais il écrivait, par exemple! « Au cas où... Quand on a eu la piqûre de l'écriture... » répétait-il à l'occasion.

Après les petites taquineries à ce sujet, grand-père qui ne se prenait jamais au sérieux, retournait tout heureux sous son puits de lumière dans sa chambre-grenier écouter de la musique, lire, écrire. « Sans contrainte, jouissait-il à se répéter. Ah! ma liberté! J'ai travaillé toute ma vie pour la liberté des autres, maintenant, c'est à mon tour. Ah! sainte liberté!... » Et sur une vieille feuille, il régla la question de ses écritures une fois pour toutes.

*Non, ce n'est pas un livre que j'écris; non, c'est seulement des notes sur mes émotions, états d'âme et de corps, état de mes petits enfants et de leurs parents. Je m'amuse. D'ailleurs, je ne pourrais jamais gagner de prix avec mes écrits. Pour gagner des prix, il faut respecter les principes d'écriture, il faut être objectif, neutre. J'ai beau essayer, je ne suis pas capable de jouer le neutre narrateur, le critique narrateur, cynique, joyeux, froid: rien à faire. Les émotions prennent le dessus et v'là mon narrateur empêtré dans ses sentiments, survolté, criant ses prises de positions exaltées, en lançant à pleines poignées ses points d'exclamation. Mes yeux, mes mains m'échappent, s'emballent et me v'là vautré dans mes sentiments et emporté dans la débâcle de printemps de mes écritures. Je ne suis plus capable d'écrire de livres. C'est fini!*

*D'ailleurs, je suis comme ça aussi dans la vie. Mes yeux s'arrachent et partent en pétillant. Certains n'aiment pas ça: ils se sentent agressés, quasiment violés. Un bel étudiant de Rougemont qui m'avait déjà décrit dans une composition parlait de mes yeux pétillants. C'était facile pour moi avec lui: il était si beau, ce petit Guertin! Parfois même, encore aujourd'hui, mon regard baisse (avec un S ou deux S: c'est vrai dans les deux cas) et voit toujours avec plaisir un beau galbe —le lunch comme disent certains— qu'offrent des hommes trop beaux. Devant leur surprise ou remarques parce que je regarde trop bas, j'explique:*

— *C'est que la vue baisse en vieillissant.*

*Evidemment, ce n'est pas avec ça que je gagnerai des prix qu'on court. Non, j'aime mieux m'amuser en écrivant.*

Pourtant, il restait une inquiétude dans la vie de grand-père: chez son ami Guy Martel, le loup rôdait.

# 3

Le fils de Guy Martel de Saint-Césaire, Daniel, s'était laissé prendre bien subtilement comme la plupart des autres jeunes d'ailleurs. Dès le milieu de son primaire, il savait que certains élèves fumaient en cachette, et pas seulement du tabac. Les jeunes faisaient souvent des farces sur le sujet, crânaient. Comme pour le sexe à cet âge-là, on en parle plus qu'on le pratique. « Gros parleurs, p'tits faiseurs. » C'était l'époque où les parents devaient aborder ces sujets avec leurs enfants. Chez les Martel, on n'en parlait pas. Selon leurs stéréotypes sexuels et les conformismes traditionnels, c'était la mère qui s'occupait de l'éducation des enfants. Le père, lui, devait crier, menacer, punir. La mère était en relations avec les enfants; le père, en rupture. Avec l'expérience de toutes leurs tensions et chicanes, ils s'étaient, à l'usure, délimité des domaines très étanches.Maintenant, Daniel portait ses onze ans, abordait sa puberté et se faisait souvent parler de drogues à l'école; pas à la maison. La maman n'a jamais osé aborder ces questions comme le voulait l'ancienne

coutume. « Il apprendra bien par lui-même. À l'occasion. »
Elle ignorait que ne pas parler de drogues à ses jeunes
équivalait à dire: Allez-y, les enfants, prenez-en!

L'occasion fut Sébastien Ducharme, le petit voisin et
ami de Daniel. Il couchait parfois chez les Martel. Une nuit:
— As-tu déjà essayé ça, Daniel?
— Non.

À trois heures du matin, Daniel qui pouvait se réveiller
à l'heure qu'il choisissait, avait réveillé son ami pour jaser
tout à son aise.
— Toi? s'intéressa Daniel.
— Un peu, comme ça.
— Qu'est-ce que ça fait?
— Ah! c'est super! On s'sent assez bien! T'as tout de suite
    envie de rire, d'avoir du « fun ».

Après les vacances des Fêtes, Sébastien lui montra une
drôle de cigarette donnée par un de ses amis du Secondaire
qui lui avait enjoint:
— Tu pourras le faire essayer à un ami très sûr. Ne dis
    jamais mon nom.

Un peu en dehors de la cour de récréation, Sébastien
invita Daniel:
— T'es sûr que c'est pas dangereux?
— Ben, voyons donc, t'es ben peureux!

Après quelques bouffées, Sébastien s'est informé:
— Sens-tu quelque chose?

Daniel auscultait ses sensations à la recherche de nouveau, de différent. Il ne sentait rien, mais l'autre riait, semblait
aux anges. Daniel, alors, un peu gêné, artificiel:
— Oui, j'commence, là.

Il essayait de rire autant qu'il essayait de sentir. Se
prenant le ventre à deux mains:

— Super! Donne-moi-s'en encore.

Il voulait absolument sentir quelque chose avant que Sébastien ne se rende compte de la supercherie. Par contre, Daniel se rassurait: « Si ça fait rien, ça doit pas être dangereux. » Le tout terminé après quelques minutes, Daniel ne se sentait plus tellement les jambes comme si quelqu'un lui avait dévissé le nombril et que les jambes étaient tombées. Une petite légèreté lui flottait entre les oreilles. Il passa par la salle de bain et se regarda dans le miroir: rien n'y paraissait. Il s'est senti un peu ramolli en classe et moins intéressé à travailler. Il n'était plus tellement sûr de la réalité. L'enseignante, aux contours incertains comme ses explications d'ailleurs, semblait plus drôle que d'habitude. Beaucoup plus drôle. Aucun goût pour le travail, plutôt intéressé à savourer cet espèce d'état euphorique. Après la classe, Daniel sautait de joie.

— Wow! c'est super! Comment t'appelles ça?

Chuchotements, confidences, projets ont caractérisé leur retour en autobus.

— Demain, penses-tu...?

— J'vas essayer.

Le lendemain, le jeune voisin dépourvu suggéra plutôt le liquide correcteur.

— Oui, ton « liquid paper! » Tu respires ça bien fort. Avec ça, tu « trippes ».

Daniel devint tout étourdi, eut des nausées et un mal de tête carabiné. Il sentait bien ses perceptions différentes, mais se trouva déçu, peut-être surtout à cause de l'effet très différent de la veille. Il arriva blême à la maison, en bourassant, de mauvaise humeur. De façon très intime et très délicate, sa mère cria:

— Voyons, qu'est-ce qu'il a encore celui-là, aujourd'hui!...

Il fallut quelques semaines au petit voisin pour organiser un certain vendredi soir où Daniel, lui et son ami du village, se retrouveraient seuls chez lui. Pas de parents et du « stock ». Daniel obtint facilement la permission.

— Là, Daniel, dit le grand Courtemanche du Secondaire, il faut commencer avec d'la bière. Faut s'faire un fond. Aimes-tu ça?

L'enfant n'osa répondre et en prit une bouteille. Les premières gorgées passèrent difficilement, mais la suite, un peu mieux. L'ami du village finissait sa deuxième bouteille.

— Là, on va essayer d'autre chose. Du hasch, connais-tu ça?
— C'est-tu comme c'qu'on a pris à l'école?
— C'est ben meilleur!

Tout en sirotant une autre bière, le jeune officiant installé à la table de cuisine, en gestes précis et mesurés, prépara la cérémonie. Avec précaution, fut extrait de son papier-aluminium le petit bloc de hasch. Brun-noir, malléable, odorant.

— Sentez ça, les gars!

Très soumis au rituel, les deux néophytes ont respectueusement senti et approuvé comme à l'église. Tout à son importance de grand-prêtre, le jeune homme pontifiait au morcellement du hasch en toutes petites parcelles bien arrondies. C'est en silence que s'exécute ce rite. Puis il sortit son papier à rouler, en tira une feuille, la caressa des doigts et y glissa une quinzaine de petites boules qu'il saupoudra de tabac. Avec un soin de Bénédictin et un sérieux de Fête-Dieu, il roula le papier, le colla et en ferma une extrémité en la vrillant. Le célébrant déposa le joint sur la table et le regarda attentivement entre ses gorgées de bière. Les deux enfants de choeur, silencieux, le fixaient avec admiration, voire respect. Là, un tout petit rectangle fut soutiré au carton léger du paquet de papier à cigarettes, roulé très serré et introduit au bout encore ouvert du joint. Le jeune initiateur palpa le joint pour en caresser de tout son long et la régularité et l'égale résistance.

— Bon, êtes-vous prêts, les gars?

Daniel, plus timide, n'a pas répondu, mais s'est approché très intéressé. Quand il a vu le grand sorcier rouler le « splif » entre ses lèvres mouillées sur toute sa longueur pour l'humecter afin qu'il brûle plus uniformément, Daniel intrigué a demandé:

— Comment ça se fume, ça?
— Tu prends une longue bouffée et tu gardes la fumée le plus longtemps possible. Regarde-moi faire.
— Est-ce que j'l'avale?
— Oui.

Et la cérémonie commença. Le calumet changea régulièrement de mains à tour de rôle, et la fumée, très agréée s'éleva vers le ciel de l'Artificiel.

Après son troisième passage au petit bâton magique, Daniel laissa échapper des petits: Oh... Hon... Un petit effet venait de se produire.

— Ah! c'est bon ça!...

Un grand souffle de reconnaissance s'éleva avec sa fumée; ses yeux, devenus pétillants, suivaient maintenant avec beaucoup plus d'attention les gestes des autres, leurs réactions. Très chaleureux avec son petit copain Ducharme:

— Te sens-tu bien? Moi, c'est super!
— Attends d'essayer un « shutgun », dit le Grand Manitou du Secondaire.

Mario Courtemanche mit le bout allumé du « splif » dans sa propre bouche et, Daniel, à moins d'un centimètre de l'autre bout, aspira la fumée poussée par le faiseur de rêves qui écrivait dans le ciel ses vains messages de fumée. Daniel poussa aussitôt un WOW! d'extase.

— J'me sens comme un p'tit nuage sur une chaise berceuse.

Les deux autres compères vidèrent, jusqu'à se brûler doigts et lèvres, l'encensoir magique des plaisirs enchantés qui exhala ses dernières volutes. Daniel, sur un « high », ne contrôlait plus sa joie:

— Aie, les gars!... J'me sens assez bien!... Vous autres?...

Le messager de l'Olympe en profita pour lever le voile sur son petit côté anthropomorphique:

— C'est pas pour rien que ça coûte si cher, ces trucs-là!

Sa bonne nouvelle annoncée, il pouvait rassurer ses ouailles:

— Vous allez voir comme ça va durer à part ça! Ça a pas fini de vous faire du bien. On écoute d'la musique?

Et les trois demi-dieux devenus, vibrèrent divinement sous la douce, chaude et délicate caresse de la Muse de l'« Heavy Mental ».

Le dimanche après-midi, dix jours plus tard, la famille de Daniel voulut se rendre chez Francis comme c'était leur habitude. Cette fois, pas moyen d'amener leur « petit gars ».

— Non, mon ami vient jouer ici. C'est plate, aller là-bas...

Les parents ont finalement cédé, et Daniel s'est retrouvé avec ses deux compères.

— Les gars, j'aime ben ça avec vous autres, mais j'voudrais pas être toujours tout seul à payer. Ca finit par coûter cher, précisa l'Imposteur, Grand-Prêtre de l'Impossible.

— Bien sûr, t'as pas à t'inquiéter: j'ai cinq dollars, dit Sébastien.

— Moi, j'en n'ai pas aujourd'hui, dit Daniel, mais j'en aurai la prochaine fois. Ca vaut bien plus que ça.

On se servit dans la bière du père en camouflant le larcin, et une autre fois, le sommet de l'Olympe se pencha jusqu'au milieu du Rang Haut-de-la-Rivière, côté nord à Saint-Césaire.

Daniel s'amusait en transgressant, expérimentait l'illégalité. Il se valorisait par la confiance mise en lui par de nouveaux amis. La complicité mutuelle créait des liens, dégageait une chaleur que Daniel appréciait beaucoup. Quand même, il s'inquiétait souvent en pensant aux messages sur la drogue vus à la télévision et aux informations données par ses enseignants. De même, de la part de conférenciers invités à l'école. Mais l'attrait presqu'irrésistible du plaisir défendu justifiait le risque couru. « Seulement un p'tit peu, seulement une fois de temps en temps, ça peut pas être dangereux. » Avec sa conscience d'enfant naïf et innocent, il s'est même informé auprès du grand Courtemanche qui les initiait peu à peu pour trafiquer la dépendance et s'envoûter une future clientèle. Bien sûr, le grand illusionniste continua à utiliser la chimie pour jouer des tours... de magie. Il rassura Daniel:

— C'qui est dangereux, mon Daniel, c'est les cochonneries que certains vendeurs mettent dans leur « stock ». Avec moi, il n'y a pas de danger, parce que vous êtes des amis. C'que je vous ai passé, c'était bon, oui ou non?

Daniel se sentit rassuré par l'honnêteté du grand gars du Secondaire, sa générosité. Il se dit: « J'en prendrai seulement un petit peu à la fois, et seulement quand ça adonnera. Puis dès que je verrai que j'en prends l'habitude, j'arrêterai. »

Daniel se sentait bien à l'intérieur de ces balises; en sécurité, à l'intérieur de ses raisonnements. Avec sa drogue, la course à reculons venait de commencer. Daniel, inflammable, jouait avec le feu.

# 4

Mélodie modulait son septième mois. Ses parents l'appelaient encore leur petite fleur. Pendant la grossesse, c'était: la petite fleur de réconciliation. Plus chanceuse que Jonathan, Mélodie avait échappé à la violence paternelle. Francis demeurait toujours une petite bombe à retardement, même s'il ne disait plus: « Avec l'enfance que j'ai eue... » pour justifier ses écarts de conduite. Il avait intégré son passé, consolidé ses motivations, s'était fait aider. Parents Anonymes soutenaient sa réflexion, Narcomanes Anonymes lui rappelaient sa dépendance à la coke et ses conséquences. Claudine l'accompagnait toujours partout. Elle aussi d'ailleurs, devant la coke... frémissait encore d'un petit vertige à l'occasion. Francis disait: « C'est comme voir passer une belle grosse voiture rutilante. Wow!... Ca me tenterait un peu, puis je reviens dans la réalité et je n'y pense plus. » Grand-père qui les taquinait, se faisait parfois répondre:

— L'écriture, grand-père, ça serait pas ça ta drogue!...

— Ah c'est pas bien dangereux... tant que j'écris sur vous, sur mes amis décédés et mes amis de toujours: j'ai des affections têtues. Je pense que ma fidélité va mourir une demi-heure après moi.

Et de temps en temps, le dimanche après-midi, il lisait une page de ses trouvailles. C'était la journée des éclats de rire, chez les Labrecque, la journée du respect et de la tendresse.

Ces dimanches-là, pour le groupe, ce n'était pas le sourire de soirée de grande première; non, seulement le sourire de tous les jours. Des amis se taquinaient, s'essayaient aux jeux de mots, calembours, devinettes lus ou entendus au cours de la semaine. Pas le grand humour Ding-Deschamps ou Dong-Lemire; non, seulement le petit humour au quotidien. Chacun souriait pour tout et pour rien: c'était l'apport individuel à l'éclairage du quotidien. Le sourire était l'énergie solaire apprivoisée, l'effort harnaché pour surmonter des souvenirs, des contraintes sur lesquels, tacitement, personne ne semblait vouloir revenir. Mais ces petits malheurs se tenaient à la porte; le mur parfois poreux, suintait quelques larmes et s'allongeait la figure. L'enfance de Francis, la narcomanie de Claudine, le mariage forcé de Guy Martel, la persécution des Gais, les suicides dans la vie de grand-père remontaient à la surface, et tous tentaient d'en adoucir le souvenir.

Certains pourraient parler d'humour de troisième classe, qu'à cela ne tienne; eux voulaient survivre. Qui pourrait le leur reprocher? C'est grand-père qui avait donné le ton de l'humour. Son oeil vif, perçant se fixait sur une situation et en trouvait spontanément un petit côté farfelu. Un mot, une phrase, et dans un rire, un sourire, chacun se payait des petites vacances instantanées. Peu à peu, les amis avaient testé leurs possibilités. Seule Claudine, toujours discrète, faisait exception, mais elle acceptait toujours tellement de bon coeur d'être la cible des taquineries de tous! Un peu gauche, empêtrée, elle se défendait si mal qu'elle semblait en redemander. Souvent à la fin de l'escalade, elle exprimait son « mécontentement » d'une façon faussement bourrue qui faisait encore rire et invitait à recommencer. Faut-il être femme ou mère pour autant de disponibilité?

Ça mémérait joyeusement, parfois se défoulait. Chacun respectait la tristesse de l'un ou l'autre, à l'occasion, son ennui, voire ses impatiences. Ainsi, s'échangeaient beaucoup de peines, inquiétudes, plaisirs. Parfois, tout l'après-midi passait à parler d'un seul membre du groupe, à essayer des conseils, tester des solutions. Ce fut souvent le cas pour Guy. Etre malheureux, n'est pas toujours un rôle facile.

Il en allait de même pour un autre ami de grand-père, un ex-danseur rencontré au Club gai L'ENTRE-DEUX. Il venait à l'occasion le voir. Ils se caressaient du regard. Grand-père qui le devinait malheureux avait rappelé aux amis sa première rencontre avec le très beau David.

— Quand il m'a servi une bière, entre deux danses, je lui ai donné cinq dollars pour... ne pas venir danser à ma table. David, interloqué, m'a regardé avec de grands yeux surpris. Il n'arrivait pas à parler. J'ai ajouté: « Je te souhaite d'être heureux. » Toute sa figure a changé: il ne jouait plus de rôle. C'est comme si, pour la première fois de sa vie, quelqu'un posait un geste gratuit à son endroit. Il s'est penché et m'a embrassé bien fort sur les deux joues.

Grand-père et David ne s'étaient échangé aucun nom, adresse, avaient coupé tous les ponts. C'est en prison que grand- père l'avait retrouvé en allant rencontrer Francis: trafic de drogues. Ils s'étaient regardés sans se dire un mot. David s'était informé au sujet de grand-père auprès de Francis, et, à sa sortie, il s'était rendu chez lui. Grand-père tout surpris, très heureux, l'a serré bien fort dans ses bras! Les malheurs n'avaient rien changé au coeur de David. Ils parlaient tous les deux de banalités: le beau danseur ne pouvait aller plus loin. David se promenait seul parfois dans les champs, et autour des bâtiments. Il parlait au vieux cheval que Francis gardait pour faire plaisir à grand-père. C'est près du cheval que grand-père dit un jour à David:

— C'est avec lui que je vais souvent chercher les vaches. On fait corps ensemble; je me sens aussi vieux que lui; complice.

Devant l'absence de réaction de David, grand-père continua:

— Veux-tu monter le cheval, on pourrait aller faire un tour ensemble?

Ils sont partis bien lentement, collés... jusqu'au bout du champ derrière la maison. Descendus près du ruisseau, David semblait si triste. Grand-père s'est approché très lentement de son silence, les bras tendus et l'a serré très fort dans ses bras. David s'est mis à pleurer doucement puis à sangloter. Il disait tout et rien, et grand-père n'arrivait pas à répondre. Ils sont revenus main dans la main, à pieds, afin de ne pas fatiguer un vieux cheval généreux, et laisser le temps au jeune ami de semer son chagrin. Cet après-midi-là, David ne s'est pas mêlé aux farces, histoires et taquineries. En partant, toujours le même rituel: David embrassa grand-père sur les deux joues et ils se serrèrent bien fort. Comme toujours, grand-père lui a souhaité: « Tâche d'être heureux. » Cette fois-là, David est parti les yeux roulant dans un peu trop d'eau... beaucoup trop d'eau. David n'est jamais revenu. Après chacun des départs de David, ça parlait toujours moins fort dans le joyeux groupe. Beaucoup moins aussi. Comme au départ de certaines personnes désemparées ou en manque de drogue, qui venaient régulièrement chercher conseil, réconfort, présence auprès de Francis et Claudine.

Le sérieux et le rire se succédaient selon les circonstances. Peu à peu, s'est constitué un noyau de fidèles à ces rendez-vous. En s'amusant, ils se sont cherché et trouvé un nom qui changea d'ailleurs souvent. Celui qui revenait le plus régulièrement avait été suggéré par grand-père dans un grand rire:

— Claudine, vous avez eu le Cercle des Belles Fermières, nous autres, nous serons le Cercle des Beaux Fermiers.

— Caressez le cercle, dit aussitôt Francis, il devient...

« ... vicieux! » avaient ri tous les participants.

Claudine, féministe, mais équilibrée, acceptait quelques taquineries sur les femmes et savait retourner leurs pointes aux Beaux Fermiers, sur les hommes en général, et les Gais en particulier.

Avec le temps, Guy et Francis étaient devenus de plus en plus intimes; leurs yeux pétillaient quand ils se parlaient. Devant femmes et enfants, se retenaient. En été, très souvent, ils partaient tous deux avec leur petit tracteur tout-terrain et montaient aux champs. Ils soulevaient la poussière, coursaient, se coupaient le chemin, s'amusaient comme des adolescents. Ils restaient partis longtemps, disparus au défaut de côte du ruisseau ou dans le bois du trécarré. Grand-père imaginait leurs jeux, les enviait. Dans tout son corps, un frisson; il était très heureux pour eux, sûrement jaloux parfois. Leur retour le remuait particulièrement. Il sortait toujours pour les accueillir hors de portée des femmes et enfants, afin de se réserver un espace entr'hommes, de peur aussi de blesser inutilement. Grand-père savait qu'il allait quêter une marque d'affection au seuil de leur bonté. Mais il ne pouvait se passer de cette caresse visuelle, de ce feu qui brûlait en leurs prunelles. Un jour, il conseilla:

— Quand je serai parti, réservez-vous ensemble, de temps en temps, une veillée sous les étoiles. Vous vous rappellerez les grandes amours de nos vies. Vous ne vieillirez pas, vous serez toujours heureux. Une lumière brillera au-dessus de vos têtes, il s'agira de regarder un peu plus haut.

Les deux amis s'émouvaient toujours aux paroles du grand-père remuant le passé. Leur passé toujours vivant, très sensible, tressautait au seuil de leur présent. Grand-père continua:

— Aucun de nous trois ne doit oublier ce que nous avons vécu. J'ai lu quelque part: « Malgré la couche épaisse de nos actes, notre âme d'enfant demeure intacte. L'âme échappe au temps. »

Les trois, très émus, avaient fait quelques pas vers le puits.

Les attirait toujours cette margelle qui les avait réunis autour de leur François déjà parti depuis plus de vingt ans. Et d'ailleurs, son vieux gobelet écaillé, près de celui de grand-père, y demeurait toujours accroché. Offert.

Quand Francis et Guy se sentaient nostalgiques, parfois se rendaient au sommet de la côte. Francis montrait le milieu de la rivière. Ils revenaient souvent la tête basse et parlant plus bas. Ils s'étaient réfugiés dans leur intérieur avec les grandes émotions rappelées du bout des champs. Tout ce qu'ils avaient vécu sur cette ancienne ferme de grand-père Nolin maintenant à Francis!... La différence d'âge ne comptait pas. Il n'y a pas d'âge pour l'émotion, la reconnaissance. Les trois hommes reconnaissaient. Se reconnaissaient.

Grand-père se sentait toujours vivant au ciel de leur affection, toujours heureux d'avoir des amis si bons. Et les dents serrées, il caressait un enfant. Ces visites ravivaient au coeur de Francis de vieilles émotions, et grand-père sentait une nouvelle tendresse dans son ton de voix, dans sa manière de se pencher vers lui, de le fixer de son regard profond ou parfois, en parlant à son fils:

— On a un grand-père extraordinaire. Si tu pouvais être bon comme lui!...

D'autres fois, les yeux remplis d'une douce et rieuse malice, Francis répondait à Michel:
— Oui, papa!

Les deux amis riaient et se caressaient furtivement.
— Merci Francis, mon fils!

Une joyeuse complicité leur permettait une grande simplicité, spontanéité. « Qu'il est doux de s'aimer tout simplement! » commentait parfois grand-père.

Francis entourait toujours son Michel d'un tel respect. Son attitude quand il lui parlait, s'informait à son sujet, l'aidait, ne supportant pas qu'il force, prenne des risques, à chaque fois le touchait. S'il ne lui parlait pas, il posait sa belle grosse main rude sur sa tête et un doigt -le plus souvent son pouce- caressait sa cicatrice sur son front. Francis parfois frissonnait en se revoyant à l'hôpital et se rappelant qu'il avait été la cause de cette blessure de grand-père. Devant ses enfants, souvent Francis embrassait la cicatrice. « Ils connaîtront le respect, le respect des blessures... Et de la douleur qui les ont fait naître. » Les deux hommes sentaient Claudine positive, accepter ces effluves. Pas de hargne, jalousie, préjugés. Grande bonté, tendresse: une vraie mère. Elle avait confiance en son Francis, elle l'aimait suffisamment pour respecter ses sentiments. Un grand courant d'affection profonde courait entre tous. Quelle bonne atmosphère pour les petits!

Grand-père, alors, le coeur gonflé, s'empressait à sa table de travail pour laisser couler son émotion. « Dans ma chambre-grenier, entre deux puits de lumière: l'azur et Jonathan, c'est facile d'entrer en état d'écriture. » Et grand-père écrivait toujours.

# 5

Surtout ces dimanches de visites, grand-père avait toujours toutes sortes d'idées pour les enfants, leur posait de drôles de questions, messages à passer.

— Mon petit Jonathan, vas-tu être beau, grand et fort comme ton papa?...

Francis commentait habituellement:

— Grand-papa, demande-lui en pas trop.

Et Claudine, moqueuse:

— Sais-tu, grand-papa, si Jonathan n'est jamais plus grand que toi... avec tes cinq pieds et trois quarts de pouce, comme tu dis parfois...

— Ah bien, tu te rappelleras, Claudine Vaillancourt, que j'ai écrit deux livres: j'ai des droits d'auteur!...

Francis continuait:

— Auteur avec ou sans H?

— Dans cette maison, moi seul peux prendre le hasch. Pas vous autres en tous cas.

— Tu me tires la pipe, là...
— J'aimerais bien le faire dans le sens où le disent les Français.
— Ah ça...

Sa réponse en suspens, les sourires entendus réchauffaient cette atmosphère que tous connaissaient bien. Bien oui, Francis était bisexuel et sa femme, ouverte, compréhensive, a fini par s'habituer, se soumettre. Si elle voulait Francis, elle le prenait tel quel, sans amendements, ou ce n'était rien du tout. Elle disait parfois:
— Mon homme n'est pas pure laine.

Elle ajoutait à l'occasion pour s'amuser:
— C'est pas un tricoté serré.

Tout le monde riait toujours de ses expressions, Francis le premier. Le beau colosse Francis aimait bien rencontrer à l'occasion ses amis de toujours, surtout Jean-Guy, son « ex-partner » comme il l'appelait, et bien sûr, Guy Martel. Parfois, quand il allait travailler chez Robert, le frère de Claudine, il revenait assez tard. Claudine, alors, n'insistait pas, mais se réservait le droit d'en parler, soit au déjeuner ou devant les amis du dimanche:
— Si ça continue d'même, j'vais être obligée de faire l'amour avec grand-père.

Ces petits rappels humoristiques à Francis suffisaient, semble-t-il, à réactiver la broche à tricoter et réchauffer les relations nocturnes. Et tout le groupe d'amis était assez évolué pour savoir qu'aimer est d'abord une question de coeur et de tête, et non d'abord affaire de pénis et de vagin.

D'autres fois, grand-père passait par la petite dernière.
— Mélodie, quand tu seras plus grande, je t'amènerai avec moi chercher les vaches. Puis, si tu es fatiguée, je te prendrai dans mes bras. Puis sur mes épaules. On jouera au cheval.

L'enfant regardait grand-père et souriait de toute sa figure. Un jour, elle a semblé dire, en vagissement sarcastique: « Bien sûr, grand-père. Il n'y a pas seulement Victor-Hugo Beaulieu capable de parler de chevaux, ah!... » L'enfant prit l'index du grand-père et le serra entre ses gencives muettes.

— Elle sera sûrement une grande écrivaine, elle aussi, petite intellectuelle déjà intéressée aux mêmes téléromans que ses parents, avait conclu grand-père, en se moquant de Victo Hugo.

Un certain dimanche demeuré célèbre, grand-père s'offrit pour lire une page écrite sur Mélodie. Dès le titre: « Et j'ai appris à changer les couches... » tous ont pouffé de rire, sentant venir grand-père. En se pinçant le nez et en accentuant chaque syllabe, grand-père a donné clairement dès le début son idée directrice.

*Et ça sent pas bon!... Ouf!... C'est essoufflant! Une, deux minutes sans respirer... pour se reprendre dans la porte, une fois la corvée terminée: ouf!... Et quand, quelques minutes plus tard, je vois Mélodie recommencer ses efforts d'évacuation:* cacastrophe!... *Et je comprends mieux le grand principe philosophique: l'opération suit l'être.*

*Je ne sais pas si toutes les petites Mélodies du monde modulent aussi intensément, et toute leur vie, mais Mélodie Labrecque a sûrement dû battre tous les records d'harmoniques effluves dans toutes les gammes et clés sur la portée de ma patience nasale. Chaque fois, utilisant plus le dièse que le bémol, elle me transporte à des hauteurs... philarmoniques... du toit en montant! Tellement que je m'éloigne de la fosse d'orchestre afin que la mère, à l'occasion du moins, prenne la direction des opérations. La maman sent parfois mes besoins et me soulage aussi souvent qu'elle peut de cette terrible épreuve pour mes fosses nasales.*

Tout le monde a ri et grand-père s'est souvent fait taquiner au sujet des couches. « Mélodie est un tube digestif, affirma-t-il. Si un bout de ce tube complètement dépourvu de responsabilités comporte de si tangibles désagréments, il faut dire que l'autre bout compense bien la plupart du temps. »

Les petits sourires de l'enfant que tous essayaient de provoquer le plus souvent possible, ses sons amusés, ses premiers mots espérés, fleurissaient à ses lèvres. Mélodie devenait tout un laboratoire à elle toute seule. Chacun multipliait les sons qu'elle s'efforçait de reproduire, offrait un gros doigt qu'elle s'empressait de saisir, présentait son cou qu'aussitôt ses petits bras l'entouraient. Ses gazouillements et pépiements emplissaient l'oreille comme quand s'ouvrait la porte du printemps devant la multitude des oiseaux. Mélodie, les nids; Mélodie, la vie. À tour de rôle, elle rajeunissait son père, sa mère et surtout le grand-père.

Même le petit Jonathan aussi, parfois, la prenait; assis près d'elle sur le divan, la caressait. Pas jaloux pour la peine parce que préparé, habitué, il comprenait. Voyant l'exemple donné, l'aimait. Il savait d'ailleurs, à l'occasion, tirer la couverture de l'attention quand il sentait son tour venu. Toujours très clair, mais jamais agressif. Si l'affection des adultes s'exprimait pour lui différemment, c'est que c'était un grand. À près de trois ans, on n'est plus un enfant... Grand-père jouait avec lui, répondait à ses questions, recevait ses caresses. Grand-père adorait quand Jonathan montait sur ses genoux et lui donnait un petit bec sur la joue, ses petits bras serrant bien fort son cou. Ses petits bras caressant ses épaules, ses joues, ses oreilles, Jonathan s'amusait dans quelques cheveux gris encore bien accrochés. Il ne disait rien, mais grand-père devenait très ému. Pensait à François. Jonathan sentait-il son coeur s'accélérer? Il n'en parla jamais. Sa mère commentait parfois:

— Il est donc affectueux c't'enfant-là!

Grand-père répondait:

— Il est merveilleux. Deviendra comme ses parents.

Grand-père qui revenait toujours à Mélodie avait décidé de la faire tenir, puis avancer... à quatre pattes, en prévision des deux pattes. Il commença par placer Mélodie à plat ventre sur un petit coussin de façon que ses genoux et ses mains touchent le fauteuil. Elle a ri et vagi, l'a regardé et s'est branlée, expérimentant cette nouvelle position, auscultant ces nouvelles sensations. Elle s'est tellement balancée à ce nouveau jeu qu'elle en a roulé en bas du coussin. Grand-père l'a alors placée à genoux sur son lit et lui a laissé descendre le haut du corps. Au lieu de s'appuyer et se retenir avec ses bras, elle s'écrasa au complet sur le matelas. Plus tard, grand-père a repris l'expérience sur le tapis du salon. Cette fois, Mélodie s'est appuyée les mains et est restée à quatre pattes. Là, finis les petits rires et glou glou habituels. Les yeux tout ronds, l'air inquiet, il fallait un grand silence pour étrenner cette nouvelle position. Le derrière en l'air, la tête en bas pour examiner à l'envers son arrière-train entre ses deux jambes. Puis encore le silence: elle réfléchissait très fort sur sa position historique. Le tout entrecoupé maintenant de petits rires d'émerveillement et de profondes réflexions existentielles sur le premier stade de sa position d'homo erectus. Ne venait-elle pas de rattraper dix millions d'années d'histoire! L'instant demandait qu'on s'y arrêtât... et commandait pour le moins un subjonctif imparfait.

Restait à Mélodie maintenant à faire bouger cette nouvelle mécanique qui lui semblait bien huilée et prête à opérer. Elle s'est avancée et reculée le derrière à plusieurs reprises, tout le reste suivant le mouvement, bien sûr. Mais pour l'instant, l'Histoire s'arrêtait au balancement du postérieur. Elle aurait aimé sauter des étapes, mais avec la sorte de couche qu'elle portait, pas question de fuites... en avant. L'action de l'arrière n'arrivait pas à faire bouger ses petites mains soudées au plancher sur ses petits bras incertains. Puis toujours ses petits rires très forts suivis de profondes méditations métaphysiques. Quelles sont les applications pratiques d'un tel principe de physique? Des jambes en arrière qui fonctionnent séparément, et deux bras en avant qui fonctionnent comment?... Le devant n'arrivait vraiment pas à recevoir le mouvement directement de l'arbre de couche... toujours sans fuites. Et enfin, dans un premier geste historique, les deux genoux ont glissé en même temps et les deux mains ont suivi. Quatre mouvements synchronisés, c'était trop, mais deux à deux, ça pouvait aller. Bientôt, une seule main s'est avancée en même temps qu'un genou: dans les deux cas, du côté droit. Catastrophe! son sourire s'est aplati sur le tapis. Qu'à cela ne tienne, l'enfant s'est roulée sur le côté, a pris son élan puis s'est remise sur le ventre, et de nouveau à quatre pattes. De toute évidence, c'était une position d'avenir: tous les aspirants patrons peuvent le dire. D'ailleurs, plusieurs personnes ne restent-elles pas accrochées toute leur vie à cette position?...

Mélodie s'est balancée un peu le fessier d'arrière en avant, mais le devant de l'engin ne fonctionnait toujours pas. Puis un genou avança de quelques centimètres et une main glissa à son tour. Le même genou progressa encore, communiquant son mouvement à l'autre main. Le genou retardataire vint corriger le manque d'équilibre. De glissements en frottements, l'enfant devina un peu le fonctionnement de cette nouvelle invention: si le devant avance, il faut que le derrière suive et vice versa. Et bébé a tout de suite coordonné ses mouvements de l'arrière-train avec l'avant-train et la locomotive était partie. Ses petits yeux brillaient, lançaient des éclairs, éclataient de tous les feux de l'émerveillement. Mélodie vivait un grand moment d'humanité. Ses petits cris de plaisir faisaient fondre de tendresse le grand-père devant cette enfant qui venait de découvrir la marche vers l'autre par quatre pattes interposées. Dépassé par l'événement, grand-père cria à la mère:

— Un petit pas dans le salon, un grand pas sur la lune... ou quelque chose comme ça...

Claudine approcha et s'amusa à son tour.

Mélodie s'apprêtait à explorer le monde. Ce qu'elle fit consciencieusement, méthodiquement, le tout joyeusement étalé. Plus aucune armoire du bas n'eut de secret pour elle. Elle apprit aussi à goûter et à sentir la nourriture du chat, les barres de savon, la poubelle de la cuisine et les récurants dans l'armoire de la salle de bain. Mais la meilleure invention moderne lui sembla le papier de toilette. Elle en fit des boules, des tas, des guirlandes, des confettis, elle en fit son sillage, sa sécurité, son chemin de retour, le transforma en chapeaux, cerf-volant, nourriture... Vraiment, un rouleau de papier de toilette est essentiel dans la vie d'un enfant!

Ce ne fut plus long que la petite Marco Polo sans bateau, prit de l'initiative et de la précision. Elle découvrit bientôt la route des Indes, celle des épices et des chaudrons. Un jour, la famille la retrouva assise au milieu d'un conte de fée fait de sucre à glacer, sucre brun et farine qu'elle faisait monter en petits nuages avec une laine d'acier à récurer. Dans cette boule blanche comme un mime, seuls deux grands yeux ronds d'ébène lançaient des éclairs de plaisir, et un petit trou rond, des cris de joie au goût de sucre à glacer accompagnés d'un petit nuage de farine. Le spectacle en valait la peine. Pour les adultes, une curieuse envie de rire et de se fâcher se mêlaient aussi bien que farine et sucre à glacer. La colère, le désappointement, s'adressaient davantage à eux-mêmes pour leur manque de prévoyance qu'à l'enfant innocent qui les invitait à partager son jeu. Trois lavages de plancher et une brassée de linge à laver plus tard, et la Marco Polo, enfoncée dans la baignoire, augmenta son tirant d'eau et continua son voyage.

# 6

Daniel Martel, douze ans, refusait encore à l'occasion des sorties avec ses copains pour condescendre à sortir avec ses parents. Surtout pour sa petite soeur qu'il aimait bien au fond. Ainsi, convaincu « presque » qu'il n'était pas esclave de la drogue, se sentait en sécurité. Dans sa tête, il remit à leur place des conférenciers entendus à l'école qui l'avaient tant impressionné: Consommer un jour, c'est consommer toujours. Daniel se justifiait: « Ils ont exagéré, ont voulu nous apeurer. J'vais faire attention, et j'serai correct. » Et il continua à consommer à l'occasion, « quand ça adonne ».

Maintenant, « ça adonnait » beaucoup plus souvent qu'avant. Et le grand Courtemanche lui parlait tous les jours, le mettait en confiance. Il l'a même présenté de temps en temps comme son ami aux grands gars et filles de quatrième année secondaire. Daniel le prit comme modèle. « C'est comme ça qu'on doit faire au Secondaire. » Et surtout retenir le bon conseil du Grand: « N'achète pas n'importe quoi de n'importe qui. On sait jamais. » Daniel n'acheta que du grand

Courtemanche, ce qui valait parfois un petit cadeau: « Là, j't'en ai mis .2 grammes de plus... parce que t'es un ami... » Avec le petit voisin Ducharme, il fallait aller toujours plus vite, toujours tenter de nouvelles expériences. Daniel parfois hésitait, posait des questions, mais cédait toujours.

— Ah ben, là, j'ai pus d'argent.

— Ca fait rien, j'te l'donne. Tu m'le remettras demain.

Une autre fois:

— J'ai été malade la dernière fois.

— Mais aujourd'hui, c'est l'meilleur que j'ai jamais goûté. Arrive!

Les parents de Daniel ne se doutaient d'absolument rien. « Au Secondaire, il faut un peu plus d'argent qu'au Primaire. » Cahiers brochés, cartables, feuilles mobiles, cahiers d'exercices, etc. Même l'achat de fruits à la récréation. Daniel finissait toujours par se trouver un peu d'argent. Beaucoup de mensonges aidant.

Quant à sa petite soeur Sylvie, c'était une grande amie, complice. Ils s'étaient toujours bien entendus malgré quelques chicanes. Sylvie ne communiquait presque pas. Repliée, fermée, ne parlait que pour le fonctionnement quotidien et encore! Daniel était le seul avec qui elle parlait d'elle- même. Même avec sa mère, l'enfant s'abstenait. À l'école, elle se retirait des autres, ne jouait pas avec eux, sinon par obligation et n'exprimait aucune joie, ni peine. En classe, elle ne demandait jamais une explication, restait bloquée sur un problème, par exemple, sans demander aide ou conseil. C'était une petite voisine de bureau qui la surveillait et allait l'aider au besoin. L'enseignante avait trouvé ce moyen quand elle n'avait pas le temps de s'occuper de la petite. L'école faisait suivre Sylvie par un psychologue, mais les résultats se faisaient très lents. Le psy avait rencontré les parents, « tous les deux », avait insisté Richard Duguay. Il avait bien perçu la communication difficile entre Guy et Marie.« Le plus possible, essayez de montrer beaucoup de sérénité, de calme avec elle. Elle ne doit pas sentir de tensions entre vous, de stress. Parlez-lui avec douceur, même si elle ne répond pas. Parlez-lui d'affection, montrez-en même entre vous: il faut qu'elle voie des gens qui s'aiment autour d'elle, surtout ses parents. Qu'elle voie le plaisir de la communication chez ceux qu'elle aime. » Guy et Marie s'étaient sentis bien gênés par ces demandes, et Guy n'est jamais retourné aux autres convocations. Les parents se sont accusés mutuellement d'être la cause du problème et se sont fermés encore davantage. Marie prenait ses calmants; Guy, sa bière.

Daniel seul communiquait avec sa petite soeur de deux ans sa cadette. Ils jouaient ensemble parfois, souvent sans parler; se devinaient, se sentant peut-être bouée de sauvetage l'un pour l'autre. Ils savaient leurs parents en chicane; eux autres formaient l'autre clan, celui des enfants. Daniel se sentait un peu responsable de sa petite soeur et n'était pas peu fier de la voir parler uniquement avec lui. Parfois, la petite le serrait dans ses bras, mais sans rien verbaliser. Puis les deux continuaient à jouer, allaient manger ou se coucher. Jamais ce rite devant les parents. C'étaient leurs secrets.

Un jour, Daniel montra un joint à sa soeur. « C'est de la drogue. Faut pas en parler. » Daniel fuma devant elle. Sylvie regarda un moment, puis continua son activité toute seule. C'était sa manière de désapprouver. Jamais Sylvie n'en souffla mot à personne, même quand Daniel gardait la maison et qu'il y recevait ses amis pour boire la bière de papa et se droguer. Elle se couchait, mais ne dormait pas. Les amis partis, Daniel venait toujours la voir, lui racontait son aventure, comment il se sentait. La petite le serrait alors plus longtemps avant de dormir. Parfois, le lendemain, la mère demandait:
— Ca sent bien curieux dans la maison: qu'est-ce qui s'est passé hier soir? Sylvie, voudrais-tu dire à maman ce qui

est arrivé?... C'est-tu Daniel qui a fait des mauvais coups?...

Peine perdue. Après plusieurs questions et beaucoup d'insistance, le petite a répondu:
— Non.

Et peu importa la forme des autres questions, ce fut toujours la même réponse: Non. Daniel jubilait. Il s'est promis toutes sortes de belles paroles à sa soeur dès qu'ils seraient seuls, même un petit cadeau.

Un soir où Daniel prit des « caps » d'acide et qu'il fut très nerveux, Sylvie eut très peur. Son frère se promenait de long en large dans la maison, parlait tout seul, parfois se fâchait et disait des bêtises à un ennemi invisible pour elle. Elle eut envie de pleurer et demanda à Daniel de venir se coucher. Plus tard, même couché, Daniel ne dormit pas et se roula dans son lit en soupirant très fort. Sylvie, angoissée, se leva, alla se coucher près de lui, le prit dans ses bras sans dire un mot et le serra. Elle essayait de le calmer, d'exorciser le mal en lui par sa petite présence innocente. Quand Daniel, malgré lui, s'est encore agité, elle répéta tout bas: Daniel!... en le serrant un peu plus fort. Et quand l'adolescent eut quelques soubresauts encore plus violents, elle dit en pleurant doucement:
— Daniel, j'ai peur.

Le grand frère sentit couler sa peur dans son cou. Ce fut suffisant pour chasser tous ses démons, le dégeler complètement. Il se rendit compte du mal qu'il faisait à sa petite soeur, elle qui n'avait que son grand frère comme lien avec le monde. À son tour, il la prit dans ses bras et la consola. Elle ne dit rien et s'endormit. Daniel, très délicatement, alla la coucher dans son lit et se sentit malheureux. « Qu'est-ce que j'ai fait? Est-ce que j'en prends trop?... Finis, les « speeds »!... si je fais pleurer Sylvie. »

Le lendemain, la petite avait mouillé son lit. Daniel l'aida à enlever les draps mouillés. Il avait l'air bien malheureux et parla brutalement à ses parents, surtout à sa mère qui chicanait sa fille pour l'accident.

— À pas fait exprès, pis t'as pas d'affaire à chiâler après elle. Toé, t'as jamais pissé dans ton litte?
— T'a défends ben, ta p'tite soeur tout d'un coup!...
— J'les ai enlevés les draps, t'auras rien qu'à les laver. J'vas les r'poser à soère. Pis foute-lui donc la paix: c'est pas un drame!

Sylvie continuait à manger ses céréales sans un mot comme si elle n'entendait rien. Seulement une grande tension étirait sa figure, peut-être une légère pâleur aussi, décelaient la grosse tempête qui rageait en son coeur.

— Si a recommence, j'vas lui mettre une toile. Qu'est-ce qui va sentir ce matelas à c't'heure?

Le père essaya de calmer la mère:

— En tous cas, c'est tellement rare.
— Toé, mêle-toé de tes affaires! Dans la maison, c'est moé qui mène. J'vas pas me mêler de tes affaires à la grange!
— J'vas m'en occuper de ma soeur, affirma Daniel. Viens, Sylvie, j'vas t'aider.
— Commence donc par manger, toé. L'autobus scolaire va arriver, ordonna la maman exaspérée.
— J'ai pas faim.

Les enfants partis, Marie demanda à Guy:

— Qu'est-ce qui lui prend tout d'un coup de tant prendre la défense de sa soeur, lui? Est-ce qui se passe quelque chose de pas correct entr'eux autres?
— Ben voyons, Marie! Si Daniel réussit à gagner sa confiance, elle va parler au moins avec lui.
— Mais si elle parle pas à moé, sa mère!?...
— C'est toujours pas en lui faisant une crise comme tu lui as faite t'à l'heure...

— C'est moé qui lave le linge! Pis l'matelas, lui?...

— C'est une enfant perturbée. Faut pas l'énerver encore plus.

— Tu peux ben parler, tu veux même pas venir voir le psychologue avec moé.

— Il s'mêle de ce qui se passe icitte, pis entre toé pis moé, pis... Pis c'est pas de ses affaires.

— Pis moé, chu toute seule pour m'occuper du problème de la petite.

— Ben, t'as Daniel à c't'heure.

La mère indignée, s'est enfoncée dans un silence marabout et occupée bruyamment de la vaisselle du déjeuner. Le père est sorti travailler sans rien ajouter. Les deux continuaient à réfléchir chacun de leur côté, se poser des questions, endurer. Sans communiquer. Sans même plus le désirer maintenant. « On va laisser aller les choses. » Chacun de son côté du chemin, l'une avala son Valium; l'autre, sa bouteille de bière.

D'une humeur massacrante, Daniel bougonna dans l'autobus, même avec son voisin, puis toute la journée à l'école. Il se vengeait sur ceux qui représentaient ses parents, l'autorité, « sur ceux qui sont payés pour ça, » se justifia-t-il. Il a pris ses récréations et son dîner avec les petits voyous et s'est essayé à changer de place en classe pour s'asseoir près d'un indiscipliné, puis d'un autre. Il a dérangé presque sans arrêt, s'est montré impoli sans se cacher, au contraire de la « pute Messier », comme il l'appelait, et des petits détraqués Borduas, Boulerice, etc qui tous, le faisaient en hypocrites. Daniel, lui, voulait se faire engueuler, punir. Il n'était pas bien dans sa peau, se sentait coupable de quelque chose. Les petits voyous, très heureux de se trouver un complice inattendu, s'en sont donné à coeur joie. Genre de journée qui démoralise un enseignant. Dans l'autobus, au retour, Daniel s'est chicané même avec son ami Sébastien qui conclut:

— OK-là, si tu veux rien savoir!...

— C'est d'ta faute aussi!

— ...?

Arrivé à la maison, sans dire un mot et sans collationner comme à son habitude, il refit le lit de sa soeur. Après s'être changé, partit pour l'étable faire sa partie du train à lui réservée chaque soir. En sortant de la maison, il avertit durement sa mère:

— Pis écoeure pas ma soeur quand à va arriver de l'école!

À l'étable, seulement à voir son air, le père comprit que quelque chose n'allait toujours pas. Il lui parla doucement, non pas de sujets personnels ou importants parce qu'ils en étaient toujours incapables entr'eux, mais de changements apportés par le père pendant le jour.

— Comme ça, tu le sauras et tu ne risqueras pas de te blesser.

— Qu'est-ce que ça peut bien vous faire, vous autres, que j'me blesse?

Daniel, exaspéré, ne cherchait qu'à provoquer, faire le vide autour de lui, s'autopunir. Ou appeler au secours. Ses yeux se sont remplis de larmes, il s'est mordu la lèvre inférieure et s'est lancé dans la tasserie de foin pour approcher les ballots de la trappe. Le froid y rafraîchit son visage brûlant. Quelques larmes se sont échappées à cause de son acharnement démesuré au travail, son désarroi. « Maudite acide! se répétait-il. C'est pour ça que Sylvie a eu peur et qu'elle a mouillé son lit. »

Daniel se sentait bien coupable et bien malheureux. Dans sa réflexion, il a hésité devant sa consommation de drogues, a eu peur. « C'est vrai que j'en prends plus qu'il y a un an. Mais j'peux arrêter quand je veux. » Il comptabilisa sans aucune rigueur: « Des fois, je reste une semaine sans en prendre. Dès que je ferai attention à Sylvie... » Sa réflexion lui trottait dans la tête et la sueur couvrait maintenant tout son corps. Sa crise terminée, il sortit de la tasserie soulagé. Il finit son travail habituel et revint à la maison.

— Sylvie es-tu arrivée?

— TA... soeur est arrivée.

Piqué au vif, il ne dit mot, se changea et monta la voir. La porte bien fermée, la petite raconta un peu sa journée; Daniel ne parla pas de la sienne.

— Est-ce que maman t'a achalée quand t'es arrivée?

Sylvie regarda son frère bien en face de toute sa belle figure ronde avec ses beaux yeux profonds comme la nuit, un peu tristes aussi:

— On s'parle pas beaucoup...

Daniel baissa la tête, une petite pointe de tristesse lui piquant le coeur et continua ses devoirs. Il pensa: « Pourquoi c'est à nous autres que ça arrive? » À la fin du travail:

— Avec moi, tu peux parler tant que tu veux.

Un long silence couvrit la récupération de livres et cahiers.

— Sylvie, j'ai pris des acides, hier. J'en prendrai plus jamais. Pour ne plus te faire peur.

— J'aurai pus peur maintenant.

Une grande chaleur a envahi tout l'espace de l'adolescent. Il porta sur sa petite soeur qui continuait ses devoirs un long regard affectueux, savourant ce doux sentiment tout nouveau pour lui.

# 7

Parfois, le dimanche après-midi, arrivaient les parents de Claudine et son jeune frère, Luc, accompagné de sa femme Huguette. Tous les deux s'essayaient à l'union de fait. La belle Huguette qui désirait un enfant, et ne se gênait pas pour le dire, semblait folle de la petite Mélodie. Elle ne la lâchait pas d'un « guili-guili!... Kâ-ka veut là, la tite fille?... A veux-tu sa suce, là?... » et autres caresses sonores à ses oreilles sur ton enfantin. Grand-père ne pouvait même plus approcher l'enfant tant Huguette s'imposait.

— Tu l'as pendant tout le mois, grand-père, tu peux bien me la prêter un peu aujourd'hui.

Grand-père laissait l'enfant, mais à contrecoeur et succombait à l'envie de bougonner. À l'occasion, il sciait la belle Huguette de quelques traits bien placés au bas du tronc.

— Luc, Huguette, qu'est-ce que vous attendez pour vous jouer une p'tite Mélodie?

— Ah, on n'est pas mûr pour ça encore, répondait Luc. Pour faire un p'tit, Huguette veut qu'on se marie. Et à vingt

51

ans, c'est pas le temps de faire un enfant. Encore moins de se marier.

— En attendant, t'as pas peur quelle use notre petite fille? questionna un jour grand-père en insistant sur le « notre ».

— Grand-père, t'es encore bien bougonneux aujourd'hui, avait lancé Huguette.

Luc a vu sourire grand-père et continua:

— Cent mille dollars aussi pour rendre l'enfant à dix-huit ans, c'est pas un cadeau.

— Et la pollution, et la drogue, et le suicide chez les jeunes...

Luc avait un air songeur, même triste. Un silence un peu lourd empoisonna la conversation. Gêné, il essaya de lessiver le malaise:

— Mais les jeunes d'aujourd'hui ont des chances que les jeunes d'autrefois n'avaient pas: connaissances, liberté, autonomie.

La mère de Claudine compléta devant l'embarras de son fils:

— Et les jeunes ont plus de services qu'avant. La société s'organise. Des services de prévention du suicide, les A.A., les N.A., les NAR-ANON, les Amis Compatissants, des groupes de Jeunes Volontaires et je ne sais plus. Je me demande si le plus important n'est pas une mentalité plus ouverte qui permet de demander de l'aide sans honte. On a le droit de se faire aider, aujourd'hui, sans passer pour fou, de rencontrer un psychiatre, un psychologue, Parents Anonymes, etc., sans passer pour détraqué.

Madame Vaillancourt savait de quoi elle parlait. Avec la narcomanie de sa fille, Claudine, elle avait appris à réfléchir sur les problèmes des jeunes à partir d'une personne qu'elle aimait. Elle avait ainsi appris à nuancer ses jugements et mettre du coeur dans ses pensées. Elle avait à coeur ses idées et les idées de son coeur. Elle accompagnait parfois sa fille et Francis aux réunions des Narcomanes Anonymes, surtout quand le couple présentait son témoignage. Souvent, madame laissait échapper quelques larmes au rappel des souvenirs douloureux de sa grande fille dépendante. De son engagement familial, madame était passée à l'engagement international. C'est elle qui téléphonait chaque mois aux membres d'Amnistie Internationale pour rappeler le lieu et la date des réunions et y assistait souvent. Cette dame de plus de cinquante ans inspirait un tel respect! Plus grande que la moyenne avec sa belle tête auréolée de cheveux blancs, un teint de jeunesse, surtout un ton et une expression de bonté la rendaient irrésistible.

— Je pense qu'aujourd'hui, on a appris à comprendre un peu plus nos enfants malgré la peine qu'il nous font parfois. Ils affrontent des problèmes nouveaux, ils doivent inventer des solutions nouvelles. On sait aujourd'hui que l'alcoolisme, la narcomanie sont des maladies, non des tares humiliantes qu'on doit cacher et contrer à coups de mépris.

Madame parlait lentement, calmement, mais avec chaleur. Aucune condamnation dans ses propos; au contraire, on pouvait même y déceler une certaine condescendance. Dans le silence attentif habituel devant ses paroles, elle continua:

— Aujourd'hui, en plus d'aimer nos jeunes, on a appris à le leur dire. Même à le montrer et faire sentir. Anciennement, l'affection était plus implicite, souvent un peu bourrue. On était tous un peu macho dans l'temps.

Claudine tempéra:

— Papa, maman, vous avez été pour nous des parents extraordinaires. Vous avez été les parents qu'il nous fallait.

— Et moi, j'ai peur de ne pas être le papa qu'il faudra à mon enfant, dit Luc un peu rougissant.

— Ce n'est pas parce que tu fumes un joint de temps en temps et « sniffe » un quart de gramme de coke par mois que tu seras mauvais père, encouragea sa femme qui avait enfin laissé Mélodie à grand-père, pour venir s'asseoir près de son mari qui continua:

— La paternité, c'est bien plus qu'une question de drogue ou d'alcool. C'est une responsabilité globale et totale de tous les jours, une adaptation sans faiblesse aux changements, nouvelles contraintes... ah!... La paternité, c'est une manière d'être bien plus qu'un ensemble de comportements, une accumulation de connaissances. Les solutions qu'on a connues ne tiendront plus, les problèmes seront nouveaux. Notre enfant sera-t-il heureux?...

Dans une grande intensité mesurée, retenue, sa mère lui dit après un silence:

— Luc, penses-tu que ton père et moi étions plus prêts à avoir trois enfants dans l'temps que toi d'en avoir un aujourd'hui?...

— Je manque peut-être trop de confiance en moi, dans la vie et la société.

Après un silence marquant l'importance de l'aveu pour lui, un peu ému, il regarda ses parents.

— J'ai peur que nous ne soyons pas des parents comme l'avez été pour nous. Je pense que je n'aurai pas le courage de me faire parler, remettre en question comme je l'ai fait avec papa.

Une bonne respiration ventila un peu l'émotion.

— Chaque génération a son problème; nous, on a connu la drogue, qu'est-ce que ce sera pour notre enfant dans dix ans?... Il ne sera plus dans le XXe siècle, lui, mais dans le XXIe ! Puis la langue, la pollution, le vieillissement de la population, le commerce avec les Etats-Unis, le flot des immigrants, le SIDA. En tous cas, il y a de quoi être inquiet.

Presque tous ont commencé à parler en même temps. Luc a surtout remarqué grand-père:

— Tu raisonnes comme un petit intellectuel de gauche.

Piqué, il parla fort.

— Nous sommes dans une société de travail pour le travail. Point. Gagner, dépenser pour faire rouler l'économie. Celle des autres. Et l'autre valeur après le travail, la guerre. Devenir chair à canon. C'est ça le but de la famille: faire de l'argent pour le dépenser, et faire des enfants pour de la chair à canons. C'est le grand virage à droite des sociétés actuellement.

— Mais tes parents ont dépensé leur argent pour toi, bien plus pour toi que pour servir l'économie. Ils t'ont aimé, adoré, ils t'ont tout donné, à toi! Ils n'ont jamais pensé à te donner aux canons, clarifia Huguette.

— Mes parents ont été parfaits. Je ne crois pas pouvoir l'être: c'est ça la question.

Quand Monsieur Vaillancourt a parlé, tous se sont tus.

— Luc, quand on est parent, on devine souvent ce qu'il faut faire, dire. Tu en parles avec ta femme; une mère a des intuitions pour la vie, c'est pas croyable.

Et la maman Vaillancourt, plus péremptoire que d'habitude:

— Mais tu vas l'aimer ton enfant: l'amour donne toutes les réponses... ou presque.

La belle Huguette, devant l'embarras de son homme:

— On va en reparler ensemble, hein mon Luc?

Le bel enfant de vingt ans regarda sa femme avec un petit sourire entendu:

— Dès que ça sera seulement pour en parler...

Tous comprirent et Huguette retourna à Mélodie pour lui faire faire ses premiers pas.

— À onze mois, c'est le temps, décréta-t-elle, ce qui donna des démangeaisons à grand-père.

Depuis des semaines, en cachette, il pratiquait Mélodie. Il voulait offrir une surprise à ses parents. Combien de fois, et avec quelle patience, il avait essayé de la faire tenir debout! Il y était presqu'arrivé. Mais de là à la faire avancer d'un pas...: c'était pour Mélodie voyage astral. Le compte à rebours finissait toujours par un écrasement général. Mélodie n'était pas prête, pourquoi la forcer? Chaque chose vient en son temps, raisonnait grand-père pour s'encourager.

Mais en ce beau dimanche où Huguette, la concurrente, accaparait toute l'attention de Mélodie, quelle ne fut pas la déception de grand-père de la voir essayer de faire marcher l'enfant. Derrière Mélodie, lui tenant les bras en haut, elle la faisait tenir debout. La soulevait d'un côté en l'avançant, puis de l'autre. Huguette s'exclamait de plus en plus fort à mesure que Mélodie progressait. Grand-père était presqu'irrité, déçu, jaloux. Il sentait fondre sa surprise aux parents concoctée par trois bonnes semaines d'efforts. Il a immédiatement tenté de couper l'herbe sous le pied de cette femme sans enfant, en disant sur un ton sûrement trop élevé quant au silence surpris qui suivit:

— Ca fait des semaines que je la pratique!

Francis et Claudine ont souri un peu trop, presque ri, et grand-père s'est senti isolé. Luc, sans conviction, a demandé à sa femme de laisser l'enfant tranquille. Elle n'a pas bronché. Grand-père qui perdait de plus en plus son contrôle regarda Claudine:

— Huguette, c'est le genre de femme que je ne marierais jamais, même si... elle valait deux hommes.

Tout le monde a ri, mais trop intéressé par l'événement, le groupe s'est retourné vers Huguette et Mélodie. Claudine est venue se placer devant l'enfant. Grand-père ordonna à Huguette:

— Arrête! Mélodie est ballonnée et flatulante; tu la traînes comme une poche de patates. Elle est ballotté, torturée.

Dans l'indifférence à la tempête intérieure du grand-père, Claudine répétait, les bras tendus vers l'enfant:

— Viens, Mélodie. Viens, Mélodie!

Grand-père souhaitait toujours que l'enfant s'écrase comme un oeuf devant Huguette, afin qu'après, il s'essaie et réussisse à faire marcher l'enfant pour la première fois.

— J'suis son grand-père, après tout, c'est moi qui m'en occupe le plus souvent!
— Voyons, grand-père... condescendit Huguette.
— Huguette, tu étires beaucoup trop ses petits bras... Mélodie est bien trop fatiguée, laisse-là reposer.
— Ben non, grand-père. Regarde, elle va marcher!

Claudine appelait toujours l'enfant, et grand-père essayait de ne plus voir. Pas moyen de parler aux autres, ils regardaient tous l'événement sur le point de se produire. Et il se produisit.

Les deux bras tendus vers sa mère, toute ramollie et chancelante, dans un grand rire, Mélodie fit son premier pas. Pas de géant pour Mélodie, petit pas pour grand-père excédé et grand pas pour les autres. Tout le monde riait et applaudissait. Excepté grand-père. La mère embrassait l'enfant qui ne savait pas trop pourquoi tout était si drôle. Grand-père non plus d'ailleurs. Il s'est levé, a pris l'enfant et essaya de la faire marcher à son tour. Son deuxième pas au moins! Presque tout le monde s'en désintéressa. Grand-père pensa: « Pourquoi est-ce qu'il n'y a que le premier pas qui compte dans la vie?... » Il a essayé autant comme autant de faire avancer Mélodie. Peine perdue, elle s'écroulait misérablement. Sa mère s'est retirée à la fin, fatiguée d'attendre les bras tendus, le chaînon manquant. Grand-père minimisa l'événement du premier pas en rappelant à Huguette:

— Un auteur a déjà dit: « Poser des fers à un cheval, ce n'est pas inventer l'avion. » Ni sauter en bas de sa chaise haute, partir pour Mars...

Personne ne réagit. Humilié, choqué peut-être plus par sa jalousie qu'autre chose, grand-père a été jouer avec l'enfant dans un coin... non sans laisser mijoter intérieurement, contre la belle Huguette, toutes sortes de petits blasphèmes sexistes.

Les parents Vaillancourt arrivaient parfois chez les Labrecque non seulement avec leur fils, Luc, mais aussi avec leur plus vieux, Robert âgé de vingt-cinq ans, accompagné lui aussi. Les parents avaient vendu leur terre à Robert, le plus intéressé, peut-être aussi le plus capable. Robert, un ancien champion canadien au lancer du marteau -sans stéroïdes anabolisants- au départ de ses parents pour la ville, s'était engagé un jeune homme du village pour l'aider sur la ferme. Les dernières années où les parents préparaient la transition de toutes les responsabilités à leur fils, le jeune Samuel passait déjà ses vacances d'été chez les Vaillancourt. Il accompagnait Robert dans toutes ses sorties. Samuel aimait le travail de la ferme, les animaux, le grand air. Il aimait la liberté et beau-coup... Robert. Personne ne les avait jamais vus se chicaner. Ils parlaient peu, surtout Robert, toujours d'apparence un peu taciturne. Au fond, il étudiait son monde, les situations, et ne s'engageait pas du premier coup avec exubérance. Tout le contraire de grand-père. Robert et Samuel s'étaient naturelle-ment partagé les travaux selon leurs goûts respectifs, mais la plupart du temps, travaillaient ensemble. Robert, nettement plus fort et résistant, se retrouvait comme par hasard avec les travaux les plus durs.

Sur la ferme, Robert portait le costume traditionnel des cultivateurs: vêtements amples mais sécuritaires, fonction-nels. Samuel, lui, s'habillait toujours en jeans usés, serrés, sexés. Portait un petit chandail, le plus souvent à manches courtes, avec presque toujours des gants de travail et des grosses bottines jaunes souvent délacées. Il ne prenait plus jamais de drogue depuis qu'il était avec Robert. « Pour la sécurité », disait-il; « pour l'amour de Robert », pensait-il. Ils avaient chacun leur chambre au premier étage de la maison, mais parfois, au matin, se réveillaient dans le même lit. Genre de somnambulisme qu'ils n'essayaient pas de combattre... En bas, au rez-de-chaussée, Luc partageait avec son amie Huguette, l'ancienne chambre de ses parents. Ces deux-là se faisaient parfois traiter de « poteux » par Robert qui demeurait toujours un peu rigide sur ces principes de consommation de drogues. Il avait très mal vécu la narcomanie de sa soeur Claudine et n'avait jamais accepté ce qu'il appelait un certain laxisme de ses parents vis-à-vis « leur Luc », cadet de la famille. Pendant que lui, Robert, trimait dur d'une étoile à l'autre, ne prenait jamais de vacances, toujours là pour le train, soir et matin, même les fins de semaines, Luc, lui « le petit gâté », se pavanait en ville. La terre ne l'intéressait pas. Les parents, à leur départ, avaient négocié pour Luc une chambre et pension chez Robert. Bien sûr, il devait payer sa pension, et son amie, s'occuper de l'intérieur. Mais le jeune couple s'absentait souvent et l'intérieur était négligé. Les hommes, comme on appelait Samuel et Robert, devaient tout faire seuls, mais ne s'en plaignaient pas, sauf parfois pour les repas non préparés. Ils avaient tellement de travail! et d'ailleurs, ne préféraient-ils pas demeurer seuls?

La ferme, toujours au nom des Vaillancourt et Fils, restait un joyau pour le tout Saint-Césaire. Les parents avaient gagné par deux fois la médaille du Mérite agricole et le Maire de la Paroisse la faisait régulièrement visiter aux personnages officiels de passage. Monsieur le Maire se vantait de l'existence sur son territoire d'une des premières fermes utilisant l'ordinateur. Ce petit côté intellectuel de l'entreprise, c'était le domaine de Samuel. Il avait suivi des cours et emporté l'adhésion de Robert. Pendant que Samuel expliquait, Robert disparaissait. Les relations extérieures, ce n'était pas pour lui. La diplomatie, pas tellement non plus, ce que Robert appelait d'ailleurs, la « diplomenterie ». Le jeune couple acceptait parfois de se retrouver avec toute la famille Vaillancourt chez les Labrecque. Robert n'arrivait pas à dissiper un certain malaise avec ses frère et soeur.

Par contre, tout allait bien avec Francis et grand-père. Une complicité lui ramenait le sourire, une confiance mutuelle le rendait nettement plus chaleureux. Parfois grand-père, à l'occasion de corvées en grosse saison, allait passer quelques jours chez Robert et Compagnie pour la cuisine. Là, la relation devenait beaucoup plus détendue, souvent grande joie, parfois même euphorie. Grand-père eut l'occasion de constater combien Robert et Samuel se connaissaient, se devinaient. Ils agissaient en fonction l'un de l'autre. Si Samuel s'installait à l'ordinateur en soirée et que Robert achevait quelque travail dehors, ils terminaient tous les deux presqu'en même temps. Quand l'un parlait, l'autre l'écoutait avec une telle attention! Leurs discussions pour l'organisation de la journée ou la gestion en général étaient très courtes; leurs regards, très doux.

Grand-père aurait aimé se montrer chaleureux, mais Robert n'aurait peut-être pas apprécié. Grand-père s'est fait tout discret. Mais un enseignant peut-il perdre sa manie de tout voir et tout deviner? La douceur habitait cette maison. Dès l'urgence saisonnière passée, ou le retour des deux jeunes pigeons voyageurs, Luc et Huguette, grand-père repartait . Les deux fermiers lui serraient la main avec effusion, leur reconnaissance s'affichait; grand-père s'embrasait.

— Ne vous gênez pas dès que vous aurez encore besoin.

Une fois, Robert lui avait dit discrètement:
— On se sent tellement mieux avec vous dans la maison!

Et un jour où Samuel fut seul au départ de grand-père, il lui a donné une délicieuse accolade. Grand-père en frémit d'émotion. « Il y a si longtemps!... » continua-t-il à frissonner pendant une couple de semaines.

# 8

Et Jonathan entra en érection. Vaguement inquiet, il regarda son grand-père cherchant une approbation, sinon une explication.

— C'est beau, Jonathan. Tu es un homme maintenant.

Il a de nouveau regardé son sexe, touché, aimé. Et voyant le monde par le petit bout de sa lorgnette, il extrapola tout à coup de façon très approximative dans un grand rire explosif:

— Comme papa!...

Avec beaucoup de condescendance, grand-père approuva.

— C'est pour faire plaisir en donnant la vie.

Jonathan, tête baissée vers son sexe, continuait doucement à se tutoyer le mystère.

— Tu le fais pas, toi aussi?

— Pas tout de suite, Jonathan. Une autre fois, peut-être.

— Fais-tu ça souvent?

— Non. Mais as-tu remarqué que je ne fais pas ça devant les autres, ta petite soeur, tes parents, la visite?

— Pourquoi?

— Parce que... ça pourrait gêner peut-être. C'est mieux de faire ça tout seul ou avec quelqu'un qu'on aime bien.

Au grand soulagement de grand-père, enfin Jonathan releva la tête pour changer de sujet sans doute... mais non!

— Toi, es-tu quelqu'un qu'on aime bien?...

Grand-père qui ne pouvait plus se retenir, avait très hâte que Jonathan finisse ses questions de petit gars intelligent et trouve lui-même par quel bout prendre le problème.

— Oui, on est des bons amis, toi et moi.

— Veux-tu, grand-papa, on va...

— Non, trancha grand-père déjà parti sous la menace de la question.

Jonathan s'est à nouveau penché sur son interrogation. Peu de temps après, il arriva dans la cuisine tout nu, et toujours en érection. En levant les bras et regardant son sexe:

— Regarde maman!

Claudine, d'un soupçon mal à l'aise:

— C'est bien. Tu es bien net partout?

— Veux-tu venir jouer avec moi, grand-papa veut pas?

Pour grand-père, c'était le bout! Il sortit prestement de la maison pour laisser libre cours à ses grands rires. Se promenant devant les fenêtres, il essaya de voir Claudine. Elle finit par sortir à son tour, poussant de grands soupirs amusés. Grand-père, plein de malice comme d'habitude, lui a demandé sur un ton de petit Jonathan:

— T'en viens-tu jouer avec moi?

Ils ont bien rigolé, mais n'en n'ont pas parlé à la visite du dimanche. Grand-père qui demeurait toujours attentif à Jonathan suivait tous ses chemins. Peu de temps après, au restaurant, l'enfant assis entre sa mère et Mélodie, regardait partout, souvent souriait, s'amusait d'un rien. Son regard s'arrêtait parfois sur la serviette de table, un passant ou quelque mystère. Ses parents parlaient entr'eux, sérieux, animés. Un verre de lait arriva. Trop loin, trop gros, trop plein, l'enfant avança une petite main, saisit le verre et l'approcha de l'autre main. Par quelque mauvaise conjoncture planétaire, le verre se renversa. L'enfant devenu tout saisi, figé, attristé, se sentait bien coupable. Il avait dû faire un bien gros dégât. Grand-père sentait que l'enfant avait de la grosse peine. Ses parents, pourtant, n'en avaient pas. Sans accorder quelqu'importance à l'accident, ils continuèrent à se parler sur le même ton, tout en épongeant le lait avec serviettes, etc. Sans un mot à l'enfant, sans même le regarder.

Et l'enfant restait triste, déconfit. Grand-père le regarda attentivement, et Jonathan finit par le remarquer. Grand-père lui fit un clin d'oeil et un beau sourire comme lui en attiraient tous les enfants. Ce fut instantané: ses yeux se rallumèrent, le sourire lui revint et tout, à nouveau, l'intéressa exactement comme avant. Ses parents avaient fini d'éponger le dégât sans arrêter de parler. À leur insu, grand-père avait redonné le sourire à leur enfant désemparé. Grand-père raconta le fait aux parents qui le remercièrent. Il conclut un peu savamment:
— Il suffit de si peu à un enfant pour être bien, ou être bien malheureux.

Claudine encouragea grand-père:
— Tu as bien raison. Pour un enfant, une absence de parole est peut-être pire qu'une absence tout court.

Grand-père aussi aimait tellement se sentir utile, se faire rassurer, ont semblé se dire les parents. Comme Jonathan.

Le matin, grand-père se réveillait à bonne heure. Les yeux tout grands ouverts, il s'appliquait à goûter la sensation de pesante chaleur qui l'enfonçait dans le matelas.
— Que je suis bien! Que je suis gâté par la vie! Depuis ma retraite, ce que j'apprécie la douceur du lit, de l'oreiller,

la douceur de la vie au matin! Rester au lit quinze minutes de plus, une demi-heure, à somnoler langoureusement parce que rien ne presse, de m'étirer et de péter dans les luminosités chatoyantes de l'aurore! Puis savoir que j'pourrais y rester encore une heure!... Ah les orgies de la retraite!...

Grand-père, dans un langage de bande dessinée, turlupinait avec délices ses amis du dimanche dont aucun n'approchait vraiment de la retraite. Il continua avec un petit sourire:
— Puis, je finis par me lever et j'accompagne l'escalier en descendant: on craque tous les deux. Je me lève, soit parce que le « rite matinal » de Francis et Claudine est terminé et qu'ils en ont encore pour quinze minutes à refaire le lit ou, simplement parce que j'ai envie de pipi. Je prépare le café en les attendant et lis le journal, mets la table ou ne fais rien du tout. C'est si beau de les voir arriver nus ou presque, et presqu'en état de recommencer. Ça glousse dans la salle de bain, ça éclate de rire. Moi, je m'éclate dans un café sans crème et sans sucre, et pire, décaféiné à quatre-vingt-dix-huit pour cent. Et ils m'arrivent dans la cuisine portant encore le printemps dans leurs yeux, et sur tout le corps, l'empreinte du plaisir. C'est un bon coup d'arrosoir dans mon jardin. J'aime alors, m'approcher d'eux, sentir, communier à leur plaisir si doux, si intense, les caresser de la main, les embrasser discrètement sur la joue, la tête quand ils sont assis. J'ai besoin du spectacle de la vie, de la tendresse, de l'amour. Je sais qu'ils m'aiment bien, ils savent que je les adore. Ils sont pleins de sourires l'un pour l'autre, de regards doucereux. Ils rayonnent comme des enfants découvrant un nouveau jeu. Ils sont seuls autour de la table comme deux fleurs uniques se caressant par les pétales. Je ne les dérange pas plus qu'un papillon cherchant un petit repos sur leurs surplus, encore un peu du miel que j'ai toujours tellement aimé!

Grand-père profitait souvent du dimanche pour montrer à Jonathan qu'on s'occupait de lui aussi et non pas seulement de Mélodie. Grand-père raconta un jour, qu'avec un enfant comme Jonathan, la maison n'avait pas besoin d'un petit animal domestique pour ajouter vie et mouvement. Jonathan s'en chargeait et quelle charge! Et quelle décharge aussi, quand il embrayait pour la course de la journée, le matin au réveil! En ouvrant les yeux, démarrait le train: déjà ses méninges déboulaient l'escalier qui n'avait pas toujours le temps de craquer. Mais qu'à cela ne tienne, parce que grand-père parfois, craquait pour deux.

Pendant ce temps, le matin, les méninges de grand-père, eux, se vautraient encore sur l'oreiller, tardant à émerger des brumes du matin.

— Je me réveille par plaques, en commençant par en bas, disait-il parfois.

Francis lui demandait à l'occasion:
— Où en es-tu dans tes plaques à c't'heure?
— Les jambes sont réveillées jusqu'au... milieu des cuisses à peu près.

Francis regardait Claudine et les deux riaient.
— J'aimerais bien, pourtant, commencer à me réveiller par le haut... ou par le milieu.
— Le haut... c'est bien relatif..., taquina Francis.

Grand-père a fait une moue souriante au doux agresseur et:
— Ce n'est pas le matin, au réveil, que je pourrais dire comme Alys Roby sous les réflecteurs, en me mettant la main sur le crâne: la plaque me chauffe.
— Encore un peu de café, grand-père? La plaque de la cafetière le chauffe depuis un bon moment, s'aventura Claudine.

Elle entrait rarement dans cette danse familière des mots. Francis lui donna une savoureuse tape sur la plaque... minéralogique.

— Miss Cafetière est en forme ce matin.

— Aïe, protesta la victime.

— C'est une tape décaféinée à quatre-vingt-dix-huit pour cent.

— Ça reste un... excitant et c'est pas l'temps, sourit l'offusquée en lui servant une généreuse portion de café et continua:

— Ma portion préférée, c'est grand-père, ce matin... même s'il a « le cerveau lent ».

Tous s'esclaffèrent et Jonathan s'enquit de ce qui semblait, à sa grande surprise, plus intéressant que son jeu. Devant les plaques qui revolaient comme des tartes à la crème dans les vieux films à la télévision, il retourna à ses jeux. Quant à grand-père, on gardait maintenant tendance, le matin, à l'appeler: grand-papa-sclérose.

— ... en plaques, ajouta un jour Jonathan, dans le grand rire de tous.

Plusieurs dimanches, devant la visite, on répéta le jeu de mots de l'enfant. Au début, Jonathan trouva amusant de voir rire tout le monde à ce sujet, mais après, il se demanda si on ne riait pas un peu de lui. Les grandes personnes comprirent et passèrent à d'autres « petites folies », comme les appelait grand-père.

Petites folies que grand-père lui-même devait affronter. Pour le taquiner, surtout quand il oubliait quelque chose, Francis le traitait parfois d'Alzheimer. Grand-père souriait bien sûr et considérait l'incident comme un appel à une taquinerie équivalente. Assez rarement d'ailleurs, grand-père manquait sa chance. Claudine lui a déjà demandé:

— Ça te dérange pas, grand-père, de te faire traiter d'Alzheimer, devant la visite?

— Hein? Par qui?... Je ne m'en souviens pas.

Le plaisir s'est épanoui sur la figure de Francis. C'est comme si grand-père lui avait rendu l'hommage du droit à le taquiner. Jonathan, au milieu de cet amical chassé-croisé de l'affection par accrochage, se risqua à son tour. C'est ainsi qu'un jour, à cause des oublis et distractions de grand-père, et de sa vue qui baissait, il le gratifia du titre de monsieur Magoo. Ses dessins animés à la télévision lui servaient à quelque chose. Devant les grands rires et la reprise de son invention par les adultes, Jonathan répéta très souvent son monsieur Magoo. Mais avec le temps, il espaça son épithète de peur de blesser.

Claudine, toute ouverte qu'elle fût, s'inquiétait parfois pour Jonathan. Francis n'y voyait pas grand danger. La question se posait quand Jean-Guy venait voir la famille avec son amant. Jonathan et Mélodie les voyaient ensemble. Ils sentaient bien leur type de relation: mains caressantes dans le dos, regards plus qu'expressifs, petits becs, etc. Ils constataient aussi le respect de leurs parents et amis à leur endroit.

— Jonathan grandira avec le témoignage de l'ouverture d'esprit. Il ne sera pas un borné, un sans connaissance, affirmait Francis.

— Puis à l'école? s'inquiétait Claudine.

— Les pas évolués, les étroits du caisson deviennent de plus en plus rares. On va en parler à Jonathan en ce temps-là, le préparer. D'ailleurs, ce ne sera pas le seul problème qu'il va rencontrer à l'école. Tu le sais: là, il apprendra à sacrer, à être impoli, à désobéir. Il y a des petits voyous dans chaque école. Et il y a des enfants sans parents, puis des sans éducation chez bien des parents aussi. En tous cas, moi, je le sais!... Nos enfants auront la chance de connaître dès leur bas âge qu'il existe autre chose que le conformisme, les stéréotypes sexuels et la soumission béate à des traditions dépassées.

69

— J'ai hâte que Jonathan pose des questions là-dessus, souhaita Claudine, pour savoir ce qu'il en pense.

Quelques semaines plus tard, devant le regard légèrement interrogatif que Jonathan posait sur Jean-Guy et son amant, grand-père lui dit simplement:
— Jean-Guy et son ami s'aiment comme ton papa et ta maman s'aiment.

Jonathan, tout entier dans sa question s'est adressé à Jean-Guy:
— Jean-Guy, tu n'aimeras plus jamais les mamans, hein... seulement les papas?

Ah! tout ce qui a pu se retenir, se refouler de la part de la joyeuse troupe: souffle, tension, grands rires en cascades! Jean-Guy, intérieurement, cogitait comme jamais et se grattait tellement la tête qu'il finit enfin par se déterrer une réponse:
— J'aime pas seulement les papas... mais les grands-papas aussi.

Jonathan, tout fier, est allé se jeter au cou de son grand-père en disant:
— Moi aussi, j'aime les grands-papas!

Dans les grands rires, la question sembla réglée pour l'enfant.

Ce qui n'empêcha pas Jonathan, le même dimanche, de repartir le bal sur un autre sujet aussi délicat que surprenant. Spontanément, devant tous:
— Papa joue dans le ventre de maman.

Quand les rires se furent un peu calmés, malgré le petit malaise de Claudine, les questions oiseuses commencèrent. Guy ouvrit le bal:
— Est-ce que ta maman aime ça, tu penses?
— Je sais pas.

— Pour moi, elle aime ça. Va lui demander.

Voyant Guy jeter de l'huile sur le feu, la maman sentit se développer en elle une psychologie de peloton d'exécution. Le petit, tout gêné, est venu se placer devant sa mère, et, se tortillant:

— Aimes-tu ça quand papa joue dans ton ventre?

Jonathan s'est retourné, tête penchée, doigt dans la bouche pour regarder Guy. L'enfant s'est perçu un peu trop le centre d'intérêt, un peu pris au piège. Claudine a levé la tête et a vu tout le monde figé, la fixant au milieu d'un profond silence, mais dans un large sourire attentif et amusé, tout prêt à exploser. Elle devait plonger. Son regard suppliait une aide en regardant tout le monde et mitrailla Guy au passage. On voyait bien qu'à son tour, après Jean- Guy, elle se labourait les méninges.

— Viens, Jonathan.

Mettant ses mains sur ses épaules:

— Bien oui, Jonathan, maman aime ça comme quand on fait des chatouilles sur ton ventre. Tu aimes ça, toi? C'est pareil pour maman.

Là, tout le monde a éclaté de rire, Jonathan est allé se coller sur les genoux de son père fier de son fils et de sa femme. Claudine, après un grand soupir de soulagement, s'est levée:

— Ca vaut bien un bon café, je pense. Qui en veut?

Tout le monde approuva bruyamment et Guy, tout effronté, en commanda un gros.

— Toi, Guy Martel, t'en n'auras pas!

Pendant des semaines, ces joyeux lurons ont bien ri des chatouilles sur le ventre... de Claudine.

# 9

Grand-père remontait à son perchoir pour sa nuit, sa réflexion, ses écritures. Sous son puits de lumière ou son abat-jour, lisait, écrivait. Grand-père réfléchissait beaucoup, parfois pleurait un peu. François remontait en sa mémoire; Guy, dans sa vie. Un reflux, un surplus... seulement occasionnels, car grand-père n'en parlait plus. Presque plus. Si parfois, il avait l'air trop triste, abattu, s'il s'absentait au petit déjeuner, ses anges-gardiens comprenaient. Les enfants étaient invités à respecter le silence de leur grand ami, le silence d'un grand oublié un certain vingt-quatre décembre. Le grand drame d'un certain vingt-quatre mars où Guy entrait en scène pour sauver et cette maison et cette famille. Sans cette vie sauvée par Guy, que serait Francis devenu?... Francis, enfant coincé entre un suicide et une violence physique et psychologique, pouvait difficilement survivre à sa narcomanie et à sa violence.Personne n'était mieux placé que lui pour encourager grand-père les matins de pluie. Un bon mot si tendre, un geste. Que de fois Francis ne l'avait-il embrassé sur le front, sur sa cicatrice! « On ne doit jamais oublier une blessure: c'est le rôle d'une cicatrice... » Si Francis était revenu à la vie, n'était-ce pas un peu grâce à elle? Francis avait du coeur; se souvenait. « Grand-père, c'est la cicatrice de ma vie. »

— Jonathan, je voudrais donc que tu sois bon comme grand-papa! Que tu sois plus guérison que blessure!

L'enfant se rappelant aussi ses grands-parents Vaillancourt:

— Des grands-parents, c'est toujours bon?

— Toujours bon, Jonathan.

Grand-père, parfois, serrait Francis dans ses bras. Il murmurait: Merci, ou rien du tout. Quelques fois, Francis l'a invité:

— Grand-papa, cet après-midi, je prends congé: on va se baigner ensemble. Au milieu de la rivière. C'est à moi maintenant...

Ses mots en suspens remuaient Michel, réactivaient ses souvenirs. Ce jour-là:

— Si Jonathan veut venir?...

— Oui, oui, se réjouissait l'enfant.

Et en plein soleil d'été, Michel se faisait conforter par celui qu'il avait sauvé.

— Qui aurait dit, il y a dix ans, Francis, que nous nous retrouverions ici avec ton fils?

— C'est grâce à toi, Michel, toute cette vie, cette vraie vie. Ca devrait te faire chanter, non te rendre triste.

— Si ça paraît parfois, c'est seulement un peu de nostalgie: j'ai été si heureux malgré tout. Un peu de lassitude aussi. J'ai l'impression de ne plus servir à rien. Parfois de déranger.

— Tu sers à nous rappeler comment donner et comment vieillir. En beauté. Quelques rides, ce n'est rien. Ton attitude dépasse, enrichit bien plus que tes comportements.

Grand-père et Francis devisèrent longtemps, et toujours en accord, sur la complicité naturelle et nécessaire entre grands-parents et petits-enfants.

Les grands-parents rejoignent les petits-enfants. Les deux sont en dehors de la mentalité de production, compétition, performance. Les deux sont sensibles à la personne, à la spontanéité, aux sentiments. Les adultes sérieux, eux, quand ils sont sur la chaîne de production sociale, n'ont pas trop le temps de penser aux sentiments. Quand ils sont entraînés sur la chaîne de production-consommation, ils ne rêvent pas souvent à la gratuité et remettent la poésie à plus tard au profit du rendement immédiat. Efficacité d'abord. Le grand-père tint à préciser:

— Les grands-parents, eux, d'abord ne font pas sérieux parce que décrochés du système, donc, non productifs et non performants. De plus, ils ne répondent plus aux critères de beauté matérialiste et commerciale. Pour les rejoindre, il faut entrer à l'intérieur, écouter, voir au-delà de l'étalage. Ce qui n'est pas précisément dans la mentalité commerciale agressive du tape-à-l'oeil.

Francis continua:

— À ce sujet-là, les enfants rejoignent tout à fait les grands-parents. Les enfants et grands-parents se racontent des histoires fantaisistes, perdent leur temps ensemble, ne se sentent pas bousculés par la performance et baignent dans la poésie. De plus, ils ont le temps et le droit d'exprimer leurs sentiments, de paraître heureux ou tristes, de se caresser en passant et se faire un clin d'oeil complice.

Les deux amis continuaient à partager le même avis. Les grands-parents et enfants sont les deux groupes les plus près l'un de l'autre, car ils ne sont pas soumis aux pressions et lois imposées par la génitalité, ni aux autres conformismes de la société. Au-delà de la société en général, les grands-parents se distinguent des parents par le niveau de responsabilité. Les parents sont les premiers responsables, les premiers répondants, sont donc parfois plus exigeants. L'action des grands-parents rejoint davantage les attitudes que les comportements et, plus malléables parce que plus décrochés d'une « certaine mentalité », ils deviennent complices plus facilement. Grands-parents et enfants sont des alliés naturels, indispensables les uns aux autres. Dans une société où seule compte la compétition et la performance, la poésie s'étiole et l'amour meurt. Il faut perdre du temps ensemble, pour rien, pour pouvoir mieux s'apprécier quand on est fonctionnel et productif. Même, pour être mieux fonctionnel et productif. Il faut savoir se faire du bien pour rien, sans regarder au prix ni aux canons des conventions sociales, collectives ou de classe.

— Il faut rester un peu petit enfant... pour devenir plus facilement grand-parent, s'amusa grand-père.

Francis s'adressant à Jonathan:

— Peu de parents peuvent offrir un si bon grand-papa à leurs enfants. Dis, Jonathan, es-tu content d'avoir un bon grand-père comme Michel?

Jonathan qui était venu à la rivière pour s'amuser non pour entendre ou élaborer des discours, essaya de trouver une réponse tout à fait adéquate. En hésitant, pas du tout, mais vraiment pas du tout certain de son coup:

— Des fois, il bougonne pour rien.

Francis est resté interloqué et grand-père a éclaté de rire en serrant sur son coeur une veste de sécurité toute mouillée dans laquelle frétillait un petit garnement. Le bougonneux et sa jeune victime commencèrent à s'amuser ensemble, se lancer de l'eau et s'enfoncer la tête.

— Qui reste le plus longtemps?...

76

Francis, silencieux, revivait la même scène avec Michel, dix ans plus tôt, se rappelait ses malheurs et le salut apporté par ce même grand-père qui s'amusait maintenant avec son enfant. Michel était redevenu tout heureux en jouant avec Jonathan et Francis, lui, tout songeur devant tout ce qu'il devait à cet homme vieillissant. En regardant ces deux extrémités de la vie jouer ensemble dans l'eau, Francis songea: Les parents et les professeurs sont d'abord fonctionnels; les grands-parents, poètes. Les grands-parents n'ont pas à être sérieux; les enfants non plus. Les grands-parents sont clowns, magiciens, grands-prêtres. Leurs rires sont un coup de baguette magique; leurs gestes mystérieux, une incantation. Ils chassent la pluie, redorent le soleil, guérissent un malaise au ventre et adoucissent la vie par une caresse. Les grands-parents reçoivent toutes les confidences, confessions, recueillent les peines et les couvrent de baume. Les grands-parents ont le temps, le goût du jeu. Quand ils sont délivrés du sens de la domination et de la performance, ils redécouvrent le sens du jeu. C'est à ce moment qu'ils redécouvrent l'équation entre jeu, travail, amour. L'enfant, lui, ne l'a pas encore perdu. Il en va de même avec le pouvoir que les grands-parents n'ont plus et que l'enfant n'a pas encore. Ces deux extrémités de la vie se rejoignent et communient, se comprennent et se complètent. Là, Francis continua tout haut sa réflexion au grand plaisir de grand-père.

— Les grands-parents sont vraiment indispensables. Libérés des pressions sociales, ils se fient à leur expérience, leurs intuitions et se méfient des experts. L'enfant voit les grands-parents aider, aimer leurs propres enfants et leurs petits enfants. Ce modèle devient intégré en lui. Alors, l'enfant ne sera pas victime des préjugés au sujet des grands-parents ou personnes âgées. Même, l'enfant aura reçu un exemple qui lui servira quand il sera grand-parent.

Grand-père continua:

— Il en va de même avec la réalité de la mort. Il ne faut pas empêcher l'enfant de dire au revoir à son grand-père endormi. L'enfant se souviendra des leçons du grand-père au cimetière visité, et gardera le souvenir qui vit dans les coeurs au-delà de la mort. Le grand-père aura prévu et protégé ses arrières. Et remontera au coeur de l'enfant tous les enseignements reçus. Actualisées, les leçons des grands-parents s'imprimeront pour toujours dans le respect et la sérénité. La mort donne les plus belles leçons quand elle est préparée. Le spectacle de la fin fait s'imprimer le souvenir pour toute la vie. Maintenant, on passe presque la moitié de sa vie comme grand-père, calcula-t-il. Alors, aussi bien apprendre à être bons grands-parents si besoin est, établir rôles et relations, s'installer dans l'avenir. La moitié de sa vie... On ne va pas s'enfermer, inutile, dans un garage, à se plaindre des plaques de rouille qui se multiplient avec le temps, du moteur qui tousse de plus en plus longtemps au départ, de la carrosserie qui grince, des voyages de plus en plus courts et des changements d'huile de plus en plus rares... Non. On a des choses à dire, des choses à faire. On a acquis expérience et capacité: faut partager.

Grand-père fit une pause pour laisser rire Francis, et s'adressant à Jonathan:

— Jonathan, tu seras bon grand-papa... et Francis aussi sera un beau grand-papa.

— Francis est déjà vieux, jugea sérieusement l'enfant: c'est pas juste... Mais pour moi, c'que ça va prendre du temps!

— T'inquiète pas, ça viendra bien assez tôt!

Francis qui n'écoutait plus grand-père et son fils s'amusant, continua à songer: Qui pourrait remplacer des grands-parents? S'ils ne sauvent pas toujours la vie, ils peuvent tellement l'améliorer. S'ils ne sont pas directement responsables des petits enfants, ils peuvent tellement compléter l'éducation donnée par les parents. Ils ont tellement de temps, de tendresse, d'affection, d'authenticité, tellement d'expérience à transmettre! Couper les enfants des grands-parents, c'est les couper de leurs racines, les couper de leur passé. C'est aussi déplorable que des adolescents de quinze ans n'aient encore jamais vu une vache, n'aient encore jamais entendu le silence. La preuve: les amener dans la nature où ils n'entendraient pas leurs bruits résiduels coutumiers, ils paniqueraient et voudraient se sauver vers le bruit. Essayer de leur faire boire du vrai lait de vache directement de leur cornemuse ventrale, c'en serait terminé pour eux de cette précieuse source de calcium.

Les enfants ont besoin de savoir que les ordinateurs n'ont pas toujours existé, la télévision, les avions et que les humains ne sont pas toujours allés sur la lune sauf quand elle était de miel. Que l'eau chaude, l'eau froide n'a pas toujours coulé dans les robinets, surtout quand il n'y avait pas de robinets. Et qu'ils ne sont pas nés avec une baignoire ou un bol de toilette. Je suis sûr que Claudine serait d'accord qu'ils ne naissent pas avec ça, sourit Francis tout à fait indifférent au petit et grand enfant qui s'amusaient à ses côtés. Et toutes les libertés pour lesquelles les grands-parents se sont battus, la qualité de vie qu'ils nous ont gagnée. Et toute la quantité d'eau qu'un grand-père peut lancer dans la figure...: Michel venait d'inviter Francis à partager leurs jeux. Il se soumit à contrecoeur et finit par ramener à la maison un grand-père à nouveau heureux au contact d'un enfant, tandis que lui, maintenant, se sentait un peu triste et dépassé par ses réflexions. « J'vas en parler avec Claudine. » Claudine à son tour reçut la lourdeur de ces confidences et n'en parla à personne.

Ce soir-là, grand-père écrivit une petite lettre à Francis et la déposa sur son bureau le lendemain.

*Je suis toujours un peu poreux, m'écoule quelque peu. N'interprète pas dans le sens de souffrance, seulement de tendresse. Comme rigole active, qu'une ride s'égoutte, ce n'est que santé pour tout le champ.*

*Vivre avec des enfants, c'est vivre étonné. Comme eux. Je veux mourir chez eux. Mourir, c'est les serrer sur son coeur en une seconde essentielle et se retirer respectueusement. En avoir le coeur gros? Qu'importe. C'est peut-être signe qu'on a davantage aimé et qu'on a encore beaucoup à donner. Ainsi, pourrai-je mourir avec des yeux étonnés, peut-être parce que je verrai le beau, le bon, pourquoi pas l'indicible? Mourir dans l'émerveillement, c'est mourir enfant. Je rêve de cette mort.*

*Francis, merci pour tout, pour tes enfants, merci pour ta rivière dans l'après-midi de ma vie.*

> *Tu partages ta timbale,*
> *je goûte ton riz.*
> *Me prêtes ton oreille,*
> *y glisse ma musique.*
> *J'écoute ton chant,*
> *m'essaie à son rythme.*
> *De loin, te suis du regard et te serre dans mes bras.*
> *Toujours merci! Grand-père.*

Francis lut la lettre mais n'en parla pas. Un peu gêné et trop occupé en forte saison, il porta un long regard chaleureux sur son ami qui comprit et se promit plus d'attentions à son endroit.

Ce soir-là, avant de se coucher, grand-père écrivit.

*Jonathan. Son petit lit rayonne près du mien dans ma chambre-grenier. Ses grandes respirations, cette belle figure d'ange rondelet, ses paupières qui frissonnent parfois sous la brise d'un beau rêve, ses petits poings fermés, sa bouche légèrement entr'ouverte me font fondre de tendresse. Oui, ça vaut bien le coût de cent mille dollars et cent mille petits tracas, inquiétudes, limites de liberté qu'apporte un enfant.*

*Mais les cent mille tendresses, caresses, soupirs, la lumière dans ses yeux, ses surprises, son émerveillement... Jonathan est là qui dort et j'embrasse en passant son front, sa joue, sa main, sa tête, ce que me laisse le hasard de ses mouvements à la lisière de ses rêves. Jonathan, mon petit enfant. Son bonheur rayonne près du mien dans ma chambre-grenier. Jonathan.*

Grand-père bricolait souvent avec rien et pour rien, sinon pour intéresser Jonathan, être avec lui. Seulement parce que Jonathan aimait le regarder raboudiner quelques morceaux de n'importe quoi. L'enfant posait quelques questions, s'amusait avec deux petits riens qui traînaient là, puis décidait d'imiter grand-père. Même si ça coûtait cher de clous, de colle et de petits riens. Quand grand-père avait terminé, il poussait un grand soupir et regardait l'enfant.

— Qu'est-ce que t'en penses, Jonathan?

Sérieux, complice, il tâtait, testait la solidité, puis...

— Ah oui, c'est ben correct, grand-père, ben correct. On a bien travaillé, hein? Si on allait le montrer à maman?...

Et avec une telle insistance doucereuse des yeux et de la voix:

— On pourrait prendre un verre de jus?!...

Allez donc résister au regard et au ton d'un Jonathan!... Après la récompense maternelle, les deux repartaient pour une autre grande aventure. Les vitres du sous-sol à laver, les fleurs, le gazon, le jardin, en été. À l'automne, les feuilles à ramasser, un scellant autour des fenêtres. Même qu'un hiver, Jonathan voulut « raquer ». Bien amusés, ces adultes peu futés ont fini par comprendre que l'enfant voulait seulement faire de la raquette. Et toujours par beau temps d'été, la pêche et l'éternel cerf-volant.

Les quelques après-midis consécutifs où Jonathan est revenu malheureux avec son cerf-volant buté et souffrant de vertige, chacun l'a consolé comme il a pu. Un de ces soirs-là, grand-père lui a raconté son aventure de jeunesse pour l'endormir.

— Ca s'appelle: « Ballade du cerf-volant pour Jonathan.

Au cerf-volant de mon printemps, ai dessiné figures multicolores, dragons crachant le feu, puis un grand coeur brûlant. J'ai tiré la corde, couru dans le champ; j'ai appelé le vent, me suis essoufflé en espérant. Plusieurs après-midis, suis revenu dépité, mon cerf-volant à la main, parfois déchiré, souvent sali de la boue des champs. Il n'avait pas voulu s'élever ou avait si peu plané. Déçu, mes espoirs colorés, l'image de mon coeur enflammé n'avaient pas dépassé les piquets de clôture. Déçu, ils revenaient privés des grandes fiertés, privés de la griserie des hauteurs, du contrôle de l'espace en valsant dans le vent. Déçu, je rentrai dépité en accusant le temps. »

Déjà, Jonathan, à poings fermés dormait. Un autre matin de printemps, grand-père lui posa la question habituelle:
— Qu'est-ce qu'on fait aujourd'hui?

Jonathan réfléchit un instant et répondit en questionnant comme il le faisait de plus en plus souvent:
— Une maison d'oiseaux?

D'un air savant et convaincant, grand-père, malicieux comme toujours, lui a répondu:
— « Comme réponse à ma question, ta question est une bonne réponse. »
— Hein?!...

Figé, interdit, pensant que grand-père se moquait, Jonathan, cette fois, l'interrogea du regard seulement.
— Je veux dire, mon petit, que c'est une excellente idée. Comment grosse? Quelle couleur?... Veux-tu m'aider?

Au dîner, Jonathan cherchant la complicité de ses parents contre grand-père:

— Grand-papa m'a dit toutes sortes de questions... pas d'réponses ce matin. Ça avait pas d'allure.

Grand-père a regardé Claudine en lui racontant l'événement avec ses petits yeux pointus. Les parents ont souri et Francis:

— Ça a dû faire une belle maison d'oiseaux...

On aurait cru que Jonathan s'était senti un peu trahi. Pourtant, Mélodie partageait l'avis de son frère parce qu'un jour, devant la visite du dimanche après-midi, elle jugea:

— Grand-papa nous dit des affaires bizarres des fois.

Tout le monde s'était esclaffé de rire et Francis, s'accroupissant devant elle et plaçant ses deux mains sur chacun de ses bras, lui dit:

— À nous autres aussi, il dit des affaires bizarres. Mais on aime ça. Grand-papa nous apprend toutes sortes de choses merveilleuses, des secrets mystérieux. Tu vas voir plus tard, tu vas tout comprendre ça.

Comme grand-père le leur avait montré souvent en ramenant de façon incongrue des bouts de phrases dans la conversation, « des affaires bizarres » jaillit souvent en taquineries.

Même quand Jonathan allait à l'école, grand-père bricolait dans l'atelier de la remise. En cachette, il lui a fabriqué un petit train. Tout n'était pas parfait mais ça ressemblait à un train. Pas long, mais il roulait.

— M'enfin!... se résigna grand-père en présentant son oeuvre approximative aux parents.

« Grand-papa Papin, » comme l'appela Francis par la suite, s'était entendu avec les parents pour faire coïncider le cadeau avec l'arrivée du prochain bulletin scolaire qui s'annonçait assez bon. Grand-père eut droit à une embrassade des grands jours. Jonathan était si content! Ses parents le regardaient émerveillés. Jonathan tirait son train, le poussait, imitait son cri sans arrêt, puis revenait embrasser l'ingénieur, lui répéter: Merci! Et recommençait... surtout à crier.

— Comment t'as fait, grand-papa? Quand t'as fait ça: on est toujours ensemble? Est-ce que je vais pouvoir te faire un cadeau moi aussi?

— Oui, un tout petit.

— J'vais te donner tout plein de...

Les bras étendus à la grandeur de son désir, son élan s'est buté sur son inventaire par trop restreint. Démuni, un enfant a toujours la poésie.

— J'vais te faire un dessin.

Tous ses dessins patiemment et amoureusement élaborés à l'école lui sont arrivés avec plusieurs explications. Grand-père figurait sur tous les dessins et y jouait un rôle important. Il tissait comme un lien vital entre tous les membres de la famille. Il était représenté par le feu et beaucoup de couleurs, toujours dans des situations de fête, cadeaux, repas. Et toujours y figurait un petit train. De plus, Jonathan s'est intéressé à la menuiserie et grand-père lui a donné quelques trucs qui l'ont bien amusé. Tous les jours, il jouait avec son train et grand-père s'amusait plus que lui à le regarder tendrement.

— Ça me fait tellement plaisir de te voir t'amuser, Jonathan!

— Mais j'comprends pas ça, grand-papa, c'est moi qui joue et c'est à toi que ça fait plaisir.

Grand-père est venu le coeur tout chaud et il partit à rire.

— Ah! Jonathan!... Rien ne peut remplacer un petit-fils dans le coeur de grands-parents.

Comme d'habitude, ce soir-là, grand-père écrivit ses quelques phrases avant de s'endormir.

*Le piano contient toutes les harmonies, surprises. Il est tout, complet, il attend. Il n'a besoin d'être accompagné que d'un pianiste, ses petits enfants. Comme une poupée parlante qui n'a besoin que d'un ventriloque. Ils sauront jouer sur les bonnes cordes et soulever les sentiments qui chantent.*

Grand-père sourit d'amusement: « J'me dis de bien belles choses... » et s'endormit heureux.

# 10

La chambre à débarras, disaient les parents. C'était là que s'entassaient les souvenirs. Ces vieilleries, ces inutilités devenaient rampes de lancement vers le rêve et l'émerveillement. Parfois, en fin de semaine, quand les deux enfants ouvraient l'ancienne valise aux souvenirs, cessaient les chicanes et régnait le silence. Chacun prenait le ou les objets qu'il convoitait et s'installait dans le rêve. Mélodie se perdait dans la grande chemise trois-quarts de sa mère, puis se regardait, tournant sur elle-même et prenait quelques poses de sa maman vues sur des photos. Elle marchait, venait se montrer:

— Je suis maman.

Et virevoltait, chantait parfois et courait voir sa mère.

Jonathan savait ce qu'il voulait, prenait son éléphant et recommençait à l'examiner. Le plaçait sur le rebord de la fenêtre, le faisait avancer. Tout un troupeau barrissait dans sa tête, tous les safari brillaient dans ses yeux.

— Pourquoi c'est froid, grand-papa?

— C'est de l'ivoire.

— Comment ça s'fait: il n'y a pas de marque où ç'a été collé, rempli?

— C'est comme pour entrer le caramel dans ta palette de chocolat: on ne sait pas.

— Pourtant...

Jonathan s'acharnait à trouver une cicatrice, une faille. Rien.

— Comment c'est fait en dedans?

— C'est plein.

— Si on l'ouvrait pour voir.

— On ne peut pas l'ouvrir sans le casser.

Un jour, Mélodie triomphante apporta le petit éléphant égratigné en répétant:

— Jonathan a essayé de le casser. Jonathan...

En prenant le jouet dans ses mains, Claudine surprise dit gentiment:

— J'espère que tu l'as pas brisé, Jonathan!

— Non maman, c'est Mélodie... Comment ça se fait qu'il est si dur?

— C'est de l'ivoire. Ça, Jonathan, c'est un cadeau de ma mère, un beau souvenir. C'était son porte-bonheur. Elle l'apportait toujours quand elle allait jouer au bingo.

— Elle gagnait souvent?

— Pas souvent, mais elle y tenait à son petit éléphant. Elle me l'a donné quand je suis venue vivre ici avec Francis. Elle m'a dit en me le donnant: « Claudine, je n'ai plus besoin de porte-bonheur maintenant que tu es heureuse. »

Claudine s'est penchée, a embrassé son fils. En lui remettant le petit éléphant entre les mains, elle les a serrées en lui disant:

— Aujourd'hui, Jonathan, je te donne mon petit éléphant comme un souvenir de mes grands-parents. Je voudrais que tu en prennes bien soin et que tu te souviennes que beaucoup d'autres mains l'ont caressé avant toi, lui ont fait conscience.

Claudine, évidemment, venait de parler pour grand-père aussi. Elle continua:
— Et quand tu seras parent à ton tour, tu le donneras à ton enfant. Ce sera le souvenir de toute notre famille que tu transmettras. Ce sera aussi la preuve que je t'aime beaucoup, et tous tes grands-parents aussi.

Elle l'a encore une fois embrassé et Jonathan, sensible à l'émotion de sa mère, ne savait plus que dire. Tout ému:
— O.K. maman. Je peux-tu le garder dans ma chambre?

Et le petit éléphant d'ivoire coucha longtemps avec Jonathan, puis trôna sur le rebord de la fenêtre. L'enfant ne s'en sépara jamais, caressant le souvenir et l'espoir des générations qui l'avaient fait naître. Le passé se réincarnait sous sa caresse comme bons génies sortant d'une lampe magique. Des « vieux » avaient relayé jusqu'à lui les grands rêves de succès, d'amour et de fidélité. La fidélité est le premier pas de l'éternité. L'enfant ne s'arrête pas à une ride, un dos courbé, un rythme ralenti, des vêtements démodés. Un enfant rejoint l'essentiel et son coeur, devant une émotion, emprunte spontanément le diapason de la sincérité. Un enfant sera toujours le terreau le mieux préparé et le plus fécond pour recueillir les confidences du passé, les amener à terme et les transmettre à son tour, au-delà des modes et des traditions. Seule condition: que l'enfant soit en contact avec les racines du passé, avec ces « vieux » qui ont tant besoin de compléter leur mission avec cet autre bout de la chaîne de la vie.
— Les enfants, je suis votre chambre à débarras, dit grand-père devant Claudine amusée.

Les grands-parents ont autant besoin de leurs petits enfants que les petits enfants ont besoin de leurs grands-parents. Les Labrecque l'avaient compris. « Des en-

fants sans grands-parents, c'est ça le chaînon manquant »,
avait écrit ce soir-là grand-père. Et il avait dessiné un petit
éléphant égratigné.

Puis vint « les pourquoi? ». Jonathan venait de découvrir
l'énorme pouvoir des points d'interrogation. Il faut dire qu'à
quatre ans, on est déjà, en soi, toute une question! Son esprit
apprenant à fonctionner, Jonathan s'ingéniait à l'explorer,
tester ses possibilités. Les plus belles questions viennent de
l'émerveillement des enfants, et y retournent. Et que d'attention de la part des adultes!... Oui, excellente invention que les
points d'interrogation! « Comme on peut se sentir caressé,
enveloppé, pénétré de son importance! » aurait pu juger
Jonathan. Mais malheur au petit ordinateur-parent qui doit les
affronter!

Le point d'interrogation contient beaucoup de connaissances miniaturisées dans sa petite tête têtue et un si petit
espace pour les laisser couler. Goutte à goutte, il faut beaucoup de patience, de réflexion pour découvrir, apprendre. Le
point d'interrogation est un problème en lui-même, un « pourquoi? » à lui tout seul. C'est une tête savante, mais avare. Une
tête enflée, mais fermée. Le point d'interrogation fait sourcil-
ler l'autre, déclenche une tempête dans ses neuronnes, choque
parfois, appelle une réponse sèche ou savante, allume un
sourire aux yeux ou déclenche un grand feu... ailleurs. Un
point d'interrogation peut faire descendre jusqu'au fond de
soi ou des autres où s'emmêlent les intentions inavouées, se
concoctent les trahisons, se détruit la vie. Un point d'interrogation peut aussi faire s'élever au-delà des nuages, voguer
dans l'azur, cligner des yeux devant des lumières inédites, des
vérités mystérieuses. Le point d'interrogation creuse la vérité,
éclaire la réalité. Il faut avoir le courage de ses interrogations,
l'humilité dans ses contradictions et la foi dans ses doutes.

Le jeu des pourquoi est le jeu des points d'interrogation.
C'est les butiner afin de féconder la connaissance. C'est

décrocher les points d'interrogation, les intervertir, les lancer dans les airs, jongler avec eux, les dorloter, cajoler. L'âge des pourquoi pour un enfant, c'est tenir un point d'interrogation dans ses bras, le bercer comme un petit chat, « lui faire des chatouilles ». L'âge des pourquoi pour les parents, c'est un enfant qui joue avec une mouffette: c'est une incongruité. Pour les parents, le pourquoi, c'est un putois. C'est une mouffette sur le terrain; elle a forme de point d'interrogation, en a la démarche, l'odeur et le contenu. Elle les suscite, insécurise, transforme chaque témoin en question. Chacun la regarde aller, sentir partout, tout rejoindre de son odeur et reste dans l'expectative. Le souffle coupé, on reste bouche bée et nez bouché. On se demande bien si... se retient de... au cas où... On marche sur des oeufs, se demande... en espérant n'avoir pas été vu, en espérant qu'elle s'en aille. Que va-t-elle faire? pourquoi s'approche-t-elle? qu'a-t-elle à tout sentir? que fait-elle par ici?... Si on crie, fait du bruit, lui lance quelque chose, elle pourrait prendre ces idées pour des questions, se retourner, relever son point d'interrogation et, de son petit oeil de la nuit, arroser tout et tous de ses... réponses... malvenues. Toute la réalité serait empoisonnée. Alors seulement, la mouffette s'en irait gauchement, inélégante, faisant fi des bruits, ayant vaincu par la ruse et eu à l'usure. Sa queue en l'air comme un fanion clamant sa victoire, narquoise, la mouffette s'éloignerait laissant une réalité toute compliquée. L'odeur pénétrante et omniprésente des points d'interrogation multipliés fait percevoir les choses simples, habituelles, sécuritaires comme autant d'énigmes devenues. On essaie de distraire l'enfant, même de se faire oublier pour éviter d'être arrosé de questions.

C'est grand-père qui a reçu le flot des pourquoi de Jonathan, surtout parce qu'il a eu le malheur de répondre aux premières questions avec beaucoup d'application. Grand-père passait d'ailleurs dans la maison pour le vieux hibou savant. « Un professeur, ça doit tout savoir... », avait son petit côté charmant. Et grand-père s'acharna à décortiquer la réalité de pédagogique façon afin que cet enfant ne répugne pas à l'approfondissement, ne rejette pas les remises en question et ne craigne pas de descendre au coeur du quotidien, du tout fait, du tout cuit, du tout entendu. Ainsi, l'enfant saurait peut-être un jour affronter les contradictions, réfléchir les pourquoi de ses gestes, prendre conscience des liens entre les choses et les êtres, entre la pensée et le quotidien, et même, prendre conscience des liens entre les pourquoi. Quelle belle théorie, et en même temps, quel poison que son application! Au début, grand-père jouait au plus fin avec Jonathan. Mal lui en prit. Il a déclenché la grande pluie, l'averse.

Jonathan avait « posé » pour s'amuser, grand-père avait répondu pour « éduquer ». Déformation professionnelle?...
— Où tu t'en vas?
— Au Salon du Livre.
— Pourquoi?
— Pour voir. Acheter des livres. Rencontrer « Achille Salon du Livre ».
— C'est qui ça?
— C'est un gros bonhomme flatulant, bien dessiné, avec un immense talon et des orteils, Jonathan, mais des orteils!...
— Pourquoi il a seulement un talon, Achille?
— Parce qu'il y a seulement un Talon du Livre en Estrie.

C'est en partant seulement que grand-père réussit à faire cesser les questions. Il eut juste de temps de lui promettre le portrait d'Achille Salon du Livre. Au retour, l'enfant dormait. Grand-père écrivit autant pour l'enfant que pour la galerie du dimanche après-midi. Le lendemain matin, Jonathan avait à peine ouvert les yeux qu'il secouait déjà grand-père-Salon-du-Lit.
— Où est Achille Salon?

Ce matin-là, son envie d'Achille Salon passa avant son envie tout court. Grand-père se fit apporter la feuille et lut à l'enfant attentif et surpris, écrasé près de lui dans son lit.

— Regarde mes orteils, Jonathan.

Grand-père avait sorti un pied frileux de fin octobre et bougeait les orteils en lisant:

— Achille, un grand pied lui remplaçait la tête. Son talon lui formait l'arrière du cou et un grand pied plat s'avançait au-devant de lui. Par un mouvement, parfois, son gros orteil et l'orteil suivant, esquissaient un semblant de sourire. Mais ça ne marchait pas tout le temps. Les autres doigts de pied, longs, osseux, difformes s'étaient moulés les uns par les autres, les uns pour les autres. Ils s'emboîtaient comme les morceaux d'un casse-tête, se suivaient machinalement, figeaient. Aucune personnalité, semblaient voués à l'inutilité. Suivaient. Le petit orteil s'arrondissant, adoucissait le coin, ménageait la transition entre le pied et le soulier. Bien rond, dodu, adapté à sa fonction, fermait la marche. Ces orteils parfois parlaient en s'éloignant quelque peu les uns des autres, puis s'articulaient ensemble de nouveau. Et toujours dégageaient mauvaise haleine. Quoi qu'ils disaient, on les sentait venir. Monotonie, se résignaient-ils: un pas, puis un autre, toujours pareil. Ah! quelle triste destinée que celle des doigts de pieds! Parfois un pas de côté: –politique–; parfois en arrière: –confession–. À l'occasion, en courant: –non pas à pas–; et encore plus rarement, aguichant: –pas-appâts–.

Grand-père remit la feuille de son devoir et attendit le verdict.

— Achille-les-Orteils parle bien compliqué, condamna le petit juge... nu-pieds.

Et l'enfant, toute la journée, talonna son grand-père de questions aussi inutiles que saugrenues. L'orage était déclenché.

Un soir, débordé, il confia aux parents: « Je n'aurais jamais cru possible de diviser la réalité en autant de tranches, l'analyser en autant de questions. » Les parents, avec un sourire amusé, une flamme dans les yeux, continuaient à lui retourner l'enfant.

— Demande au prof: il sait tout ça, lui.

Et l'enfant se transformait en Question.

— Pourquoi maman ne veut pas me répondre?
— Parce que maman prépare le dîner, elle n'a pas le temps.
— Pourquoi elle prépare des patates instantanées. On a de vraies patates de jardin?
— Parce qu'avec des patates instantanées, ça va plus vite.
— Pourquoi ça va plus vite?
— Parce que c'est des patates déjà mâchées.
— Mâchées...

Là, perplexe, il rumina quelques instants l'énigme du bilinguisme. Mais si les parents avaient le malheur de rire, reprenait instantanément chez lui la démangeaison des pourquoi. Le prurit aux oreilles. (Le prurit?... c'est une démangeaison...)

— Qu'est-ce qu'on a comme dessert?
— Tu vas le savoir si tu te dépêches.
— Qu'est-ce que ça veut dire: dépêches?
— C'est le dessert.
— ... C'est quoi le dessert?!

Grand-papa a mis le plat en plastique fermé sur la table. Jonathan a soulevé le couvercle et... il s'est allumé en un grand rire spontané.

— Des... pêches. Des... pêches.

Il refermait le plat. En l'ouvrant de nouveau, il disait: Si tu te dé-pêches. Il refermait... et recommençait. À chaque fois qu'il voyait les pêches, il répétait: dé-pêches, dans un grand rire sonore. Toute sa figure riait, tout son corps. Ses yeux pétillaient, il était heureux. Grand-père le trouvait si beau. C'était Jonathan, il l'aimait tellement! Ce qui n'empêcha pas grand-père d'être condamné à la litanie des pourquoi, de subir la question du nouveau petit Saint... Office! Le martyre de la goutte d'eau. Sisyphe qui montait son rocher en haut de la montagne pour le voir aussitôt redescendre, ce n'était rien comparé au grand-père attaché aux pas d'un petit garçon intelligent, curieux,– « un petit Labrecque, quoi! » –qui avait décidé de le scier de questions. Un jour, il a posé une question d'un seul mot:

— Pourquoi?
— Pour quoi pourquoi?
— Pour savoir.
— Ce n'est pas seulement pour attirer l'attention?...

La question grand-paternelle, au lieu d'une réponse, l'a embêté quelque peu. Jonathan écoutait parfois les réponses, y réfléchissait à l'occasion. Plus tard, il revenait avec le fruit de sa réflexion. Grand-père répondait:

— Ah ça, c'est une belle question.

Avec une réponse un peu trop élaborée et savante, Jonathan s'ennuyait bientôt, et s'éloignait en silence. Son roulis de questions au lieu d'amener la détente, l'apaisement, voire le sommeil comme le balancement d'un enfant dans son berceau, suscitait plutôt un malaise au coeur en passant par l'estomac. Pendant cette période, grand-père en a pris plusieurs marches dans le champ et le long de la rivière. « C'est au tour de Claudine », avait-il décidé. Même là, seul, en cachette, il ne pouvait s'empêcher de penser aux questions, s'encourager, faire le plein de patience et d'énergie.

C'est bien de dérider, dérouler les points d'interrogation, les défriser en points d'exclamation. Même si la plupart des questions sont abandonnées le long de la route, quelques-unes demeurent dans notre petit sac à malices. Bientôt s'apaisent, perdent de leur venin, même se transforment en petit sourire intérieur. La question devient réponse; le poison, aliment. La sérénité aidant.

— Pourquoi on fête pas comme ils disent à la télé?
— Parce que c'est le 1$^{er}$ juillet... J'aime cette fête, mais à condition qu'il pleuve.
— Pourquoi tu veux qu'il mouille le 1$^{er}$ juillet?

Les parents souriaient aux prévisions atmosphérico-nationalistes du grand-père devenu mélange de professeur Lebrun -Lévesque.

— Parce que le 1$^{er}$ juillet, quand il pleut, c'est notre revenche sur le 24 juin qu'on ne fête presque plus. Ah! le plaisir de voir un gouverneur-général sous un parapluie!...

Un autre jour, à brûle-pourpoint, grand-père demanda à Claudine:

— Pourquoi Jonathan ne pose plus de questions?

Sous la surprise d'entendre un pourquoi de la part du grand-père, Claudine a échappé un Hein!... spontané et a failli se couper en pelant cette fois les patates du jardin.

# 11

Non seulement Daniel Martel ne contrôlait pas sa consommation, mais il l'accentuait. À treize ans, en deuxième année secondaire, on connaît presque tout le roulement du premier cycle de l'école, le comment, le pourquoi. Surtout quand on a un grand ami en cinquième année, un Finissant. Déjà, on est considéré. L'ami coûte cher, bien sûr, mais il est fiable, « un gars correct, quoi ». Ils étaient rares les jeunes du premier cycle, regardés, respectés par un Finissant. Habituellement, les Finissants, tout imbus de leur importance, ne regardaient même pas leurs professeurs de l'année précédente. Il en allait de même avec les Finissants du Primaire; à onze ans, en sixième année, on ne s'abaisse pas à regarder et parler à son prof de cinquième année, encore moins à un « petit » de trois ou quatrième année. On est un Finissant, s'il vous plaît!...

Curieusement, notre grand Finissant Courtemanche ne considérait que les jeunes qui prenaient de la drogue. Daniel n'était pas le seul à être salué, respecté. Et beaucoup d'offres et d'invitations: « On va au dépanneur après dîner. » « Il y a une fête à la Maison des Jeunes, de seize à dix-huit heures: ça va être bon. » Et les soirées d'écoles, soupers de niveau, etc. Que d'occasions pour Daniel et ses compères! Là, il était rendu au mélange de coke et de hasch roulé avec un peu de tabac à cigarettes. La coke excite, le hasch apaise, l'organisme ne sait plus à quel saint se vouer. Mais Daniel aimait cet effet différent. Ce fut ses débuts dans la coke. « La coke, c'est pur, c'est naturel: y a pas d'danger, assurait Mario Courtemanche. C'est pas comme la colle qui brûle les cellules, le Pam qui peut asphyxier, la tête enfermée dans un sac de plastique, les hallucinogènes qui causent souvent des « bad trips ». Avec du hasch, de la coke, on s'trompe pas. » Daniel buvait ses paroles infaillibles et « sniffait » le reste. Ces vérités étaient d'autant plus faciles à enseigner que le grand pape finissant ne vendait que de la coke et du hasch.

Puis vint le grand soir. On devait fêter la fin de l'année scolaire. Daniel fut invité avec beaucoup d'insistance à cette super partie.

— Oui, mais... mes parents?

— Tu leur diras n'importe quoi: que c'est organisé par l'école, que le responsable des Loisirs sera là, n'importe quoi. Tiens, tu diras que Carole Dupéré va être là: c'est une bonne petite fille et ta mère la connaît. Envoèye!...

Après questions et réticences, la mère finit par donner le feu vert. La fête commença par les cris de joie: enfin seuls, enfin libres!... dans un tonnerre de musique. Les caisses de bière s'ouvrirent et se mêlèrent aux bouteilles que plusieurs avaient apportées. Jusqu'à ce moment, les jeunes ne consommaient que la drogue des parents. Mais quand Mario Courtemanche, l'organisateur, exhiba le quart d'once de hasch, ce fut l'explosion: c'était la drogue des adolescents. « Il y en a pour tout le monde. » Il commença à l'égrainer en petites crottes de plaisir et à le rouler avec un peu de tabac. On jasait ferme, s'amusait comme des grands. On préparait un peu l'initiation de Daniel. Et l'on fuma. Tous un peu. Pour ne pas trop s'engourdir, on passa aux jeux. Tous à connotations sexuelles. Embrassades, touchers, déshabillages progressifs, etc. Daniel étant un des plus jeunes, se sentit un peu perdu, gêné. « Devant tous, c'est un peu différent, » pensa-t-il. Mais personne n'exigea de lui comme on le faisait des autres qui se connaissaient depuis plus longtemps. À un moment d'accalmie, Mario demanda le silence:

— Vous amusez-vous bien?
— OUI!
— En voulez-vous encore?
— OUI!

Dans une clameur, il sortit un sachet de poudre blanche.
— Ça, c'est le clou. Mais ce n'est pas compris dans le prix de la soirée. Ceux, celles qui veulent essayer...

Les conversations reprirent, la drogue des parents continuait à couler à flots et certaines personnes continuaient à se tenir, mais pas seulement par la main. Daniel ne quittait pas des yeux son Bienfaiteur Courtemanche. Mario demanda un miroir pour faire plus officiel et y versa un peu de poudre magique. De son index, il en plaça un soupçon sous sa langue, coupa le plus possible les petits morceaux légèrement luisants, en fit des lignes, le tout avec des gestes précis et calculés. Autour du Grand Sorcier, quelques petits Indiens recueillis suivaient le rituel en n'échangeant que de rares paroles et à mi-voix. Il ne faudrait rien de moins que Léonard de Vinci pour représenter cette dernière scène.
— C'est cinq dollars par ligne.

Les plus vieux, habitués, présentèrent leur trois dollars, se penchèrent sur le miroir qui leur présenta leur image striée de lignes blanches, fenêtre de prison aux barreaux d'autant plus réels que d'apparence inoffensive. Une petite paille dans une narine, l'autre narine bouchée avec l'index, une forte et longue respiration, puis le Défendu était consommé. Encore quelques renâclements pour aspirer et mieux faire descendre la poudre divine. L'effet se manifesta bientôt en larges sourires, gestes multipliés, euphorie. Ça bougeait là-dedans.

Daniel sentait bien l'importance du geste pour lui, devinait bien la suite. Il se présenta quand même à la table et se soumit avec plaisir au rituel. Il savait bien qu'il venait d'entrer dans une secte dont on ne sort pas facilement. Il venait de sacrifier au dieu Baal. Baal ne laisserait pas partir son néophyte. Daniel en avait entendu assez parler, avait vu assez de jeunes sans aucun contrôle. Il le savait, mais déjà il n'avait plus le choix. Depuis quelques années, il consommait: comment ne pas aboutir à la coke? Son cheminement l'amenait à la coke, la coke l'amènera à s'enchaîner beaucoup plus rapidement. On ne pense pas à la dépendance sur un « trip » de coke, surtout, on n'en parle pas. Pire, on ne supporte pas que quelqu'un vienne en parler. On se dit plutôt: « Mais y a rien là, j'suis capable d'essayer, pas plus. J'deviendrai pas cocaïnomane pour ça. » Daniel se rassurait, ne voulait surtout pas empoisonner sa première « sniffe » de coke. Tout en adoration devant son idole Mario, il jubilait. Les autres aussi. Les premiers servis voulurent d'autres « sniffes » et les trois dollars s'accumulèrent au plus grand plaisir du petit miroir. Daniel voyait entrer l'argent. « Mais c'est payant! » calcula-t-il, soulevé par la tornade blanche et encouragé par ses moyens financiers très limités.

Daniel sentait de plus en plus la pression des dettes et celle de ses parents qui lui posaient une kyrielle de questions parfois trop précises. La disparition de bières de son père débuta le bal, ensuite des objets auxquels Daniel tenait beaucoup. « Comment a-t-il donné ça?... » se demandait sa mère. Ses parents ne le comprenaient plus. « Il a bien changé tout d'un coup! » Ensuite, le père ou la mère lui demandait où pouvait bien être passés une belle paire de gants, le beau bibelot du salon, quelques ustensiles en argent. Et la liste s'allongeait.

— Daniel, as-tu vu le petit coffre à outils? On s'est pas fait voler ça, toujours!...

Puis ensuite, l'argent.

— J'suis sûre que j'avais un vingt dans mon porte-monnaie, affirma la maman.

Daniel, sentant la soupe chaude, avait commencé à emprunter à des amis. Puis à faire des promesses qu'il ne tiendrait pas. Il entendit parler d'hommes et de femmes qui payaient de la drogue à ceux qui voulaient coucher avec eux. L'idée lui trottait dans la tête depuis un bon moment, mais il n'arrivait pas à se décider. « J'pense qu'en vendre serait la meilleure solution. » Mario accepta de le parrainer, mais seulement à petites doses. Puis les conseils à la prudence, les avertissements et les contrôles répétés finirent par le déranger sérieusement. Daniel avait trop besoin d'argent pour être prudent. Mario manquait maintenant de confiance en lui et ça l'agaçait. « Si j'ai bien envie de drogue et que Mario ne veut plus m'en « frienter » ou me prêter d'l'argent?... » La pression s'alourdissait sur les épaules de l'enfant. Parfois, un début de panique. Pression et panique constituaient des raisons supplémentaires pour consommer. Daniel ne se sentait pas esclave de la drogue, non. S'il se sentait trop obsédé, c'était à cause de ses parents qui le surveillaient trop, des enseignants qui le harcelaient, etc. « J'peux arrêter quand j'veux. La preuve, ça fait deux jours que je n'ai rien pris. » Daniel se parlait à lui-même, s'encourageait. Sylvie recevait ses confidences.

— Tout va bien, petite soeur.

— Maman pense que c'est moi qui l'a volée, se plaignit la jeune fille.

— J'vas partir un gros commerce, moi tout seul. J'vas en faire d'l'argent! pis j'vas t'en donner tant que tu voudras.

Avec Sylvie, la conversation ne durait jamais bien longtemps. Avec lui-même, ça devenait de plus en plus ardu, mais ça finissait toujours bien. « Pas d'problème. Mon père et ma mère en prennent, ça ne les a pas empêchés d'arriver où ils sont. »

À l'école, les notes baissaient de plus en plus avec l'attention, l'intérêt. Daniel ne parlait plus aux élèves « straights », seulement aux consommateurs. Ils se reconnaissaient au costume, au « pif »... devenu aspirateur. Dans les corridors, ne se parlaient qu'à mots couverts, mais toujours de la même chose. C'était leur pain quotidien... et Daniel maigrissait à vue d'oeil depuis plus d'un an. Tout l'argent demandé et donné pour des fruits à la récréation et complément du repas à la cafétéria se détournait de la réalité au profit du rêve. Daniel rêvait. Rêvait toujours. « Si je pouvais être millionnaire, vivre à Montréal, aller en Colombie, rester pris dans la neige tellement il y en aurait. Ah si je pouvais... si je pouvais... » Un jour, dans un travail remis au professeur de science morale à l'occasion de l'anniversaire de la mort de Martin-Luther King, il avait écrit: « J'ai fait un rêve. J'ai rêvé que tous les enfants du monde, blancs, noirs ou jaunes cultiveraient de la coke dans l'égalité et la partageraient avec tous. J'ai fait un rêve. J'ai rêvé que tous les policiers du monde, blancs, noirs ou jaunes aideraient au transport et à la distribution de la coke dans la paix dans tous les pays du monde. J'ai fait un rêve que tous les condamnés pour trafic de drogue, noirs, blancs ou jaunes seraient libérés dans la justice pour partager généreusement leurs connaissances. J'ai fait un rêve... » Daniel fantasmait, s'obsédait; se détruisait. Daniel débouchait sur le marché de l'angoisse.

Et l'inévitable...: avec un groupe d'amis, un vendredi, après la soirée de son niveau à l'école, il vola le magasin Moto Boutik au bout de la rue Principale. Le matériel fut caché dans une vieille grange abandonnée pour être ensuite offert à très bas prix aux jeunes intéressés. En quelques jours, une douzaine d'élèves se retrouvèrent avec une belle veste de cuir toute neuve, odorante, rutilante. Les parents trop curieux d'un petit gars de deuxième année secondaire s'informèrent à l'école. La police entra dans le coup, apprit le nom des vendeurs et un policier se rendit au domicile de certains pour attendre l'adolescent. Daniel qui disait manquer son autobus chaque fois qu'il allait prendre de la drogue avec ses amis, le manqua encore cet après-midi-là. Il téléphona à ses parents comme d'habitude pour les avertir de ne pas s'inquiéter. Au téléphone, la maman au bord de l'explosion devant le policier qui l'avait mise au courant, cria:

— Où es-tu? J'vas te chercher tu suite!

— Mais voyons, maman, j'suis capable de me rendre sur le pouce comme d'habitude.

— Y en est pas question! Y a quelqu'un icitte qui t'attend, pis j'vas t'chercher!

Daniel très inquiet:

— C'est qui ça?...

— Quelqu'un qui veut acheter une veste de cuir!...

— ...

Daniel devenu blême, le coeur lui manqua. Il faillit s'écrouler entre deux bafouillements. Il se reprit:

— Quelle veste de cuir?

Daniel finit par céder et donna une adresse fictive.

— Ma mère a l'air au courant. Y a quelqu'un chez nous pour moi. La police?...

Mario s'inquiéta:

— Est-ce qu'on a été dénoncé? demanda-t-il au petit groupe.

Au téléphone de vérification chez le petit voisin de Daniel, ils apprirent que la Police arrêtait les gars. Le drame venait d'éclater, l'angoisse se tranchait au couteau. Blême, sans le souffle, Daniel devina la scène qui l'attendait, le Tribunal de la Jeunesse, sa drogue...

— Moi, j'me sauve, j'retourne pas à maison. Vite, faut que j'téléphone!

Hors de lui, il commanda:
— J'serai derrière la maison du 149 Principale. Viens vite. Dans deux minutes, faut que tu sois là.

Il raccrocha et avertit:
— Pas un mot, les gars!

Et il partit comme un criminel.

Daniel prit la poudre d'escampette à cause de la poudre d'évasion. Deux minutes plus tard, Madame Denise Bouchard se présentait au rendez-vous, et Daniel sautait dans la voiture.
— Vite chez vous: faut pas qu'on m'voèye!

Il a couché son siège dans l'auto et s'est allongé. Quelques minutes plus tard, il s'engouffrait dans la maison.
— J'ai été pris, faut que j'me cache.
— Bon, tu vas prendre une bière tranquillement et tu vas m'expliquer.

Daniel s'exécuta, mêla certaines choses, mentit beaucoup. La dame l'écoutait peu, évaluant plutôt son implication dans la fugue de l'adolescent. Elle pensait surtout au beau Daniel dont lui avaient parlé ses conquêtes précédentes. C'est ainsi qu'elle possédait déjà la description du jeune et surtout ses goûts en matière de drogues. De son côté, Daniel avait reçu par d'autres, le numéro de téléphone et l'invitation de « la gueurnouille » comme les jeunes l'appelaient.
— Qu'est-ce que tu attends de moi? demanda la femme.
— De me cacher pendant quelques jours, le temps de trouver c'que j'dois faire.
— On va voir à ça.

Daniel calait ses bières nerveusement. Il téléphona à sa mère et raccrocha dès qu'il entendit sa voix inquiète.

— Veux-tu que j'avertisse anonymement tes parents de ne pas s'inquiéter?

— Non, on s'est parlé après la classe.

À mesure que coulaient les bières, Daniel se calmait... et la dame se déshabillait. Tout à coup, comme par enchantement, l'émission de télévision se transforma en film pornographique. Denise revint avec un simple déshabillé, et, un peu lascive, s'approcha:

— J'ai d'la coke... aimerais-tu ça, Daniel?...

Daniel se sentit un peu gêné, mais ne pouvait reculer. Il était mal pris et savait, avant de lui téléphoner, les exigences de la dame pédéraste. La plupart des jeunes de l'école la connaissaient et s'attendaient un jour ou l'autre à son invitation. Il s'est dit: « Au moins, j'vas la faire attendre un peu. De toute façon, faudra bien que je commence un jour. »

— La coke m'intéresse toujours.

— T'es-tu déjà piqué?

— Pas encore.

— Aimerais-tu essayer?

— Ça fait longtemps que j'y pense.

— C'est bon comme éjaculer et encore plus et plus longtemps. T'aimes ça, le sexe?

— Bien sûr, comme tout le monde. Mais j'ai pas beaucoup d'expérience encore.

— C'est ce que j'aime le plus: les petits jeunes, doux, sans poil, qui me font pas mal et à qui j'peux, montrer quoi faire et quand c'est le temps.

La dame maintenant tout près de Daniel, en se contorsionnant, jouissait seulement à énumérer certains gestes. Daniel, sans conviction, pensa qu'il devait mettre la main sur les fesses de la dame qui poussa un profond soupir. Elle s'assit tout près de lui et Daniel plaça un bras autour de son cou et l'autre main sur les seins. La dame geignait de plaisir surtout quand Daniel bougeait le moindrement. Elle vint embrasser son cou, puis sa poitrine pendant qu'une main excitait son sexe. Sa tête descendit et Daniel répondit davantage, se demandant toujours ce qu'il devait faire: « J'veux pas avoir l'air niaiseux. »

— Qu'est-ce que tu dirais, mon chéri, si on prenait une douche ensemble? Ensuite, j'te ferais une piqûre de coke et toi, tu m'en ferais une de ton beau joujou de si beau p'tit gars!...

Daniel, obligé de dire oui, se dévêtit et entra sous la douche. Les caresses manuelles bien distribuées un peu partout, lui firent beaucoup de bien. Il faillit éjaculer sous les courants électriques qui lui traversaient tout le corps. Une fois essuyés, la dame assit Daniel dans le grand fauteuil, étendit son bras sur l'appui.

— Serre ton biceps avec l'autre main pour faire sortir les veines au coude.

Dans la cuisine, elle concocta son mélange et l'introduisit dans une seringue. Elle vint voir son Daniel avec un beau petit napperon tout blanc qu'elle plaça sur son avant-bras, serra son bras avec un petit garrot.

— Comme à l'hôpital, dit-elle pour le rassurer. Tu vas voir, ça ne fait pas mal, c'est pas dangereux, et ça fait tellement de bien surtout pour faire l'amour.

Elle apporta la seringue, retira le garrot. Pour le rassurer encore:

— Comme à l'hôpital. J'suis bien contente de t'initier pour ça aussi. Tu va voir, tu le regretteras pas. Tu vas t'en souvenir toute ta vie.

En retirant l'aiguille, elle plaça une petite ouate sur la veine, demanda à Daniel de la tenir et de garder son bras replié. Elle déposa la seringue et amena l'enfant dans sa chambre à coucher.

Les plaisirs d'une première injection de coke combinés aux plaisirs d'une première relation sexuelle s'imprimèrent dans tout le physique et le psychologique de l'enfant. Plus jamais, il ne pourra revenir en arrière, se contenter de moins, et toute sa vie, il essaiera de retrouver ce premier plaisir. Il venait de plonger. Il augmentera toujours la dose, compliquera les mélanges même dangereux, s'enfoncera pour toujours dans une dépendance mortelle parce qu'une femme pédéraste avait besoin d'un enfant dans son lit. Bien sûr que Daniel avait lui-même préparé le terrain, mais un enfant est tellement sans défense!...

Plus tard dans la soirée, Daniel eut droit à quelques doses supplémentaires à condition de répéter chaque fois le jeu de la dame. Et Daniel s'était découvert le goût de jouer. Peut-être qu'au fond, recherchait-il surtout le moyen d'oublier ses ennuis qui l'attendaient au tournant? Epuisés, ils finirent pas s'endormir. Au matin, la dame se trouva plusieurs prétextes pour faire comprendre à l'enfant qu'elle ne pourrait le garder plus longtemps.

— À cause du risque. Tu comprends ça?

L'enfant sans défense ne pouvait qu'en convenir et se chercha un autre endroit. Denise Bouchard s'était contentée: « débaucher un jeune », comme elle disait parfois. Seulement la première fois. La suite avait beaucoup moins d'intérêt pour elle.

— Si jamais tu connais d'autres jeunes qui seraient intéressés, tu peux me le dire et leur donner mon numéro de téléphone... si tu as aimé ça.

— Bien sûr, Denise, mais... qu'est-ce que j'vais faire maintenant?

— Tu n'as pas de parents, d'amis...? J'vais aller te conduire, tu sais.

— Y a le vieux Marcoux, mais c't'un fif.

— Dis-moi pas qu'il t'obligerait à coucher avec lui, le vieux salaud?

— J'ai bien peur que oui.

— T'as un bien trop beau petit corps pour te laisser toucher par un homme... et c'est pas lui qui te paierait une « pique », hein?

Daniel cherchait dans sa tête et son carnet de numéros de téléphone.

— J'en connais beaucoup, mais faut qu'y soèye fiables, qu'ils veulent me recevoir, que mon père les connaisse pas, que ce soèye en dehors de la ville, que...

Après quelques coups de téléphone négatifs, il s'impatienta.

— C'est ben compliqué donc de se cacher, de s'trouver des amis sûrs! De s'faire aider quand on est mal pris!

En tous cas, ici, tu pourras revenir, mais là, la Police te recherche, quelqu'un peut te voir ici: les voisins sont proches.

— André, j'lui dois d'l'argent. Yvan n'est pas chez lui. Mathieu est trop gros « pusher », y va m'embarquer ben raide: demain, j's'rais à Montréal à travailler pour lui à vendre où à me prostituer.

— Accepte jamais ça! avertit la digne dame offensée dans ses convictions chastes et pures.

— Faut qu'j'aille à Granby! L'Ange-Gardien, c'est trop petit. Conduis-moi au Parc et j'me débrouillerai. J'ai plusieurs contacts, là.

C'est ainsi que la dame satisfaite réussit à se débarrasser d'une autre de ses victimes.

# 12

Quelques jours plus tard, la Police de Granby qui possédait le signalement de Daniel, l'arrêta et le remit entre les mains du Directeur de la Protection de la Jeunesse. L'enfant tremblait de tous ses membres, se refusait à pleurer. Appréhendait l'arrivée de ses parents. Le père, effondré, ne parla pas; la mère, révoltée, taillada l'enfant de paroles acérées dont elle avait le secret. Daniel, buté, regardait le plancher; toujours résistait. La travailleuse sociale de service, n'ayant pas de façade à protéger, essaya de dénouer la situation.

— L'essentiel, c'est que Daniel soit retrouvé sain et sauf. Maintenant que nous connaissons le problème, on peut commencer à le solutionner. N'est-ce pas Daniel?

Il ne broncha pas.

— Tu pourrais répondre, trancha le D.P.J., après ce que tu viens de faire endurer à tes parents...

Daniel baissant la tête encore un peu plus, s'embourbait dans ses sentiments. Le D.P.J. qui tenait une corde sensible en profita pour étrangler l'enfant.

— Le drame qu'ils ont vécu pendant trois jours, tu t'en foutes pas mal. Eux autres qui se sont tellement dévoués pour toi... Tu les remercies en les enfonçant dans la honte d'avoir un fils voleur, drogué, peut-être prostitué... à treize ans.

Insulté, Daniel se releva de toute sa hauteur pour lui cracher avec mépris:

— C'est pas vrai!

— C'est pas vrai que tu te drogues? que tu vends de la drogue? que tu as volé des vestes de cuir?...

Après une hésitation, Marcel Jacques constata son effet sur l'enfant qui s'écroulait à nouveau et, succombant à sa tentation préférée:

— ... et que tu as couché avec des vieux messieurs pour avoir de la drogue?...

— T'as menti, vieux criss!

La mère se leva et gifla l'enfant. Encore plus humilié, il dévisagea sa mère avec tout le mépris qu'il put exprimer. Enragé, les poings fermés, frissonnant, il semblait sur le point de lui sauter à la gorge.

— Fais quelque chose! cria-t-elle à son mari.

Presqu'aussi embarrassé que son fils, vaguement autoritaire:

— Daniel, assis-toé.

Monsieur Marcel Jacques, Directeur de la Protection de la Jeunesse en titre, semblait toujours obsédé par les adolescents qui couchaient avec des hommes. On dirait qu'il n'y avait que cela qui l'intéressait, que cela d'important dans son travail. C'était toujours la première chose qu'il essayait de faire avouer à ses jeunes clients, et s'en délectait à l'avance.

Autant les dénégations indignées qu'il provoquait que les aveux qu'il essayait de faire détailler le plus possible. Il en parlait toujours avec un plaisir, voire, une frénésie très peu retenue. Il exigeait de la Police une liste exhaustive et continuellement revisée de tous les hommes susceptibles de vouloir coucher avec des adolescents. Suivait aussi la liste de tous les Gais réels ou potentiels de la région. Enfin –et c'était le plus intéressant!– les phantasmes de chacun, tout ce qui se disait à leur sujet. Que ce fût vrai ou faux n'avait pas d'importance.

— Daniel, tu m'diras pas que tu n'as pas fait comme beaucoup d'autres jeunes qui se laissent tripoter par des vieux vicieux pour d'la « dope »!

Daniel raccourcit sa réplique:
— T'as menti...!

Le père, épouvantablement gêné, humilié, se rappelait...
Le D.P.J. en profita:
— Daniel, tu me diras pas que tu n'as jamais reçu d'argent de quelqu'un de ta parenté... de proches de ta famille?...

Il ajouta en regardant les parents, en manière d'excuse:
— Ce sont les premiers suspectés.
— C'est pas d'tes affaires!
— S'il t'a donné de l'argent, ce n'est pas pour rien, avoue-le.

Le père en colère dévisagea le D.P.J.:
— De qui parles-tu?
— De son grand-père, comme vous l'appelez.
— Où veux-tu en venir avec ça?
— Il y a trop de pédérastes en liberté, il faut les démasquer pour protéger notre jeunesse.
— Dis-tu que son grand-père Nolin est pédéraste?

Le D.P.J. hésita devant la précision de la question et le ton agressif du père.

— Ce monsieur a tout un passé... et son cas doit être étudié comme simple possibilité quand il y a problème dans son entourage.

— Pédéraste, toi-même, lança le père.

— Vous n'avez pas à vous sentir visé, monsieur Martel.

— J'me sens pas visé par tes écoeuranteries, Jacques, et tu saliras pas mon gars ni Michel Nolin avec tes obsessions de cul.

— Vous en donnez une belle leçon, là, devant votre fils.

— C'est toé, le salaud, icitte, c'est pas mon gars, encore moins monsieur Nolin. Commence donc par faire ton travail au lieu de nourrir tes petits phantasmes de frustré sexuel sur le dos d'honnêtes gens.

La travailleuse sociale précisa pour Guy Martel que monsieur le Directeur essayait tout simplement de cerner le problème à partir des expériences de la Direction de la Protection de la Jeunesse.

— C'qui m'intéresse, c'est pas les obsessions de ton monsieur, comme tu dis, c'est d'savoir si mon gars est un drogué, pis un voleur.

Sur un ton sarcastique, et blême de colère, le D.P.J. ironisa:

— Je comprends, monsieur Martel, que vous soyez hors de vous en ce moment après une fugue de votre fils et les accusations officielles déposées contre lui. Mais vous ne me montrerez pas à mener mon enquête et m'empêcherez pas de démasquer des coupables où qu'ils soient et quels qu'ils soient.

La mère toute éberluée qui venait de faire un grand bout par coeur, demanda à son fils:

— Daniel, prends-tu de la drogue?

L'enfant ne répondit pas. Le D.P.J. reprit sèchement:

— Plusieurs témoins ont dit que tu avais volé des vestes de cuir et en avais revendu: est-ce que c'est vrai?

112

Même silence. La mère inquiète:

— Où as-tu couché depuis trois jours?

— Chez des amis.

— De gars ou de filles?

— Des deux.

— Tiens, qu'est-ce que je vous avais dit? triompha le Directeur.

Guy a serré les poings et les dents, mais n' a rien dit cette fois.

— T'as pensé qu'on s'mourait d'inquiétudes? reprocha la maman.

— J'vous avais téléphoné juste avant, vous saviez que j'étais correct.

— Une fugue comme celle-là, ce n'est pas une preuve que tu es coupable? insinua le Directeur, fier d'attaquer l'enfant devant le père qu'il haïssait maintenant profondément.

— Coupable de quoi? s'enquit l'enfant.

La travailleuse sociale expliqua la situation à Daniel. Dénoncé par plusieurs, il ne lui restait qu'à avouer: drogue, vol, recel.

— J'prends un peu de « dope » de temps en temps comme tout le monde...

— Assez pour voler? continua la dame.

— Qui vous a dit ça?

— Tu connais Mario Courtemanche, Bébert, Luc Sansoucy?

— J'vas à l'école avec eux autres.

— Tu étais encore avec eux autres, ce vendredi-là?

— Quel vendredi?

— Tu le sais, le vendredi du vol des blousons de cuir.

— ...

Le Directeur renchérit:

— Pourquoi tu te tiens avec des gars beaucoup plus âgés que toi?

— C'est mes amis.

— Mais pas de ton âge.

— Pis après?

— Puis après, mon jeune, tu sauras que c'est comme ça que ça commence souvent. Si des plus vieux se servent de jeunes, c'est pour faire des mauvais coups. Toutes sortes de mauvais coups, ajouta-t-il en regardant Guy Martel.

— Guy demanda sèchement:

— Qu'est-ce que tu veux dire par là?

— Vous devriez le savoir, c'est votre garçon.

Après une hésitation, le D.P.J. ne pouvant réprimer l'injure qui fulminait dans sa bouche, conclut méchamment sur ton d'ironie méprisante:

— Votre passé et celui de monsieur Nolin sont garants de son avenir.

Le père explosa.

— Jacques, t'es rien qu'un tabarnak de chien sale! Depuis qu'on est icitte, tu n'as parlé que de cul, tu ne penses qu'au cul: t'es rien qu'un trou de cul, Jacques!

Le père est venu se placer devant son fils qui s'est levé.

— Daniel, écoute ben: c'te criss de vieux singe-là va essayer de nous écoeurer tous les deux. J'comprends que t'aies eu des problèmes, tout le monde en a. On va t'aider, pis on va essayer de s'en sortir... ensemble. Mais chaque fois que ce trou de cul à lunettes essaiera de nous ridiculiser, toé, moé pis ton grand-père, envoie-le manger d'la marde. C't'écoeurant-là va la ravaler toute la marde qui lui sort par tous les trous d'la face!

Daniel n'en croyait pas ses oreilles. Jamais il n'avait vu son père aussi agressif.... et c'était pour prendre sa défense. Le coeur lui fondait dans la poitrine. Bouche bée, regardait un homme essentiellement soumis à sa femme autoritaire qui venait enfin de crier sa révolte. « Qu'était ce passé?... Que venait faire grand-père Nolin?... Qui est ce père que je n'ai jamais connu?... Mon père m'aime!?... Papa prend ma défense? Mon père existe!! » Daniel ne s'était jamais senti aussi grand, aussi fort. « Plus rien ne peut m'arriver. » Il en frissonnait; les yeux pleins d'eau, tomba dans les bras de Guy qui se sont refermés avec une étrange tendresse. Daniel a éclaté en sanglots. Il y avait tellement d'années... Quelle sécurité dans les bras de son père!... Dans le bureau, tout le monde était mal à l'aise, surtout la mère. Quand Daniel se fut un peu calmé, il serra plus fort son père et murmura:

— Pardon, papa. Aide-moi, s'il te plaît.
— Essuie tes yeux, Daniel. Maintenant, on va parler en hommes. Y a pas d'problèmes qui s'règlent pas. Daniel, prends-tu de la drogue?
— Oui.
— Beaucoup?
— Assez.
— Où prends-tu ton argent?
— J'vous en ai pris à la maison.

Et il a sangloté encore un peu.

— En as-tu volé ailleurs?
— J'en ai emprunté. On a volé des « jackets » , pis j'en ai vendu trois.
— T'as pas fait de mauvais coups ces trois derniers jours?

Daniel tout fier de pouvoir répondre enfin quelque chose d'agréable, insista:

— Non papa!
— Est-ce que des adultes t'ont promis de la drogue à condition que tu les laisses jouer avec ... toi?

Daniel a hésité, pensé à tout le plaisir qu'il en avait retiré, au service rendu, et donner des noms, c'est lâche, et surtout la piqûre...: pas question d'avouer tout ça. Il opta pour un compromis:

— Oui, une fois.

Le D.P.J. s'éclaira en sourires triomphants. Daniel continua.

— Avec une bonne femme.

Le Directeur figea. Avec une femme, son plaisir n'opérait plus. Si le contact sexuel avait été avec un homme, il aurait orgasmé par tous les pores de sa peau. Sexuellement déçu, il essaya de statuer... Guy Martel, lui coupa péremptoirement la parole.

— Toi, le petit D.P.J., tu vas nous sacrer la paix.

— Je suis le Directeur, monsieur!

— Ton titre, tu peux te le fourrer où j'pense. Après tes écoeuranteries à mon sujet et au sujet de gens qui valent dix fois plus que toé, parce qu'ils ont du coeur... eux autres! parce qu'ils sont équilibrés... eux-autres! j'ne veux plus rien savoir de toé. Pis Daniel, c'est MON enfant. Tu t'en serviras pas comme pénis artificiel dans tes phantasmes sexuels refoulés. Sinon, je porte plainte contre toé. Seulement qu'avec ton comportement d'aujourd'hui, on va pouvoir faire un bon bout de chemin.

La face de Marcel Jacques s'est de nouveau étirée jusqu'à ses pieds et toute la blancheur du monde s'y est réfugiée. Puis la colère a ramassé progressivement cette bouille exsangue, s'y est concentrée, violente, acérée, fulminante. Le D.P.J. élaborait son plan dans sa tête qui reprenait peu à peu une forme vaguement arrondie. Il s'est promis: « Laisse faire, toé, mon câlisse de Martel, j'vas t'démolir! Tu l'auras pas ton gars pour continuer à coucher avec! » Guy Martel se tournant vers la travailleuse sociale,

— Madame...?

— Marie-Paule Chênevert.

— Madame Chênevert, qu'est-ce qui va se passer maintenant avec Daniel?

— Selon nos lois et coutumes, il couchera ce soir en Centre d'Accueil, puis passera bientôt devant un juge du Tribunal de la Jeunesse. La police et un psychologue l'interrogeront et nous préparerons un rapport sur lui. Vous pourrez venir le voir tous les jours si vous voulez. On vous donnera l'endroit par téléphone dès aujourd'hui.

Après une hésitation, et très doucement, elle continua:
— Vous comprendrez, monsieur Martel, que monsieur le Directeur a quand même son mot à dire... et qu'il va le dire. Par contre, si vous préférez, c'est moi qui vous aviserai de tout. Ne craignez rien, tout ira bien et Daniel sera bien traité, je vous en donne ma parole.

Les deux hommes se sont regardés sans un mot: la haine volait bas.

La mère, toute éberluée, gênée, humiliée par la conduite du père beaucoup plus que par celle du fils, donna un petit bec sur la joue de l'enfant aussi embarrassé et surpris que sa mère en disant un timide:
— On revient ce soir après le train.
— Dis à Sylvie de pas s'inquiéter.

Le père, le serrant un peu sur lui, s'est penché à son oreille pour lui dire tout bas:
— Fais un homme de toi: dénonce personne. On s'en reparlera.

Sur ton sarcastique, plein de menaces et soif de vengeance, le D.P.J., incisif:
— À la prochaine, monsieur Martel!...

Guy, le visage très dur, fermé par le défi, l'a regardé sans rien dire et partit sans se retourner. Tout l'intérieur de Daniel, sous l'impact de la complicité de son père et le dépôt de sa confiance, s'était mis à l'attention. Encore une fois, il resta figé mais fier, la tête haute et les jambes écartées, se sentant sûr, solide du haut de ses treize ans. Ses yeux brillaient d'une flamme allumée à l'affection de son père. Il comprenait que son père l'aimait; complice, lui faisait confiance. « JE SUIS UN HOMME MAINTENANT!... J'vais faire les choses comme il faut, pis j'vas r'tourner à'maison. Pis d'la drogue, c'est fini. FI-NI! Mon père est de mon côté. Tout le reste n'a plus d'importance. Je suis un homme maintenant. »

# 13

Marie était complètement déboussolée. Le ciel venait de lui tomber sur la tête après quatorze ans de mariage. Elle pensait dru, serré: elle avait peu de temps pour analyser la situation. Son mari venait de prendre le mors aux dents, venait de lui échapper pour la première fois depuis son mariage, elle qui l'avait si efficacement contrôlé, étouffé... Que lui arrivait-il? Comment reprendre son contrôle?... Attendre qu'il se dégonfle afin qu'il se soumette à ses premiers ukases?... Trop attendre semblerait céder; la reprise de son pouvoir serait davantage aléatoire. L'important, c'était qu'il ne lui réponde pas comme au D.P.J., car elle ne saurait lui résister. Maintenant, pour elle, le problème était déplacé: ce n'était plus une lutte contre la narcomanie d'un enfant, mais une lutte de pouvoir dans son ménage.

Une fois l'auto démarrée, elle opta pour une certaine indifférence. Mi-question, mi-affirmation:

— Tu n'y est pas allé de main morte avec le D.P.J..

— Ce n'est pas un p'tit frais chié qui va venir rire de nous autres.
— Y a au moins un danger de s'en être fait un ennemi: il va se venger sur Daniel, pis r'garde ben s'il n'essaye pas de nous en enlever la garde.
— Qu'il s'essaye!...

Marie s'est dit qu'il était trop tôt encore pour affronter. Le temps viendrait bien. Guy, silencieux, finit par rendre une décision:
— Je te reconduis à la maison, puis je vais chez Michel.

La désapprobation globale glaça l'atmosphère.
— Qu'est-ce que tu lui veux?
— L'informer. L'écouter. Il a une expérience, une sagesse qu'on n'a pas.

Après un silence, il ajouta:
— Et qu'on n'aura peut-être jamais.

Marie a laissé son silence répondre de son désaveu, étant encore toute à la prudence de sa reconquête. Sylvie n'étant pas encore revenue de l'école, elle eut un plus grand espace vierge pour réfléchir.

Chez Francis, le grand-père lisait sous son puits de lumière. À l'arrivée de Guy, Michel savait bien de quoi, surtout de qui, il serait question parce que Guy avait déjà téléphoné, espérant retrouver son garçon chez Francis. Michel parla très lentement, laissa venir. Manière de dire: Apaise-toi, Guy. On a tellement souffert ensemble, on s'est tellement aimé et on a toujours tellement tout partagé!... Les mots bruts, violents de lumière trop crue masquent la vérité des sentiments. Guy a essayé de diminuer sa cavalcade intérieure des trois derniers jours dont le sommet l'avait fait éclater en début d'après-midi. Il laissa parler grand-père qui s'est levé en replaçant quelques petites choses inutiles.

— Regarde, Guy, mes petites violettes africaines: pas mal, hein? Elle me causent un peu de souci. Directement sous le puits ou dans la fenêtre, elles ont trop de lumière et trop de chaleur; pourtant elles en ont besoin. Puis trop à l'ombre, là, dans ce coin, elles dépérissent: pas assez, me disent-elles sèchement

— Ma violette est pareille; je devrais dire, mon cactus.

Grand-père a souri; Guy est resté crispé.

— C'est vrai, c'est pareil. Pour le cactus, c'est seulement pour le caresser que c'est différent. Du regard, d'un peu plus loin. Il exige peut-être plus de confiance que d'affection toute fleurie de beaux mots arrondis.

Guy, encore bourré d'indignation, ne réussissait pas à sentir les fleurs de grand-père. Tout à coup, d'une traite, il lâcha le morceau.

— Michel, le Directeur de la Protection de la Jeunesse nous a insultés, toi et moi. Il te soupçonne de débaucher des enfants dont mon Daniel, et m'a écoeuré pour les deux ans vécus avec toi.

— Il y a des tas de fumier derrière beaucoup de vieilles granges. Et les plus puants sont ceux que leur propriétaire ne sent pas.

— Notre D.P.J. de Granby ne pense qu'au cul, n'a parlé que de cul. Il m'a fait penser à beaucoup de dirigeants des Grands-Frères qui rêvent tellement à l'homosexualité qu'ils la dénoncent sans arrêt. C'est pas demain matin qu'un arriéré social de son espèce va t'attaquer sans que j'riposte. Il l'a su!... Peut-il m'enlever la garde de mon gars?

— Il peut essayer, mais je ne pense pas qu'il réussisse. À moins que Daniel soit très intoxiqué, ait beaucoup volé...

— Je ne pense pas. Il a pleuré dans mes bras en me demandant pardon . Me semble qu'il est récupérable.

— C'est Francis et Claudine les spécialistes de ces questions de drogues. C'est eux d'ailleurs qui t'ont déjà mis la puce à l'oreille au sujet de Daniel, tu te souviens? Quant à Daniel, passer en cour et quelques jours dans un centre d'accueil vont le faire réfléchir. Par contre, c'est pas là qu'on rencontre nos meilleurs amis. Tout ce que j'imagine devoir te dire, c'est d'être bon, accueillant, mais sans faiblesse. Que ton enfant se sente respecté, aimé, mais qu'il sente qu'il doit se reprendre en mains lui-même et que tu ne lui passeras rien. Toi, tu es là seulement pour l'aider, non pour le remplacer ou faire ses caprices.

— Michel, si tu savais c'que j'ai ressenti quand il s'est jeté dans mes bras en pleurant!... Ah la tendresse, une tendresse que j'avais presqu'oubliée.

Guy s'est tu, semblant rêver. Michel a respecté son silence pendant qu'une intense émotion enveloppait les deux hommes.

En descendant, Guy a demandé à Claudine si elle ne voudrait pas, avec Francis, essayer de voir où en était l'adolescent avec sa drogue, l'aider et conseiller ses parents. Ce fut promis avec plaisir. Quant à leur première visite à Daniel, Guy et sa femme devaient être seuls avec l'enfant.

Où as-tu couché pendant trois jours?

Le D.P.J. agressivement venait d'embrayer.

— Chez des amis.
— Leur nom, on a besoin de savoir.
— Non, ça vous regarde pas.
— Oui, ça nous regarde de savoir qui cache des jeunes en fugue, qu'est-ce qu'ils exigent en retour... s'ils font du mal à nos enfants.
— Ils ne m'ont pas fait de mal.
— C'est à nous de le vérifier. Dis-nous qui, ça pourra t'aider pour la sentence.
— Je vous ai dit non et ça restera non!

Les pressions et les menaces n'aboutirent à rien. Daniel, inflexible, répéta seulement sa première déclaration: une fois chez une femme et une fois chez un homme. Pas moyen de savoir ce qui s'était passé, les conditions, rien.

— Dis-nous au moins le nom de l'homme et on oubliera la femme.

Le D.P.J. connaissait la femme en question depuis longtemps. Mais c'était l'homme qui l'intéressait. N'avait-il pas dit: « C'est l'homme qui corrompt, pas la femme. » La travailleuse l'avait regardé avec de grands yeux, mais n'avait rien dit. À Granby, il a repassé toute la liste des Gais reconnus, même ceux qu'on soupçonnait seulement de l'être. Le grand-père Michel eut droit aux mêmes égards en tant que Gai et ami de la famille Martel.

— Pourriez-vous venir nous voir au bureau?

— Non. Vous savez où je demeure... depuis le temps que vous me surveillez. Je ne me cache pas derrière des titres ou un bureau... encore moins derrière un faux mariage.

— Monsieur Nolin, ce n'est sûrement pas à moi que vous adressez ces reproches.

— Non madame, c'est au système basé sur les préjugés, soupçons, rumeurs. Votre D.P.J., par exemple, qu'est-ce que vous en pensez?

— Cet après-midi, chez vous, ça va?

L'entretien fut poli, la travailleuse sociale, civilisée. Elle s'enquit surtout de l'aide que pourraient apporter à Daniel, grand-père, Francis et Claudine. Ce qui n'empêcha pas grand-père de passer ses messages.

— Madame, j'espère ne pas vous avoir blessée au téléphone, cet avant-midi. Votre Marcel Jacques, nous l'avons dans l'cul... pour parler comme lui et de ce qu'il est.

— Il s'agit de Daniel.

— Nous l'aimons, Daniel, et nous voulons l'aider. Ses parents, plus Claudine et Francis, des experts que vous connaissez, et moi, on est prêt à tout faire pour lui. Nous voulons le garder dans son environnement naturel, sa famille, sa parenté, ses vrais amis. Il ne peut avoir de meilleur entourage. Nous avons une expérience derrière nous que vous ne pouvez pas nier, même ce qui vous tient lieu de Directeur de la Protection de la Jeunesse. On devrait plutôt dire: Directeur de la Protection de ses phantasmes homosexuels refoulés. Sérieusement, tout centre ou famille d'accueil serait une erreur.

La dame plaçant ses papiers dans sa serviette et jetant un petit coup d'oeil entendu à Michel:
— Je considère votre opinion –je parle de celle sur Daniel et son milieu naturel–. Demain avant-midi, vous êtes invité avec Francis et Claudine. Tout notre groupe évaluera le cas de Daniel. Vous pourriez donner votre avis.

Le grand-père qui avait toujours ses entrées dans le monde scolaire malgré certains dinosaures qui n'en finissaient plus d'y pourrir, obtint la présence du psychologue de la Commission scolaire. La complicité de la travailleuse sociale le fit accepter par le D.P.J.. « Monsieur le psychologue Duguay connaît Daniel et l'a rencontré à l'école à quelques reprises. » Il fut mis au fait de la situation de Daniel, de la petite menace d'être enlevé à ses parents ainsi que des obsessions homosexuelles refoulées du D.P.J.. Prêt à toute éventualité, le lendemain se présenta.

Tout ce beau monde formait deux groupes. D'une part, les profanes dont les parents de Daniel et, d'autre part, les fonctionnaires qui détenaient l'autorité. Ces savants, sous leurs titres et cachés derrière des articles de loi, tripotaient une famille. Le D.P.J., les traits tirés, dirigeait. Il parlait de Daniel comme d'un objet à évaluer pour une vente à l'enchère, un encan d'esclaves. « Famille d'accueil » , comme un leitmotiv, revenait sans cesse dans ses phrases. Il donnait la parole, résumait, concluait. Mais toujours évitait de rencontrer le regard de Guy Martel et de Michel Nolin. Pendant plus d'une heure, seulement quelques questions secondaires furent posées par les spécialistes au groupe des exclus. Ensuite, la travailleuse sociale oublia la présence du D.P.J. et s'adressa aux parents Martel. Dès après leur réponse, le D.P.J. partit dans une autre direction, mais la dame s'adressa de nouveau aux parents. Ses questions multipliées s'enchaînaient. Le D.P.J., agacé et résigné, écoutait distraitement. « Qu'êtes-vous en mesure de faire pour reprendre Daniel en mains? Comment évaluez-vous vos chances de succès? Prévoyez-vous vous faire aider et par qui? » Le groupe des exclus reprit vie et confiance. Chacun argumenta et, grâce à Francis et Claudine déjà engagés dans la prévention et la réhabilitation, il sembla bien que Daniel ne serait pas enlevé à sa famille malgré le D.P.J.. Après leur départ, les spécialistes discutèrent d'une position à présenter au juge deux jours plus tard.

La salle avait juste assez et pas trop l'aspect d'un tribunal. Le juge et l'avocat, débarrassés de leurs insignes officiels, semblaient quand même bien conscients de leur importance. Daniel, lui, semblait bien petit et regardait souvent son père; blême, il tremblait un peu. Il suivait ce rite qui se déroulait pour lui mais sans lui. Comme une messe de funérailles: tout est pour le défunt, mais le défunt n'a qu'à se laisser faire, se laisser enterrer... jusqu'au moment où, surpris dans sa torpeur:

— Avez-vous vendu de la drogue?

L'enfant sursauta, bafouilla et se tut. La question se répéta.

— J'ai pris un peu de drogue pour essayer ça.

— En avez-vous vendu?

L'enfant finit par répondre non.

— Pourtant, des enfants ont témoigné du contraire, monsieur le Juge.

Les accusations et preuves bien établies, Daniel fut mis en face de ses responsabilités.

— Avoir des droits, c'est aussi avoir des devoirs. Qui va payer?

Devant le silence gêné de l'enfant, son père répondit:

— On va rembourser, Daniel et moi.

Daniel regarda son père les lèvres serrées, les yeux pleins d'eau, puis baissa la tête. Le reste lui importait peu... jusqu'au moment où il entendit le Directeur parler de famille d'accueil.

— ... À cause de l'exemple de son père qui boit trop, son indifférence envers son fils, son manque de contrôle verbal très remarqué lors de la pré enquête... sans parler de son passé.

Marcel Jacques, salivant, se rassit et attendit son effet. Le juge finit par demander des précisions.

— Daniel est allé coucher chez un homme lors de sa fugue. Il refuse de le nommer.

— J'ai aussi couché chez une femme, précisa l'enfant.

— Il refuse de la nommer aussi. Il a refusé de collaborer à toute l'enquête, accusa le D.P.J..

Devant l'insistance du juge à savoir les noms, Daniel craqua:

— Mon père m'a dit de dénoncer personne.

Un froid figea la salle pendant que le D.P.J. exultait.

— Vous voyez bien, monsieur le Juge, quelle sorte de père a cet enfant.

Guy Martel, accusé, se leva.

— Ce n'est pas le procès de toute la ville de Granby et de l'Ange-Gardien que nous faisons. Mon garçon a commis une injustice, nous voulons la réparer et reprendre notre vie de famille.

Le D.P.J. se contenta.

— Monsieur le Juge, nous avons de bonnes raisons de croire que l'homme où Daniel a couché est un pédéraste qui satisfait ses bas instincts en donnant de la drogue aux adolescents. Deuxièmement, nous avons aussi de bonnes raisons de croire que la relation entre monsieur Martel et son fils pourrait porter à caution parce que ce monsieur lui a demandé de ne dénoncer personne.

Guy, indigné, a coupé la parole au Directeur.

— Je lui ai dit de dénoncer personne ici à la cour parce que je sais que des gens sans conscience ni morale comme Marcel Jacques peuvent exercer toutes sortes de pressions sur un enfant pour lui faire dire n'importe quoi. Tout ce qui intéresse votre D.P.J., c'est de parler de cul et faire raconter des histoires de cul, et pas n'importe lesquelles: il faut absolument qu'elles soient homosexuelles. Le reste ne l'intéresse pas.

— Vous voyez, monsieur le Juge, ce que je vous disais à son sujet, trancha le D.P.J.

— Monsieur Martel, vos propos sont disgracieux et mal venus, jugea le Président.

— Monsieur le Juge, vous pourrez vérifier auprès de madame Chênevert le genre d'interrogatoire dirigé par Marcel Jacques lors de la pré enquête. Vous verrez que c'est vrai ce que j'ai dit. Tout ce qu'il veut, c'est de faire admettre à mon gars qu'il a couché avec un homme et se faire tout raconter dans le détail. Votre Marcel Jacques, c'est un obsédé qui se cache derrière des titres pour tripoter sans arrêt des affaires de sexe. C'est pour ça que je l'ai traité de trou d'cul à lunettes et que je lui répète aujourd'hui devant vous.

— Monsieur Martel, si vous continuez à parler de la sorte, je vais vous retirer votre droit de parole, et même vous chasser de la salle, menaça le juge.

La discussion entre intervenants, commentaires et demandes de précisions firent baisser un peu la température du débat. Le psychologue demanda alors la parole après s'être présenté.

— Monsieur le Juge, pour connaître au moins un peu Daniel, je ne crois pas qu'il souffre de problème comportemental sexuel, de mésadaptation sociale ou autre. Qu'il ait consommé de la drogue, volé, fugué, ce n'est pas le drame du siècle. S'il fallait amener ici tous les jeunes qui ont posé ces gestes, il faudrait multiplier par cent, ces salles d'audience. De plus, j'ai communiqué avec la famille Martel et je n'y vois aucun problème significatif.

— Vous n'êtes pas au courant de tout, serina le D.P.J.

Le psychologue demanda des précisions et revint encore la possibilité que Daniel ait couché avec un homme pendant sa fugue. Le psychologue en profita pour faire s'enferrer le D.P.J.

— Le jeune dit avoir couché aussi chez une femme: ça ne vous dérange pas?

— C'est moins pire. Les pédérastes corrompent nos jeunes. C'est l'homme qui peut être pornographique; pas la femme.

— N'y aurait-il des pédérastes que chez les hommes et pas chez les femmes?

Le D.P.J. hésita voyant le piège.

— Peut-être chez les femmes aussi, mais on n'a pas de plaintes. On parle des hommes, c'est-à-dire des oncles, entraîneurs de sports, etc. parce qu'ils constituent quatre-vingt-dix-sept pour cent des plaintes.

— C'est parce qu'il n'y a pas de plaintes jugées sérieuses contre les femmes. Les plaintes possibles ne sont pas faites par les adolescents, et quand elles le sont, elles sont bloquées au niveau des parents et des pressions familiales, locales, et si jamais quelques-unes se rendent plus haut, elles sont jugées irrecevables, non sérieuses, etc.

— Et pourquoi il n'y aurait pas de plaintes acheminées et reçues contre les femmes? demanda le D.P.J.

— Parce que les femmes qui couchent avec des garçons de quatorze, quinze ans, ce n'est pas considéré comme des abus. Mais pour un homme qui le fait, c'est de l'abus, des drames, on fait de cet homme un monstre.

— C'est là qu'on a des plaintes, pas contre les femmes!

— Parce que la société, la culture en fait un crime pour les hommes, non pour les femmes. Nous sommes dans une société de machos, une société d'hommes organisée par des hommes et pour des hommes. La femme doit être dominée et doit servir l'homme, peu importe l'âge de cet homme. L'enfant est préparé à accepter de coucher avec une femme parce que toute la société l'a préparé à trouver ça moral, normal. Cette mentalité est développée par la publicité, les média écrits et parlés, –et beaucoup plus important pour les enfants–, par les attitudes, paroles et comportements des mâles dans les familles en présence des enfants. Toutes les paroles dites et les désirs exprimés par les mâles vont dans le sens de caresser, coucher avec toute femme à leur goût qui passe dans leur maison, sur la rue, à la télévision. C'est le chasseur de femelles qui doit montrer qu'il est sur son territoire chaque fois qu'il rencontre une femelle à son goût. Le goût personnel de la femelle n'a aucune importance. Toutes les femmes sont des objets, bébelles à la disposition entière des chasseurs mâles. Ces attitudes et comportements montrent aux garçons qu'ils ont tous les droits sur toutes les femelles, et montre aux filles qu'elles sont d'abord et avant tout, des objets pour satisfaire les mâles quand ça plaît aux mâles, quand ils le décident, peu importent le lieu, la manière: ce sont toujours les mâles qui ont le premier et le dernier mot. C'est ainsi qu'on prépare depuis toujours les gars à être violeurs; les filles, à être violées.

Les traits du D.P.J. durcissaient de plus en plus, ceux du juge s'étiraient. Devant le silence embarrassé qui lui laissait le champ libre, le psychologue continua:

— C'est le même pattern vis à vis le monde gai. Le mâle dénonce, ridiculise les Gais dans ses paroles et comportements, exprime le désir et le besoin de les violenter. Les enfants apprennent le mépris, le préjugé, l'injustice sous l'exemple de leur père supposément adulte. Là, c'est chez le garçon qu'on développe la mentalité de violé si jamais il couche avec un homme, même si c'est l'adolescent qui le provoque, demande avec insistance et adore l'expérience. Et en redemande. On prédispose le jeune à dénoncer l'homme, le ridiculiser, le détruire devant la loi, la société et lui-même. On oblige l'adolescent à se dire abusé, violé et on développe chez lui une psychologie d'abusé et de violé. On le pousse à dénoncer l'adulte comme un affreux criminel. Même certains adolescents et jeunes adultes perturbés psychologiquement vont dénoncer certains hommes gais uniquement pour se donner de l'importance, se faire remarquer, se faire plaindre. « Enfin, on s'occupe de moi! »

— Considérez-vous tous les hommes comme des machos?

— Non. Une grande majorité d'hommes ont le respect d'eux-mêmes et des autres. Mais la société demeure organisée et encore largement dominée par certains hommes infatués d'eux-mêmes et de leur instinct de domination. Ceux-là qui maintiennent et renforcent leur pouvoir mâle absolu sont des machos qui cachent, soit un orgueil irrépressible, un sentiment d'infériorité, une impuissance sexuelle ou des tendances homosexuelles qu'ils n'ont pas le courage et l'authenticité de vivre au vu et au su de tout le monde.

— Ah bien, ça c'est un peu gros!

— Avec la foule de préjugés reçus dans leur enfance par la famille et des mentalités non encore évoluées, ces hommes se sentent coupables, honteux de leurs désirs et phantasmes homosexuels. Ils se punissent eux-mêmes en disant leur mépris des Gais. De cette façon, aussi, ils essaient de tuer en eux ces goûts et tendances normales qu'une éducation faussée leur a appris à considérer malsains.

Un murmure de désapprobation courut chez certains techniciens des lois, non des réalités. Le psychologue expliqua:

— Dès leur adolescence, les jeunes découvrent peu à peu leur personnalité et leur sexualité. Ils tentent des expériences pour trouver ce qui répond le plus et le mieux à leur être propre. Empêcher les jeunes d'expérimenter, et surtout les culpabiliser pour leurs tendances et comportements homosexuels passagers, c'est les traumatiser d'une part, et d'autre part, leur montrer qu'on les rejette. C'est aussi leur enseigner à se mépriser eux-mêmes. Nos adolescents et adolescentes qui se cherchent et ne se comprennent pas toujours eux-mêmes, –pire, souvent se considèrent très négativement– se sentent humiliés et méprisés par les parents et autres personnes sur lesquels ils et elles comptaient le plus. Compréhension, chaleur, accueil inconditionnel les aideraient tellement à vivre cette époque difficile de leur vie adolescente! La plupart de nos jeunes qui sentent si fort le mépris de leurs parents pour leurs tendances homosexuelles passagères, ne se sentent pas très à l'aise, et avec raison, de confier leurs problèmes de drogue et encore moins, une propension au suicide. Le mépris engendre le mépris et le respect appelle le respect. On connaît –et même pour l'avoir entendu moi-même– des parents dire à leur enfant: Tu peux prendre d'la bière tant que tu veux, mais pas de drogue. Tu peux te soûler tant que tu veux, mais n'arrive jamais gelé à la maison. Où est l'explication sinon dans une peur viscérale, illogique, dans l'ignorance? L'alcool est la drogue des adultes et rapporte des taxes au pouvoir politique. Donc, c'est bon. Ces pauvres inconscients ne pensent pas que l'alcool est un problème bien plus grave et répandu chez les jeunes que les drogues sèches. La même inconscience et ignorance feront ordonner par ces mêmes parents: N'arrive jamais à la maison avec une tapette! J'vas l'tuer. C'est tous des écoeurants, pis parle jamais à ça. Pis si jamais y en a un qui t'parle, dis-moé-le, tu vas voir c'que j'leur fais à ces malades-là. Par contre, l'adolescent peut amener n'importe quelle fille à la maison, partager une maladie vénérienne, lui faire un enfant, ça, c'est correct, normal. C'est le mâle qui joue son rôle de mâle. « La fille, elle, qu'à s'arrange!... » Ce type de parents ne fera aucune éducation sexuelle, ne saura jamais parler de MTS, de préservatifs. Non. Le père qui joue au macho pour cacher sa faiblesse, qui utilise le mépris parce qu'incapable de vraiment communiquer sur des sujets délicats, se justifiera vaguement et de son silence et de son mépris. Mon gars n'a qu'à regarder faire les vaches dans le champ. Il a vu naître des petits chats: son éducation sexuelle est faite. Ce type de parents ne parlera de SIDA qu'en rapport avec les tapettes, les immigrants, et toujours, il le fera en état de crise. Encore là, l'adolescent se sentira rejeté, méprisé et sentira qu'on le pousse à se rejeter lui-même à cause des tendances homosexuelles qu'il ressent à ce moment précis de sa vie. L'adolescent, l'adolescente prend globalement ces rejets, surtout les jours de déprime devant la société ou lui-même. Il ne sait pas que ces tendances et comportements gais disparaissent dans quatre-vingt-dix pour cent des cas. Il ne reste de Gai qu'environ dix pour cent de la population. Non, parce que beaucoup de parents préfèrent mépriser plutôt qu'éduquer, ou prétendent éduquer par le mépris. Alors, le jeune vit un rejet intérieur, un mépris qui nourrit, avec certains autres désarrois de cet âge... une pensée suicidaire. Ensuite, on se scandalisera de constater dans cette société froide et fermée, tant de suicides chez nos jeunes, le « suicide étant la dernière réplique d'un dialogue qui n'a jamais eu lieu ».

Le psychologue s'assit dans le grand silence gêné. Le D.P.J. remua ses feuilles; le juge, quelques rides.

— Vu l'heure avancée, nous reprendrons cet après-midi, treize heures trente.

Les « simples parents » invitèrent le psychologue Duguay à dîner au restaurant. Dans une petite salle privée, les parents Martel s'inquiétaient de perdre leur fils, et Francis se rappelait ses douloureuses expériences dans les différents Tribunaux. Grand-père en profita, par petits bouts, pour passer ses idées sur le D.P.J. et la différence de perception de la société d'un pédéraste homme et d'un pédéraste femme. Claudine corrobora aussitôt:

— Ces machos qui ridiculisent les Gais agissent de la même façon avec les femmes. Quand ils leur parlent directement ou parlent d'elles, on sent tout de suite l'artificiel et le mépris. J'en ai déjà entendu au restaurant. Ils ne diront pas: Mademoiselle, à la serveuse; ils crieront: Beauté! peux-tu venir ici? Ils essaient de bien montrer aux autres et à eux-mêmes qu'ils ne sont qu'aux femmes. S'ils ont tant besoin de montrer qu'ils sont seulement aux femmes, c'est parce qu'ils ne le sont pas... ou pas assez à leur goût. Et ils ne parleront des femmes qu'avec vulgarité: des plottes, toutes des putains, seulement bonnes à fourrer, etc. Ces mâles, ces machos sans personnalité qui ridiculisent les Gais et les femmes pour camoufler violemment leurs vrais désirs gais démontrent une psychologie, un mépris et une obsession de violeurs.

Le psychologue continua:

— Pour le D.P.J., le coup de la femme n'avait plus aucun intérêt... parce que c'était une femme. Ses phantasmes portaient sur les hommes. Tout ce qu'il aimait tripoter dans sa tête, retourner comme un voyeur, c'était l'idée qu'un adolescent ait fait l'amour avec un homme. Là, il dramatisait, s'énervait, revivait par un autre ce qu'il rêvait toujours vivre lui-même. Tout simplement parce qu'il ne pouvait pas dire à tous, sans se trahir, qu'il aimait, salivait, désirait des détails, souhaitait une suite: simple mécanisme de comportement. Une femme pédéraste, ça n'a aucune importance si elle couche avec un garçon. Un homme pédéraste qui couche avec le même garçon, voilà la fin du monde. Pourtant, dans les deux cas, c'est un adolescent qui se cherche à travers ses expériences. Une femme pédéraste qui abuse de la bonne foi d'un jeune adolescent, on n'en parle même pas. De même pour un homme pédéraste qui couche avec une jeune adolescente. Ah! ça, tout est parfait, sauf dans certains cas de vengeance politique ou autre. Les filles, les femmes, c'est fait pour ça: satisfaire des mâles en chaleur. Mais qu'un mâle veuille faire l'amour avec un autre mâle, c'est la trahison. C'est un mâle qui trahit le clan du pouvoir mâle. C'est aussi pire qu'un blanc qui prend position pour les noirs: c'est la trahison du pouvoir blanc fondamental. Du nazisme?... Le mâle doit dominer une femelle, la femme doit être soumise. Un homme qui manque l'occasion de soumettre une femme en prenant plaisir avec un autre homme, manque à sa fonction de domination d'une femme. Et quand le macho couche avec une femme qui jouit, crie son plaisir, exulte, ce n'est plaisir pour lui qu'en performance. Il ne jouira vraiment jamais d'une relation sexuelle parce qu'avec lui, il n'y a jamais relation, seulement du sexe. Il dira à ses congénères: « Elle jouissait, la salope, en redemandait. » C'est le pouvoir qui éjacule. Il aura dominé, il attendra souvent

134

qu'elle demande encore, se laissera prier parfois, manipulera. Il la dominera psychologiquement avant de la dominer encore physiquement. Les gens qui méprisent les femmes méprisent aussi les Gais. Ce sont des gens essentiellement méprisants. Et feront des enfants méprisants...

Au retour en cour, le Juge espérant une réponse négative, demanda au psychologue Duguay s'il avait encore quelque chose à ajouter.

— Uniquement pour rappeler un principe, monsieur le juge. Afin de nuancer un peu ce que je viens de dire, il est quand même important d'ajouter que la personnalité et l'orientation sexuelle d'un jeune adolescent ne sont pas encore déterminées. Il est préférable de ne pas lui faire vivre des expériences trop fortes, trop déterminantes et surtout sans son accord, son rythme. Par contre, il ne faut pas dramatiser ou empirer des événements vécus; au contraire, c'est en désamorçant que l'on prédispose à l'intégration.

Les mercis d'usage un peu secs, les formules de politesse raccourcies et le Juge demanda aux parents et amis de se retirer. Ses dernières questions aux professionnels, leur suggestion de sentence et le tour fut joué. Les parents rappelés, le Juge trancha: Daniel restera dans sa famille, remboursera et devra se présenter tous les mois pour évaluation. Une travailleuse sociale le prendra en charge. Daniel, tout heureux, rempli de bonne volonté, rentra chez lui. Gêné au début, attentif à tout, surtout à son père, recommença à étudier. Mais pas longtemps. Accueilli en héros à l'école, il se fit offrir quelques « cadeaux » pour fêter son retour. Le goût toujours présent, et l'occasion, le ramenèrent rapidement à sa réalité de dépendant. Moins de deux semaines après sa libération, il téléphonait à Denise Bouchard.

# 14

Un de ces soirs précédant la fête de Noël, Claudine devina:
— Pour moi, Jonathan est réveillé et essaie de nous écouter.

« Même qu'il s'en vient », craqua l'escalier. Après l'escalier téteux –porte-panier, disait-on dans le temps de grand-père– Jonathan, avec de multiples précautions et contorsions posait les orteils de chaque pied sur le plancher froid du salon. Ignorant la traîtrise de l'escalier, l'oreille tendue, le coeur battant, l'enfant s'approchait de la cuisine. Les parents, par exprès, chuchotaient; Jonathan, de plus en plus, approchait. Soudain, ce fut le grand silence...: ces trois adultes possédés d'un méchant démon Morphée, maintenant dormaient. Jonathan, au milieu de la porte du salon, n'en revenait pas; les yeux ronds, sentait qu'on se moquait. Il finit par fixer la figure de grand-père qu'un léger, mais très léger sourire trahissait. Ses traits bougeaient un tout petit peu. « Ça s'contrôle pas, ces vieux-là », aurait pu penser l'enfant de cinq ans qui, devinant le jeu, sauta à pieds joints dans la cuisine en criant: BOUM! Tous se réveillèrent surpris devant l'enfant qui riait à gorge déployée.

— Vous ai-tu fait peur? J'vous ai bien fait peur, hein? jouissait l'enfant suffocant de rire.

— Bien oui, tu nous as fait peur. Mais comment ça s'fait que tu dors pas à cette heure-là? bougonna Claudine en souriant.

— Ben, j'voulais savoir c'que vous dites tout bas.

— Nous autres, on parle pas quand on dort.

— Mais vous parlez tout à l'heure, se plaignit l'enfant, incrédule et empêtré dans son imparfait.

— Je pense que je vais continuer à dormir dans mon lit, s'amusa grand-père plus que parfait. Viens-tu, Jonathan?

L'enfant prit la main tendue et chercha à corrompre son vieil ange-gardien.

— Dis-moi le, grand-papa, c'est quoi que vous dites? Vous parlez des cadeaux pour Noël, hein?

— Mais c'est des surprises: on dit pas ça avant. Quand tu nous as fait peur tout à l'heure, tu nous l'as pas dit avant.

— Ah!... grand-papa... se plaignit l'enfant désarmé. Dis-moi le!...

C'est ce que Jonathan détestait le plus chez son grand-père: jamais moyen d'avoir raison avec lui; grand-père avait toujours le dernier mot.

Le lendemain soir, même manège, même trahison de l'escalier. Francis, en confidence aux chevaliers de la table ronde, leur annonça juste assez fort pour que Jonathan entende:

— Je le sais le cadeau que j'vais donner à Jonathan.

Il laissa planer un long silence insupportable à l'enfant dont le coeur battait à tout rompre à la porte du secret surpris. Il jouissait au maximum de sa victoire sur le point d'être remportée. Francis enfin termina:

—   J'vas lui donner... mes vieilles bottines.

Jonathan venait de tomber dans un abîme et pas seulement à cause de la grandeur des bottines de son père. La mère approuva:

—   Elles sont assez grandes qu'il pourra coucher dedans cet été plutôt que coucher sous la tente. Et grand-père, pas plus fin:

—   Oui, c'est une bonne idée, Francis, tes vieilles bottines: avec ça, Jonathan va se délasser.

Les trois complices riaient aux éclats pendant qu'un bel enfant remontait l'escalier en maugréant. L'éternel grand-père le suivit en craquant.

—   Il ne reste que trois jours avant Noël. Demain soir, crois-le ou non, on sera presque rendu.

—   Moi, c'est tu suite que j'veux savoir!

Le grand-père amusa un peu l'enfant en se couchant. Les parents, au rez-de-chaussée, déjà emballés, s'offraient eux-mêmes en cadeaux dans un doux bruissement de papier et rubans d'emballage pendant qu'en haut, les yeux grands ouverts de nostalgie rêvait grand-père, mais ronflait l'enfant.

Les cadeaux s'accumulaient chaque jour davantage sous l'arbre que Jonathan, chaque soir, lui-même illuminait. Si seulement la forme et les couleurs aiguisaient le mystère, le contenu exaspérait davantage le petit. Les adultes parlaient beaucoup plus souvent tout bas; d'autres fois, se torturaient en paraboles. Crucifiant pour l'enfant. Jonathan se sentait exclus. Seule consolation: le souvenir des Noëls passés où ses parents, tellement attentifs, lui avaient fait tant plaisir. Mais c'était un peu vague... Alors, Jonathan s'installait devant l'arbre, ne regardait que les cadeaux; à les deviner s'épuisait.

—   Maman, la boîte rouge est plus grosse: c'est pour papa?

—   Peut-être, répondit au loin une voix occupée.

—   Le mien, c'est quel?

—   C'est...

Enfin, se dit l'enfant devant la suspension de sa mère, enfin, j'vais l'savoir! Mais encore une fois, la sibylle glissa sur le mystère.

— ... une surprise.

— Ah... se plaignit l'enfant terriblement déçu.

Encore recommencer la discussion, la négociation. Comme dans toute bonne négociation patronale, la maman aurait pu céder au moins sur la forme et la couleur à défaut de contenu. Mais non. Repoussé dans ses rêves, l'enfant emprunta des accents mystérieux pour souffler une poudre merveilleuse aux yeux et aux oreilles de Mélodie en lui racontant les souvenirs enchantés de son dernier Noël. Et de nouveau, les yeux arrondis par la fête appréhendée, Jonathan s'esquintait: « Qu'est-ce qui pourrait bien avoir dans celle-là? Et celle-là est toute petite: ça doit pas être un cadeau... pourtant elle est enveloppée. Et la grosse, près du mur... »

— Maman, c'est pas vrai, hein, les vieilles bottines de papa?!

La maman pouffa de rire.

— Tu touches à rien, là, toujours!?

— Non, maman, mais ça m'tente. J'peux-tu allumer l'arbre?

L'enfant n'arrivait plus à jouer, seulement à penser, parler depuis son « problème » de cadeaux. « C'est bien trop tout d'un coup... c'est-tu parce qu'il y a un sapin? C'est sûrement pas seulement à cause du p'tit Jésus!... » Incroyable la magie qu'exercent Noël et sa fête sur les enfants. Jonathan ne cessait d'en parler.

— C'est-tu encore loin?

La neige tombait de plus en plus souvent. L'enfant jouait dehors avec grand-père et même parfois Mélodie qui, soigneusement emmitouflée, se laissait traîner par son grand frère.

— On est allé jusque chez le voisin, maman.

— Déjà revenus?

— On veut être prêt pour aller en ville.

— Tu seras sûrement pas en retard! c'est seulement c't'après-midi.

— Maman, on a vu l'arbre de Noël chez le voisin. Les petits enfants ont-tu le droit de regarder dans les boîtes, eux autres?... Les toucher?... Ont-tu?...

L'enfant venait d'illuminer le sapin et auscultait encore le mystère de ces formes géométriques multicolores. Grand-père et Claudine se payaient une conversation cadencée du salon par la danse des petits talons.

— Qu'est-ce qu'on achèterait bien à Daniel chez Guy?

— Une veste de cuir?

— Dans un an, elle ne lui fera plus. J'sais pas si sa mère aimerait bien ça.

— On peut pas lui donner d'argent...: on sait jamais... la tentation de la drogue.

— J'vais téléphoner à Marie pour des suggestions.

Il était entendu que les deux familles se retrouvaient ensemble chez Francis après la messe de minuit. Un petit réveillon pour lequel Marie apportait plusieurs plats préparés et les cadeaux pour sa famille. C'est grand-père qui offrira les présents. Quant à cet après-midi-là, c'était la fête, le dernier congé avant Noël. Les parents se donnaient une demi-journée pour aller musarder en ville, voir les décorations, faire du lèche-vitrines avec les enfants. La petite aura sa poussette pour la longue tournée des Galeries. À Granby, la ville est coquette, toujours bien décorée pour les Fêtes. Une petite neige tombait, rendant encore plus de circonstance la grande sortie familiale d'avant Noël. Claudine et Francis roucoulaient plus que d'habitude, se tenaient par la main, rajeunissaient. Se parlaient parfois tout bas, riaient tout le temps. Grand-père et Jonathan s'occupaient de Mélodie qui dormait. Les vitrines éclataient de couleurs, regorgeaient de variétés. La musique emplissait l'atmosphère, soulevait, marquait parfois le pas, le geste. Même que Francis s'est mis à chanter au grand plaisir de son fils qui en fit autant. Bien fatigués, les bras remplis de cadeaux, gâteries, la petite famille est revenue en chantant des bouts de cantiques et airs de Noël. Jonathan n'a pu s'asseoir de tout le trajet de retour. Ses petites fesses accrochées au rebord du siège, il parlait sans arrêt, chantait: Jonathan vivait parmi les plus grands événements de sa vie, orchestrait ses plus beaux souvenirs. Jonathan vivait son enfance, la magie de son enfance. Arrivés à la maison, ce fut toute une stratégie pour camoufler les cadeaux et ne mettre l'accent que sur les victuailles sans intérêt pour le petit dévoreur de surprises.

À l'heure de sa sieste de l'après-midi, Jonathan ne s'enlignait pas sur le sommeil. Grand-papa dut puiser dans ses réserves d'imagination.

— Ce soir, j'vais te raconter une belle histoire si tu es bien sage: la naissance du petit Jésus. Mais là, il faudra te coucher pis dormir longtemps. Moi, j'vais rester ici, à côté, et finir de l'écrire.

L'enfant dormit à peine plus longtemps que d'habitude. En ouvrant les yeux:

— C'est vrai qu'c'est ce soir?
— C'est ce soir, répondit grand-père penché sur ses feuilles.
— Pour l'histoire et les cadeaux?
— Pour l'histoire et les cadeaux. Et l'anniversaire de Mélodie, n'oublie pas: elle aura trois ans! Pendant que j'achève ton histoire, veux-tu t'occuper de Mélodie, en bas?
— OK grand-papa!

Et le grand-père transformé en célèbre réalisateur de films –Torchese! avait déformé Claudine en taquinerie les jours suivants– mettait la dernière main à la renaissance de Jésus pendant que des petits talons s'égrainaient au loin. Au moment du coucher, il fallut encore apaiser le bouillon dans la petite marmite surchauffée. La maman amorça la chute de pression.

— Il faut te coucher plus de bonne heure pour pouvoir te lever à vingt-deux heures trente et venir à la messe de minuit. Puis après, on va réveillonner ici avec nos amis, les Martel puis...

— Les cadeaux! s'exclama l'enfant extasié.

— Alors, on y va?

— Grand-papa m'a promis une histoire.

— Mais tout de suite après l'histoire, on va s'coucher, promis?

L'enfant, amusé, réfléchit devant toute cette armada de pressions pour le faire coucher à bonne heure. Et tout fier de sa trouvaille, pétillant:

— J'irai tout de suite après... seulement si l'histoire est assez longue.

Encore une fois, il faisait sourire tout le monde. Grand-père proposa:

— Va préparer ta chambre, mettre ton pyjama et reviens: je vais te la raconter devant la crèche du petit Jésus.

Et reprit la danse des petits talons aux deux étages de la maison. Jonathan reprenait possession de son espace. Grand-papa n'eut pas le temps de revoir son introduction que...

— J'suis prêt, grand-papa!

Près de Mélodie, Jonathan, transmuté en une petite boule silencieuse, un concentré d'attention et d'intérêt, trépignait en équilibre instable, assis sur ses jambes repliées devant le sapin.

— Moi aussi, répondit doucement grand-papa.

Il tamisa l'éclairage trop cru afin de mieux reculer dans le temps, pendant que s'éteignait de lui-même le bruit de la cuisine. Les parents s'approchèrent et s'assirent comme des amoureux au premier anniversaire de leur rencontre dans le grand fauteuil du salon. Et la magie s'alluma.

— Tu sais, commença grand-père, le p'tit Jésus est né à Bethléem. Dans une étable, près d'une forêt. Il n'y a pas de véritable hiver par là: c'est presque toujours l'été.

— Une forêt comme à l'autre bout de notre terre?

— Comme à l'autre bout de notre terre.

Bien mystérieusement, débuta grand-père.

— On est au 24 décembre de cette année-là, il y a bien longtemps. Des brumes du soir, le silence se répand et la terre se tourne vers le ciel. Elle assiste au grand combat de deux géants: le jour et la nuit. C'est la nuit qui prend le dessus et le jour s'éteint avec le combat. L'oiseau arrondit son nid pour la nuit et, en s'assoupissant, revit le passé qui n'est plus et rêve d'un avenir incertain. Quelques retardataires, en semant leurs cris d'effroi, regagnent à la hâte leur foyer. Au loin, le loup recherche sa victime et le renard se terre avec prudence; la fourmi hâte ses derniers efforts au chant de la cigale insouciante et l'éphémère...

— C'est qui ça... mémère?... dit l'enfant avec une grimace.

— Non, l'éphémère. C'est un insecte qui vit seulement une journée.

— Aïe, c'pas longtemps, ça!...

— ... et l'éphémère condamnée se résigne à son sort. La forêt, sans bruits, se glisse sous sa couverture d'ombre pendant que s'allument les yeux de la nuit.

— C'est quoi ça, les yeux de la nuit?

— Devine.

— J'ne sais pas.

— Les étoiles.

La maman proposa à Jonathan de laisser parler grand-père.

— Les membres fatigués finissent par se détendre et les ailes du rêve transportent dans le repos les esprits enfin

144

libérés. Le hibou-guetteur a vu un homme et une femme accueillis par la forêt parce que rejetés par les hommes. Entendant leurs paroles et par quelque grâce éclairé, le vieux hibou rassemble toutes ces miettes de mystère qui explosent de joie dans son coeur. Et croyant d'amour, il s'en va par la forêt annoncer à tous la venue de leur Créateur, le p'tit Jésus. Réveillés en sursaut, n'en croyant pas leurs oreilles, tous ces petits êtres cloîtrés pour la nuit, brisent la consigne de l'ombre et s'élancent dans la nuit transparente vers le trône de leur Dieu. C'est une agitation sans précédent, une attirance irrésistible, un climat de bonheur jusque là inconnu; on s'entr'aide comme jamais, on se serre la pince, on se pardonne.

— La pince! sourit l'enfant amusé.

— Tous les arbres se vident, les nids s'abandonnent et le sol délègue ses habitants qui ne craignent plus de dévoiler leur cachette. C'est un flot continu de créatures charmantes que le respect ne fait plus jaser qu'à mi-voix. À travers les branches, des abeilles courageuses se faufilent avec un grand nombre de bestioles, sauterelles, insectes, et quelques guêpes aussi, guidés par une brigade complète de mouches à feu. Bientôt se dessine l'étable royale illuminée par les cieux. Les premiers arrivants se placent en demi-cercle à une distance respectable et ne peuvent contenir leur étonnement.

— Quoi? si pauvre et sur de la paille?...

— Oui, répond l'humble maman, c'est pour vous ressembler. Voyez son amour.

Les traits sont tirés par l'admiration, les coeurs palpitent, et plus d'un de tourner la tête pour essuyer en cachette quelque larme. Des OH!... d'affection colorés de respect et pénétrés de confiance jaillissent des poitrines d'enfants. Qui calculera les doux battements de coeur martelant les tempes des plus âgés? Mais l'enthousiasme monte à son comble quand le petit Dieu, desserrant ses menottes si bienfaisantes, ouvre pour la première fois sur la terre recueillie ses petits yeux d'amour. Une araignée pendue au bout de son fil descend vers son Créateur et s'offre à lui tisser de beaux langes. Un petit faon quitte les rangs serrés et, timide, présente entre ses lèvres frémissantes quelques fleurs des champs. Une blanche hermine s'avance, saute sur la petite crèche et vient frôler sa fourrure contre la main du petit Dieu comme pour la lui consacrer. Puis un groupe de petits écureuils empressés, charmants, viennent lui offrir quelques noisettes. Pour la première fois, ils ne se chicanent pas ce soir. Une troupe entière de petits lapins affectueux font la ronde autour de l'humble berceau et exécutent leur danse la plus jolie accompagnée par un choeur de merles. Toute une délégation d'abeilles vient offrir quelques gouttes de miel le plus pur et le plus doux. Quelques lièvres, parmi les plus habiles, déroulent toute une série de tours, gambades et sauts que Jésus récompense par son sourire. Puis s'avance une petite tortue qui vient tout juste d'arriver. On ne lui reproche pas d'être en retard, ce soir. On lui laisse une petite place en avant et, pendant qu'elle reprend son souffle, on lui explique le doux mystère. Deux pies, sur une poutre perchées, commencent peu à peu leur commérages.

— Vois, Coco, le vieil écureuil gris: il fait bien de pleurer, il en a volé assez de noix!

— Oui, ma chère! Et regarde ce pauvre petit ourson qui est allé chercher ses parents trop paresseux. Que c'est donc triste d'avoir de mauvais parents!

— Et les hiboux, là-bas, vont peut-être cesser leurs sorties louches de tous les soirs...

— Oh! quelle honte, s'écrie l'une d'elles, cette sale petite mouffette qui ose s'approcher de Jésus... Comment! Jésus sourit aussi à ces misérables petites bêtes?...

Une mouffette: ce fut la première tentation de Jésus. Imaginez un peu sa dernière, s'amusa grand-père en regardant les parents.

— Non, mais sont-ils assez paresseux, ce boeuf et cet âne! Ils sont restés couchés tout le temps. Ils ne se seraient pas dérangés comme nous pour venir voir Jésus. Il a fallu que Dieu fasse les avances et aille naître sous leur nez.

À ce moment, arrive un oiseau-mouche égaré qui affirme avoir vu apparaître une étoile mystérieuse. C'est alors qu'un corbeau-évangéliste ne sachant plus où donner de la tête, annonce la fin du monde. Jugé ridicule, le corbeau se retire et la fête continue. Puis vient le tour des oiseaux à offrir leurs présents. Chacun s'approche, seul ou en groupe, pour enchanter de leurs trilles joyeux l'Auteur de leur talents. L'atmosphère d'amour fait déborder la joie de tous les coeurs... Et au loin, le méchant loup de hurler. Puis Jésus levant ses petites mains, avec tout son amour bénit ses fidèles serviteurs. Il leur fait comprendre qu'Il sera leur bon Pasteur et qu'Il les nourrira et vêtira toujours sans qu'ils aient à semer ou à filer. Par l'exemple, Jésus donne son grand commandement à ses premiers adorateurs et les renvoie en s'endormant. Le groupe à peine sorti de l'étable, un oiseau de nuit en voyage raconte que sur les montagnes là-bas, d'étranges apparitions ont chanté des cantiques extraordinaires. Il répète ce qu'il a entendu et un groupe de rossignols experts reprennent en choeur la mélodie. Bientôt, la forêt entière cesse de respirer pour frissonner, émue, aux airs du cantique des cieux. Et ce soir-là, dans un nid plus chaud, sur une branche moins rude et dans un terrier moins sombre, on glisse dans le sommeil pendant que les échos, avec respect, se répètent entr'eux les notes d'une hymne sacrée: Gloire à Dieu au plus haut des cieux et paix sur terre aux coeurs de bonne volonté.

Les parents commencèrent à applaudir et les enfants en firent autant avec grand enthousiasme.

— Ah c'était beau, grand-papa! s'exclama l'enfant. Encore.

— Si tu veux, Jonathan, ce soir, j'vais aller me coucher en même temps que toi. Il va falloir se lever tout à l'heure.

Jonathan finit par accepter et les deux inséparables s'endormirent après plusieurs chuchotements.

À l'église, les deux familles se retrouvèrent à quelques bancs de distance. Daniel était présent, mais ne semblait pas tellement apprécier. Jonathan qui trouvait un peu long la cérémonie demanda assez fort:

— Grand-papa, raconte-moi une histoire.

Au moins une dizaine de personnes ont dû se retourner en souriant. Seule Claudine fut un peu gênée. À la maison, ce furent les bons voeux, tous un peu plus chauds envers Daniel. Guy multiplia les apéros et grand-père, selon son habitude, après deux verres, ramollissait de partout. Les enfants se mêlaient, parlaient fort, surtout Jonathan, le maître de céans. Et l'on dévora le réveillon. Après, avec l'approbation secrète des deux mères, grand-père annonça:

— C'est le temps des cadeaux.

De grands cris de joie répondirent et Jonathan déjà plaçait les jeunes près de l'arbre. Daniel restait toujours près de sa soeur, lui disant quelques mots à l'occasion. C'est elle qui eut droit au premier cadeau. Elle sembla un peu gênée, l'ouvrit et embrassa sa mère en murmurant: merci.

— Es-tu contente? insista Claudine afin d'obtenir une réponse.

— Oui, je suis contente.

Ensuite, Jonathan. Il sauta de joie en entendant son nom et parla sans arrêt en développant l'objet de ses rêves. Sa joie et son expression constituaient le plus beau spectacle au monde. Après, il courut embrasser ses parents et grand-père. Il demanda à Sylvie de lui montrer comment fonctionnait son jeu. Daniel vint à la rescousse, mais tout de suite, il fut appelé. Rougissant, il développa son cadeau, sembla content, même heureux. Peut-être ému. Une superbe veste de cuir qui lui allait comme un gant. Il regarda furtivement ses parents en les remerciant et alla devant le miroir de la salle de bain pour en sortir rayonnant.

— C'est super!

Il embrassa sa mère et donna la main à son père.

— Merci beaucoup.

— Tu mérites bien ça, mon gars. Tu nous rends bien service à la ferme, dit le père un peu, beaucoup réchauffé.

Et la ronde des cadeaux à chacun continua... même un troisième tour pour les enfants. Les taquineries, surprises, les...:

— Comment saviez-vous que je voulais ça, vous autres?

— Ah mystère!...

Sont infinies les manigances de femmes, de mères pour faire plaisir, surprendre. Par exemple, les cadeaux de Guy étaient sous l'arbre de Noël de Francis et au nom de Francis. Et les cadeaux de Francis étaient au nom de Guy, mais sous l'arbre des Martel. Enfin, un cadeau bien mystérieux donné par Jonathan à son papa. L'enfant le présenta lui-même en suffocant de plaisir. Francis très intrigué l'ouvrit: sa paire de vieilles bottines. Jonathan criait, tellement il était content, sautait, applaudissait. Ruisselait de rires. C'était tellement attendrissant de voir le plaisir indescriptible de cet enfant! Le grand-père, jubilant un peu trop, laissa deviner sa complicité. À la toute fin, Claudine reçut un cadeau anonyme: une douzaine de condoms. Elle rougit, sans préservatif qu'elle était toujours devant les habituelles taquineries du groupe. Elle essaya tellement de trouver l'auteur du coup que Jonathan s'est intéressé au problème de sa mère.

— C'est quoi, maman? Montre-moi. À quoi ça sert, ça, maman?

— Ah!... Là, Claudine est devenue franchement gênée, surtout devant le fou rire de la joyeuse troupe. Comme pour mal faire, Jonathan insista. Claudine bafouilla un peu en regardant les emballages.

— J'ne sais pas, Jonathan... c'est écrit en anglais.

Le fou rire reprit de plus belle. Malgré que la loi 101 se faisait encore une fois dégonfler, Francis souffla un exemplaire du cadeau inopiné, et Jonathan l'envoya flotter dans les airs des dizaines de fois. Ce fut le clou de la soirée. Ce fut aussi le dernier Noël en famille pour ce groupe d'amis inséparables depuis toujours.

# 15

Dans les jours suivants, Jonathan s'est presqu'usé à jouer avec son camion à benne, son casse-tête, son horloge en carton, ses nouveaux morceaux et modèles de LEGO et son jeu compliqué que même Daniel a eu de la difficulté à expliquer. « Au jour de l'An, vous venez chez nous! » avait commandé Marie. Les femmes se partagèrent encore la corvée du souper, mais il n'y eut pas de cadeau... ni de Daniel. La mère, humiliée:

— Il nous a échappé, cette fois. Ses amis... Il est supposé avoir une blonde et souper dans sa famille. Il nous a laissé un faux numéro de téléphone.

— Faites-vous en pas trop, rassura Claudine. Je suis sûre que vous avez fait votre possible. Il y a des problèmes qui échappent aux parents.

Guy, devinant où se dirigeait la conversation commanda:

— Ça nous empêchera pas de fêter.

Et il se soûla. L'atmosphère n'arriva jamais à se détendre vraiment et les Labrecque partirent tôt après la vaisselle. Pas de jeu de cartes comme d'habitude: Guy était vraiment désagréable. Revenus chez eux, Claudine compléta le tableau après le coucher des enfants.

— Et Sylvie qui semblait si renfrognée malgré les jeux proposés par Jonathan...

— Ils doivent être bien malheureux, surtout Guy qui se sent responsable. Il devrait pas... laissa tomber Francis. Quant à nous, on a peu ou pas d'influence sur Daniel: on l'a à peu près jamais vu depuis son adolescence. Tout en restant ouvert à lui, je pense qu'on doit surtout s'occuper des parents et de Sylvie. Qu'est-ce t'en penses, Claudine?

— Oui, tu as raison, mais...

Les Labrecque ont téléphoné souvent à leurs amis pour obtenir des nouvelles et s'inviter mutuellement. Francis et Claudine s'acharnaient à déculpabiliser les Martel, surtout Guy qui s'enfonçait dans la boisson, et Sylvie, dans le silence. Son frère s'absentait de plus en plus souvent et ne se couchait plus jamais en même temps qu'elle. « On peut plus s'parler », lui reprochait-elle à l'occasion. Un dimanche soir ou enfin les deux enfants passèrent seuls la soirée à la maison, Daniel parla de drogue sans arrêt à Sylvie qui écoutait sans rien dire. Tout à coup:

— Daniel, j'aime pas ça quand tu me laisses toute seule à la maison.

— Mais je reviens toujours.

— C'est pas toujours beau quand tu reviens. On peut plus s'parler.

— Mais j't'aime toujours, même si on s'parle moins souvent. R'garde, ce soir.

Il continua à parler de drogue.

— Tu l'dis pas à papa ni à maman!

Et il se piqua. Tombé dans son lit, il se mit à tousser et semblait vouloir restituer. Sylvie, au bord des larmes, souffrait pour son frère, craignait pour sa vie. Les spasmes terminés, il sembla dormir, mais Sylvie continuait à s'inquiéter. Vingt minutes plus tard, Daniel répéta d'abord la défense d'en parler à qui que ce soit et vanta les effets de sa piqûre. Les seules paroles de Sylvie après le long monologue de son frère et pour tout le reste de la soirée:

— J'ai peur.

Daniel vint la trouver dans son lit, s'étendit auprès d'elle, son bras autour du son cou et l'endormit. Le lendemain, elle avait encore mouillé son lit.

— Je m'excuse, Daniel.

— C'est rien, p'tite soeur.

— Daniel?

— Oui...

De ses beaux grands yeux tristes, Sylvie regarda son grand frère, hésita, puis lui dit très doucement en le serrant dans ses bras:

— Hier soir, j't'aimais pas beaucoup.

Daniel serra un peu plus fort.

— Mais c'matin, on s'aime bien, pas vrai? Mais surtout, dis rien. OK?

Daniel avait repris lentement sa drogue. « Pas facile de refuser aux copains quand ils en offrent gratuitement, » dit-il à Francis. Quand il avait le goût de sexe ou de drogue, il se rendait chez sa dame aux jeunes... et il avait les deux. Gratuitement. Des copains lui avaient présenté aussi des messieurs qui consommaient et baisaient, et vice versa. « Intéressant en cas de besoin », se rassura Daniel. Même pattern que pour madame: drogue pour attirer, mettre en route et sexe ensuite. « Très agréable de s'faire sucer, même qu'y a pas une femme pour faire ça comme un homme, se laissa dire l'adolescent qui l'expérimenta de plus en plus souvent. Un homme pour ça, c'est champion! » Daniel l'apprit par besoin et adora l'expérience. À quatorze ans. Avec les hommes, les femmes et un peu d'argent qu'il soutirait ici où là, il venait d'étendre grandement ses ressources. Et remettait aux quelques amis qui lui avaient payé la traite.

La drogue, c'est-à-dire son besoin, élargit la conscience et finit par la faire disparaître. Plus rien ne peut retenir: morale, amitié, reconnaissance, respect de soi ou des autres. Le manque appelle, la déchéance répond. Au fond, Daniel sentait bien une morsure intérieure: Où est-ce que j'm'en vas? Qu'est-ce qui m'arrive? Dans ces cas, une autre dose répondait adéquatement. De chacun de ses amis d'homme ou de femme, Daniel savait soutirer un peu d'argent: emprunt, vol, pressions, insistances frôlant le chantage. Argent trop vite gagné est plus vite dépensé. Daniel arrivait parfois à la maison avec un nouveau morceau de linge, une nouvelle coiffure, etc. De plus en plus sexé. De ce côté-là: irrésistible. Qu'il avait de la gueule, cet enfant!... sans parler du reste. D'ailleurs, quel adolescent n'est pas beau?

À la maison, il fuyait sa mère autoritaire et se rapprochait de son père démissionnaire. « J'viens t'aider, papa. T'inquiète pas: tu peux compter sur moi. » Le père toujours gagné par la moindre affection, fondait de tendresse devant son trop beau et bon fils. Le lendemain: « Papa, tu m'passerais pas un dix piastres pour la semaine? J'suis tanné de la cafétéria de l'école tous les jours. » Le père céda une fois et succomba de plus en plus souvent, et pour des sommes de plus en plus considérables. Il s'agissait, après le train à l'étable, de prendre une couple de bière ensemble en parlant doucement. Ensuite, Daniel joua sur la consommation trop forte d'alcool de son père. « Un peu d'drogue à l'occasion, mais j'prends pas d'bière, par exemple. » Et toujours de nouvelles réponses adaptées aux velléités de refus du père. « Ecoute, p'pa, ma bière à moi, c'est ma drogue. Ta bière à toi, c'est ta drogue. » Même les coûts astronomiques ne résistaient pas: « P'pa,

154

as-tu calculé combien ça t'coûte de bière par année? Prends une semaine, là... bon, multiplie par cinquante-deux. Hein, qu'est-ce t'en penses? » L'argumentation n'a jamais raison d'un narcomane. Guy cédait et buvait de plus en plus. L'argent manquait.

— Guy, on n'arrive plus, s'inquiéta sa femme.

— On arrivait avant: y a pas de raison.

— Combien passes-tu seulement en bière?

— Pas toi aussi?!

La tension montait de toutes parts. Un soir, Marie invita le couple Labrecque: « ...seul! je serai avec Guy. Pas d'enfants... et surtout pas d'grand-père! » Le jeune couple devinait bien le problème et l'aborda doucement. Marie, toujours agressive, rongeait son frein à la porte des dénonciations. Francis réussit à faire parler Guy un peu et contrôler Marie. Il réussit aussi à éviter les questions matrimoniales.

— J'm'y connais seulement en narcomanie.

— Oui mais...

Claudine prenait doucement la relève. Daniel avait un grave problème de drogue et Guy sombrait dans l'alcool.

— Si vous pensez qu'c'est facile de vivre avec elle... se disculpa l'accusé.

— Pourquoi tu viendrais pas à une réunion des Alcooliques Anonymes avec nous autres?

— Chu pas alcoolique.

— Mais avant de le devenir, d'abord.

— C'est elle qui...

— Avant de parler de moi, qu'est-ce que tu fais pour ton gars?

— Je l'aide.

— En lui donnant d'l'argent pour qu'y s'drogue! s'indigna l'épouse exaspérée.

— On a une bonne relation ensemble.

— Vous vous détruisez toé deux et vous détruisez toute la famille. Sylvie est en train de tourner folle.

— C'est ta fille, r'garde c'que t'en as fait.

— Daniel, c'est ton gars, t'en as fait un drogué. Pis un voleur!

Guy s'est effondré, blessé au plus profond de sa sensibilité. Décontenancé, désarmé, il venait encore de se faire démolir par elle, et cette fois, devant ses meilleurs et seuls amis. Une rage sourde s'est emparée de lui. Francis adoucit l'attaque, nuança l'accusation.

— Guy, j't'l'ai dit assez souvent: t'es pas coupable de la narcomanie de ton gars, pas plus que Marie d'ailleurs! Se sentir coupable, c'est empirer le problème.

— Ça fait plus d'quinze ans que j'l'endure, ragea Guy, et r'garde c'que ça m'a donné. J'approche de quarante ans, pis j'ai rien d'vant moé.

— Guy, reprit doucement Francis, une bonne chicane n'est pas la fin d'un ménage. Claudine et moi, on en a eu de pires que celle-là, tu le sais. Pis tu as une belle terre presque toute payée: tu as quelque chose sous les pieds. Pis deux beaux enfants. Ils ont leurs problèmes comme tout enfant. Penses-tu que les miens n'en n'auront jamais? Si c'est pas la drogue, qu'est-ce qui me dit que ça sera pas la leucémie, le SIDA? Est-ce que ça va être de ma faute?

Guy, tête baissée, était au bord des larmes; déchiré, se sentait toujours coupable. Mais pas question devant sa femme! Claudine suggéra:  ·

— Guy, Marie, vous l'savez que c'est insupportable d'avoir un enfant narcomane. Peut-être que vous vous faites du mal parce que vous ne savez pas quoi faire. Y a des spécialistes qui ont étudié ces questions-là et qui suggèrent comment réagir. Par exemple, ne pas se sentir coupable pas plus qu'on se sent coupable du cancer de son enfant, accepter qu'on peut pas grand chose tant que son jeune ne veut pas s'aider lui-même. On apprend aussi à pas se laisser manipuler par l'enfant, etc. C'est anonyme et ça fait tant de bien quand on est si désemparé.

Devant le silence des deux adversaires liés par le même problème, Claudine s'offrit à faire les premières démarches et à les accompagner au début. Devant un autre silence encore:

— On n'en meurt pas vous savez; moi, c'est mon p'tit frère Luc, qui m'a accompagnée les premières fois.

En regardant son homme:

— C'est là que j'ai rencontré Francis.

Après encore une pause:

— Mais c'est un peu difficile de reconnaître qu'on a besoin d'aide. Pourquoi attendre, continuer à se faire mal? Laisser au cancer le temps de s'étendre?

Les deux ont bougé sur leur chaise, Marie a regardé Guy affaissé, muet. Claudine, sentant moins de résistance chez Marie:

— Marie, veux-tu que je m'informe des dates des réunions? C'est à Granby, c'est anonyme, et ça coûte rien.

— Peut-être...

— Guy, veux-tu, je vais aller chercher de la documentation, pis tu regarderas ça à tête reposée? Ça t'engage à rien. Mais essayez d'y aller ensemble. La narcomanie est une maladie familiale: c'est toute la famille qui en souffre et c'est toute la famille qui la combat pour survivre.

Francis renchérit:

— La drogue de Daniel, c'est peut-être le plus gros problème de votre couple. Ne le laissez pas détruire votre ménage, d'autant plus que vous n'en êtes pas responsables. Guy, entre nous autres, est-ce que c'est possible que t'aies augmenté beaucoup ta consommation d'alcool depuis l'arrestation de Daniel?

Devant le silence qui exigeait sa réponse, il finit par bougonner:

— Un peu.

— En tous cas, moi, j'suis prête à aller voir ce qu'ils nous suggèrent tes... comment tu les appelles, Claudine? décida Marie.

— NAR-ANON. NAR pour narcomanes et ANON pour anonymes. Ça regroupe seulement des gens dont l'enfant ou le conjoint a un problème de drogue. Si ça vous aidait seulement à comprendre et déjouer les manipulations d'un enfant narcomane, ça vaudrait l'coup. Si vous saviez ce que j'ai fait à mes parents et amis pour avoir de la drogue!... C'est honteux, c'est épouvantable. Si Daniel est aussi intoxiqué qu'il en a l'air, attendez-vous au pire. Ces pauvres eux-autres deviennent de vrais génies pour vous dévaliser psychologiquement ... et ils gardent souriante leur belle petite figure d'ange irrésistible. C'est un martyre que de les affronter.

Guy, gêné, avoua:

— J'me suis fait avoir jusqu'à l'os par ce p'tit verrat.

Sa femme en profita:

— Tu vois, j't'l'avais bien dit!

— Marie!... ordonna Claudine. Marie, c'est déjà assez difficile ces situations. S'il te plaît... Personne n'est coupable de la narcomanie de son enfant.

Francis appuya sa femme:

— Faut beaucoup de tolérance, vous savez, beaucoup de coeur, même d'humilité pour rechercher ses torts et les admettre. Beaucoup de compréhension. Sans parler de la foi.

Marie sembla prendre la leçon et offrit un café à tout le monde. Guy, mal à l'aise pour prendre une bière selon son habitude, commanda un café à son tour. Les deux époux se sont regardés furtivement, puis ont parlé banalités. Il faut dire que le couple Labrecque les poussait par leurs sujets de conversation et questions habiles à les faire se parler.

En arrivant chez eux, Claudine plus poussée à l'analyse que Francis, réfléchissait tout haut.

— Je pense qu'on a réussi à les rapprocher un peu en leur faisant prendre conscience qu'ils couraient tous les deux le même danger: ils risquaient d'être victimes tous les deux de la narcomanie de Daniel. Ils sont sur le même bateau que lui.

Devant le silence de Francis, elle dut l'interpeller:

— Qu'est-ce t'en penses, Francis?

— Tu sais que tu as toujours raison.

— Comment ça, mon petit Labrecque?

— Si j'te dis: non, tu as tort, tu vas te lancer dans la bière, ma petite Vaillancourt!... ironisa le beau Francis.

— Ah ben, tu sauras, Francis Labrecque, que... que je... Ouais... Claudine qui venait de faire le rapprochement avec les Martel, continua:

— Ouais, si on faisait les enfants?...

— C'est déjà fait, ma petite Vaillancourt, on vient de jouer aux enfants, dit Francis, fier de son coup.

— J'voulais dire: si on faisait des enfants... Pas besoin d'savoir l'anglais pour comprendre ça!...

Francis s'épanouit en un large sourire.

— C'est déjà fait aussi, mais j'suis prêt à essayer encore, même si j'ai été zigouillé pour la famille.

Ils essayèrent encore, mais en vain. La « zigouille » tint le coup.

— Oui, j'suis bien content de ma soirée.

# 16

Le couple Martel fut accueilli aux NAR-ANON avec chaleur, voire enthousiasme. Guy, visiblement, subissait une véritable torture. Les informations, les rappels, les principes –la cuisine, quoi– passèrent assez rapidement. Un père de famille fut invité à raconter un peu son expérience.

J'm'appelle Sylvain D. et j'ai un problème de narcomanie par mon fils, Reynald. À quinze ans, quand on s'est rendu compte qu'il consommait, il avait déjà du chemin de fait. Aujourd'hui, grâce à NAR-ANON, j'essaie de prendre mes distances vis-à-vis de lui afin de survivre. J'pense que je suis descendu aussi bas que lui. Je prenais au sérieux tout c'qu'il me disait, je souffrais autant que lui et faisais ses quatre volontés. Grâce à NAR-ANON, j'ai appris le détachement. Le détachement de ma manière de l'aimer, le détachement de ma culpabilité et de ma responsabilité totale à son endroit. Il m'en a assez fait endurer, le p'tit vlimeux, maintenant, c'est fini! Le pire, c'est que toutes ces misères que j'ai subies pour

161

son bien, lui ont fait autant de tort à lui qu'à moi-même. Maintenant, j'ai compris.

D'abord, j'me pensais bien responsable de tous ses actes à mon Reynald. Je payais pour lui, le sortais du pétrin, m'engageais devant le juge, la police, les gens qu'il avait fraudés. Qu'est-ce que ça me donnait? Absolument rien. Et à lui? Ça le poussait à continuer, même à empirer sa consommation. Le dernier chèque sans provisions qu'il a passé: mille deux cents dollars. C'est ce chèque-là qui m'a amené ici. Y a toujours ben un maudit boutte!... J'ai assisté aux réunions dans la région, trois jours de suite. J'me suis fait une idée, puis j'l'ai vérifiée en demandant conseil et j'ai rencontré mon garçon. Il fallait le prendre à jeun et jouissant au moins d'un minimum de conscience. Je lui ai d'abord dit que je l'aimais beaucoup, respectais sa maladie et voulais sa guérison. Je m'excusais aussi des erreurs que j'avais faites dans le passé... comme avoir payé pour lui. Là, il a ouvert de grands yeux... j'pense qu'il a paniqué un peu. Sentant le danger, il a tout de suite essayé de me récupérer.

— En tous cas, papa, t'as été un chic type, tu m'as rendu des services que je n'oublierai jamais. C'est ça un père qui aime ses enfants!

— Bon, tu vois encore là, Reynald, tu continues ton chantage affectif et j'veux t'dire que ça marchera plus. On s'aime beaucoup tous les deux, mais on s'aime mal. À l'avenir, je ne paierai plus un sou pour toi.

— J'vas avoir l'air fin si j'me ramasse en cour?

— ... et même en prison. Reynald, payer pour toi, c'est te pousser à consommer davantage. J'ai fini de te faire du tort comme je le faisais. Si tu dois coucher dehors, si tu dois voler... ce sont tes problèmes. Tu cours après parce que tu veux consommer.

— C'est ça qu't'appelles un père? J'pensais que j'avais un père comme tout l'monde. Mais non, il veut me mettre dans'misère, m'envoyer en prison. T'appelles ça un père, toé?

Les amis, ça fait des années que mon garçon essaie la douceur, l'arrogance, toutes les sortes de chantage, les mensonges les plus incroyables, les attrape-nigauds, rien n'est à son épreuve. Je ne dis pas ça parce que mon fils est méchant, j'dis ça parce qu'il est malade... et que j'voudrais pas que vous vous laissiez prendre, vous autres aussi.

Bien sûr, il a laissé l'école. Je l'avais bien averti.

— Si tu laisses l'école, tu partiras d'ici. Tu te trouveras un travail et tu vivras en appartement.

— J'ai un emploi et dans deux semaines, je serai déménagé.

Non seulement, il n'était pas parti, mais il avait toujours un ou deux jeunes dans sa chambre, même pour coucher, pour les repas. Ça s'lavait pas, se levait pas le matin, se faisait vivre. Encore là, j'ai dû parler fort et mettre tout ça dehors avec menaces: les leurs, pas les miennes. Oui, ils m'ont menacé. Je serais volé, on casserait tout, père dénaturé... Pour supporter ça, il faut un groupe de soutien. Reynald revenait de temps en temps avec ses nouvelles trouvailles. Il savait que j'avais une amie de femme parce que j'suis divorcé. Il m'a sali auprès d'elle, a tout fait pour nous séparer. J'pense que c'est cette fois-là que j'ai passé le plus près de faire une crise. Mais il ne faut pas, disent les principes: si le narcomane se fait haïr, dire des bêtises, insulter, c'est une raison de plus pour justifier sa consommation. Il a toujours besoin d'excuses. Plus tard, quand mon amie de coeur, Marielle, est venue rester chez moi, il l'a accusée de tout, menacée. Il a même porté plainte à la police contre elle. Marielle, évidemment, ne l'avait pas frappé: ses marques venaient d'une bataille entre gars gelés. Ensuite, il s'est excusé auprès de Marielle et lui a promis de se faire désintoxiquer.

— Mais n'en parle pas à papa: j'veux lui faire une surprise.

— D'accord. Dans ce cas-là, Reynald, j'te pardonne et j'te
crois. Je te promets de t'aider. À quel Centre veux-tu
aller?

— À la Maison des Erables. Mais il n'y a pas de place tout
de suite. J'te tiens au courant. Oublie pas: pas un mot.

Là, il s'habillait comme du monde, rentrait et se couchait
le soir, ne semblait plus consommer. Marielle qui voulait
devenir son ami l'encourageait à mon insu, pensant l'avoir
gagné.

— J'aurai une réponse demain, lui annonça-t-il un soir,
joyeusement.

Une grosse embrassade de sa part, m'a raconté Marielle.
Et le lendemain, en sautant de joie:

— Enfin libéré de la drogue! Finie la vie d'fou qu'j'faisais!
Marielle, j'pense que c'est beaucoup grâce à toi. Oui,
j'pense qui m'manquait une mère. J't'oublierai jamais!
J'vas-tu pouvoir te téléphoner?

Et les promesses et l'euphorie et...

— J'ai pus seulement qu'un petit problème.

Reynald devenu un peu triste refroidissait la joie de
Marielle.

— Qu'est-ce qui se passe, Reynald?

— C'est un peu gênant...

— Dis, toujours.

— Tu m'avais déjà promis de m'aider si j'voulais m'en
sortir. Là, il me manque la moitié de la somme. L'autre
moitié est déjà donnée. J'voulais vous faire la surprise.

— Et c'est combien? s'enquit prudemment ma compagne.

Reynald prit son air gêné:

— C'est deux mille cent dollars en tout. Il me manque mille
cinquante. Mais je peux attendre de la gagner cette
deuxième moitié.

— Mille cinquante dollars... faudra que j'en parle à ton père. Il m'a bien dit de ne pas te passer d'argent.

— Si tu lui en parles, ça va me démotiver ben raide: tu me voles la surprise que je voulais lui faire. Me semble qu'il mériterait ben ça... après tout c'que j'y ai fait endurer. Pauvre papa!...

Marielle hésitait. Il semblait si sincère, presqu'au bord des larmes... Mais c'était beaucoup d'argent.

— À quel endroit déjà?

Reynald sauta de joie, et tout nerveusement, fouilla dans ses poches, embrassa affectueusement Marielle, se confondit en remerciements.

— Tiens, v'là le papier. C'est la Maison des Erables et au numéro de téléphone qui est là. Tu peux appeler tout de suite, ma p'tite maman d'amour.

Marielle demanda à réfléchir et garda les coordonnées. Le lendemain à neuf heures, elle téléphonait et recevait d'une gentille dame toutes les informations nécessaires. Reynald était inscrit, avait payé la première moitié de la somme. Il y avait justement une place de libre à ce moment-là. Le lendemain serait sans doute trop tard à cause des nombreuses demandes. Au comble de la joie, elle fit un chèque à mon gars.

— Quand est-ce que j'annonce la bonne nouvelle à ton père?

— Je lui téléphone ce soir de la Maison des Érables. Tâche d'être là: tu me raconteras sa surprise.

Marielle s'est morfondue toute la soirée près du téléphone et m'a empêché de sortir. Le lendemain, à la première heure, elle téléphona de nouveau à la Maison où un homme répondit que ce numéro n'était pas celui de la Maison des Érables. Le soir, elle m'avoua son inquiétude... et pleura de douleur et de rage. Reynald avait échangé le chèque grâce à l'endossement d'un ami et on ne le revit plus.

Près d'un mois plus tard, il rappela Marielle pendant le jour et donna les explications les plus abracadabrantes pour son geste. Il s'excusait et essayait de retrouver ses entrées auprès d'elle. Elle resta froide, cette fois, et lui demanda de remettre la somme.

— Bien sûr, j'paye toujours mes dettes, surtout à mes vraies amies, celles qui m'aiment et veulent vraiment m'aider. Dès que j'aurai un peu d'argent, j'irai te le porter. Aujourd'hui, j'en n'ai pas, mais est-ce que je peux aller te remercier de vive voix?

— Non. Tu reviendras quand tu auras mon argent.

Encore quelques excuses et tentatives de chantage, puis ce fut la fin. Ma femme est restée très humiliée, blessée. Depuis ce temps, elle m'accompagne aux réunions NAR-ANON.

Plus tard, j'ai refusé de payer une caution pour Reynald arrêté et accusé de vol. Ça a peut-être l'air de rien comme ça, mais c'est pas facile à décider. Surtout de tenir cette décision, heure après heure, jour après jour. Quand Reynald m'a appelé pour me supplier, je l'ai interrompu et lui ai rappelé mes promesses.

— Fais-toi désintoxiquer.

Et j'ai raccroché. Et j'ai pleuré. En vitesse, j'ai été rejoindre mon parrain NAR-ANON. Il est des douleurs qui ne se portent pas seul.

— Non, je ne suis pas responsable de ses actes. Non, je ne me laisserai pas manipuler. Non, je ne l'aide pas quand je fais son jeu.

J'ai répété après lui certains de nos principes... et nous avons prié. S'il est des douleurs qui doivent être partagées, certaines ne peuvent être partagées qu'avec Dieu. Et nous avons encore prié. Le téléphone est resté débranché deux jours de temps, puis j'me suis senti prêt à recevoir un autre de ses violents appels.

166

Il n'a pas rappelé, il est venu. Il tremblait, était en manque. Il m'a crié toutes sortes d'injures, accusé de tout.

— Père dénaturé! Tu me dis de laisser la drogue et tu fais toute pour m'en faire prendre encore plus. Avec des pères comme ça, les jeunes peuvent bien se suicider.

Affalé sur le divan, il s'est mis à pleurer. Tout le temps qu'il parlait, je me disais: Il joue son rôle, il veut seulement me faire craquer pour avoir d'autre argent, pour se donner d'autres raisons de continuer à s'droguer, parce que si je pleure, si je m'excuse, ce sera moi-même qui avouera être un mauvais père et que c'est de ma faute s'il est narcomane. Et il se droguera davantage pour oublier ça. En tous cas, j'pensais très vite, très fort pour ne pas entendre ses paroles. Je fuyais dans ma tête... parce que je l'aimais...

Sylvain, très ému, fit une longue pause, respira profondément et enchaîna, le regard fixé sur le plancher un peu en avant de lui.

Oui, je suis « poqué » par en d'dans. Oui, j'ai d'la misère à continuer... pas seulement pour ce que mon enfant venait de me dire... mais pour ce qui est arrivé après... Reynald s'est relevé, la figure blême, mouillée, et sur un ton enragé ne supportant pas de réplique, convaincu et convainquant qu'il irait jusqu'au bout:

— Là, c't'assez! Pour moé, c't'assez! On va voir si t'as des couilles seulement pour faire des enfants ou bien si t'en as aussi pour les aider.

Il sortit un poignard et le pointa vers moi.

— Écoute ben, là. C'est un « chum » qui a payé ma caution. Il a emprunté pour ça parce que j'lui ai promis que je le rembourserais tout de suite en sortant. Là, il veut son argent et toé, t'en as. C'est-y clair?!

J'ai tremblé intérieurement. Je me suis dit: Me tuerait-il? Est-ce que je me suis contrôlé si longtemps pour céder aujourd'hui?... Et je repassais les principes dans ma tête: ne pas provoquer de crise. Bien sûr, je ne provoquais pas sa menace actuelle. Ne pas aggraver une crise qui découle naturellement des événements. Je devais donc rester calme, et en principe, ne pas céder. Rester objectif: bien sûr! Prier: bien oui. Se faire aider: oui, certain! Mais j'étais là, seul, devant un couteau... tenu par mon enfant. Etre son père me sauverait-il? Un narcomane trop gelé ou en trop grand manque n'a pas de père, de mère, d'ami. Il n'a même pas de coeur. C'est sa maladie.

— Donne-moi l'argent: mille piastres!

— Marielle est partie avec.

— J'veux d'l'argent! J'vais fouiller tant que j'le trouverai pas.

Le couteau sur le bureau, il a mis sans dessus, dessous toute notre chambre, renversé le lit, vidé les tiroirs, cassé plusieurs bibelots. J'ai hésité à prendre son couteau: peut-être que ça empirerait seulement les choses. Et s'il l'avait laissé à ma portée, son intention n'était peut-être pas d'aller jusqu'au bout. Mais un gars en manque de coke, n'est-il pas disfonctionnel, comme on dit, incohérent? Je suis allé m'asseoir à la table de la cuisine et l'ai attendu calmement. Blême, les yeux exorbités, il a pris son couteau, l'a levé dans ma direction, a hésité et s'est lancé vers moi. J'ai fermé les yeux pendant cette seconde longue comme une éternité. Puis un son mat. J'ai ouvert les yeux: le couteau était planté au centre de la table.

— Je-veux-d'l'ar-gent!! As-tu compris? Y-m'faut-d'l'argent!!!

— Je ne peux pas, Reynald. Je ne veux pas te faire de tort.

Je faisais semblant de me contrôler.

— J'vais m'tuer!

Vu que je ne réagissais pas...

— Pis ça sera d'ta faute!

— Non, Reynald, tu sais qu'on t'aime. On veut ton bien.

— J'vais m'tuer!

Il laissa le couteau planté dans la table et partit dans sa chambre en pleurant. Je suis sorti sur la galerie d'en-avant. J'avais tellement besoin d'air! Surtout, je ne voulais pas que Marielle rentre et voie tout ce bordel sans être avertie, ou pire, qu'elle coure un danger. De là, si Reynald était sorti par en arrière, je l'aurais vu passer pour prendre la rue. J'essayais de respirer normalement et répétais la prière de sérénité. Longtemps, j'ai prié. Tout à coup, devant le trop grand silence, et me rappelant ses menaces, j'ai eu un frisson.

— Reynald!

J'ai couru à la cuisine: le couteau était parti. Une sueur froide m'a recouvert tout le corps. Reynald, que je répétais à mi-voix, Reynald que je priais sans sérénité. Je restais là, figé devant la table, les yeux fixés sur l'entaille. Je sentais l'entaille en moi, le coeur me cognait comme des coups de marteau dans la poitrine. Je me suis lentement retourné bien décidé de supporter jusqu'au bout. Horreur! mes jambes sont devenues de papier: des traces de sang m'accusaient entre sa chambre et la salle de bain. Je n'avais plus qu'un souffle qui répétait: Reynald... Reynald... Un silence de mort m'écrasait. J'ai lentement ouvert sa porte de chambre. Mon regard, suivant les traces, s'est révolté devant une mare à côté du lit vide. Reynald... Reynald... en allant vers la salle de bain. Devant la porte:

— Reynald, qu'est-ce que tu fais là?

Pas de réponse.

— Reynald?

J'ai ouvert. Reynald était étendu dans la baignoire, les deux mains sur la poitrine recouverte de sang. Les yeux fixes, à moitié ouverts, le teint pâle. Ne bougeait pas.

— Reynald... Reynald...

J'ai saisi ses deux mains, les ai soulevées. Le sang coulait abondamment de chaque poignet.

— Reynald, viens-tu fou?

Dans un souffle, d'une voix monocorde, insidieuse, il m'assomma:

— C'est ça qu'tu voulais?...

Là, j'ai voulu mourir. J'aurais tellement mieux aimé recevoir son couteau en plein coeur. Puis dans un souffle, au prix d'un grand effort, Reynald a murmuré:

— Pardon, papa.

Et sur sa figure pâle comme la mort, deux larmes ont coulé. Complètement démoli, les yeux tout embués, j'ai cherché une ficelle pour deux garrots, appelé une ambulance. Reynald ne parlait pas et bougeait pas, semblait avoir perdu connaissance. En faisant les cent pas durant ces minutes qui durèrent une éternité, j'ai au moins pensé à fermer la porte de notre chambre. J'avais ouvert la porte d'entrée espérant un courant d'air et j'allais voir sans arrêt mon Reynald, touchait sa gorge pour vérifier son pouls.

— T'en fais pas, Reynald, ça va aller: une ambulance s'en vient. On va s'en tirer, tu vas voir.

J'ai laissé un mot rapide à Marielle: « Un accident à Reynald. On est à l'hôpital. » Que c'est long ces ambulances-là!

— Reynald, ça va? Ne t'inquiète pas, j'suis là.

J'avais le temps de signer le petit mot à Marielle. J'ai pensé téléphoner à l'hôpital:

— J'arrive en ambulance avec mon fils. Accident aux deux poignets. Il saigne.

Puis Reynald, puis la rue. Enfin!

— Reynald, ils arrivent: tu es sauvé! Tu es sauvé! Ils montent l'escalier. Reynald!...

Après ces cris d'angoisse, Sylvain a changé le ton de son récit, et très lentement a continué.

— Quand ils sont entrés, je pleurais... J'avais craqué... mais... Reynald... ne le saura jamais.

Sylvain, bouleversé, dignement, est allé s'asseoir. Un silence de mort régnait dans la salle. Personne n'osa applaudir ni prendre la parole comme à l'accoutumée. Les dirigeants se sont levés à tour de rôle, sont venus parler tout bas à Sylvain pendant que les habitués, à mi-voix, se servaient un café.

— Guy, prends-tu un café? offrit Marie.

— Non, on s'en va, j'en peux pus! Un Reynald nous attend à la maison.

# 17

— Qu'est-ce qui va nous arriver, Marie?

— Qu'est-ce qui va LUI arriver?...

— J'pense qu'on a vu une situation extrême. C'est sûrement par toujours comme ça.

— Moi, je panique! Toi, tu te nourris aux pilules, moi, j'suis
dans la bière, Daniel, dans la drogue... et la p'tite, dans
l'silence. Le silence est la drogue de Sylvie. Quelle
maudite famille de fous qu'on est!

— Dramatise pas, Guy. J'me nourris pas aux pilules, d'a-
bord.

— Moi, je vas voir Francis.

— Francis, Francis... il a la moitié de notre âge, et il a à
peine six ans de plus que Daniel.

— Qu'est-ce que tu penses faire, d'abord?

— Un psychologue. Celui de l'école. Il connaît Daniel,
s'occupe de Sylvie. Il nous a aidés au procès. Nous
connaît.

— Combien ça va coûter?

— On va aller le voir une fois, toi et moi, s'informer, lui demander conseil. On saura les prix. Tu vas venir!

— J'vas quand même voir Francis: c'est mon ami; et grand-père aussi. Téléphone à ton psychologue, mais pas pour demain soir, je serai chez MES amis.

Guy et sa femme lisaient tout ce qui leur tombait sous la main au sujet de la drogue, écoutaient toutes les émissions de télévision sur le sujet. Ils n'apprirent rien pour se rassurer, déculpabiliser. Une émission de télé rapportait que les adultes prennent cinq drogues légales par jour. Quatre-vingt pour cent des jeunes de quatorze ans prennent régulièrement de l'alcool. Dans un journal, ils lurent que les femmes qui constituent cinquante-deux pour cent de la population du Québec, consomment soixante-douze pour cent des tranquillisants mineurs. Pas surprenant qu'ici, même la révolution soit tranquille. Vive le bonheur en flacons! concluait le journaliste. Un journal de fin de semaine citait des statistiques: « Avant la fin de leur primaire, 45% des élèves ont été mis en contact avec la drogue, et au secondaire, 89%. Actuellement, c'est la coke qui fait chic avant le grand choc. » Chacun des deux époux se sentait visé à tour de rôle et n'osait attaquer l'autre. Chacun écoutait en silence puis parlait stratégie de solution, non de cause. Mais chacun en son for intérieur se sentait coupable, mal à l'aise. Se déprimait. Aucun ne pouvait l'admettre à l'autre, mais secrètement chacun projetait. « J'ai bien quelques torts, mais c'est surtout de sa faute. » En silence, se creusait un fossé. Subtilement, se minait la relation.

Le psychologue, dès la première rencontre, situa facilement le problème: Marie, toujours plus sûre d'elle que son mari, avait réussi à se décharger d'à peu près toute responsabilité sur lui. Guy, dans son silence et ses fuites, et ne testant à peu près jamais ses propres arguments par peur d'être humilié, rejetait tout le blâme sur sa femme. Ils étaient devenus deux oppositions globales. Le psychologue réussit à faire parler Guy en demandant à Marie, à l'occasion, de le laisser s'exprimer. Dans l'ensemble, devant la facilité de parole de sa femme et son habitude à le réduire, Guy se sentit bien petit, humilié et coupable. Le psychologue le tint à bout de bras, nuança les propos de Marie, questionna Guy. Il dut souvent couper la parole à la dame afin de demander à son mari ce qu'il en pensait. De peine et de misère, quelques phrases aboutissaient, mais en général, Guy restait embourbé. D'autres fois:

— Comment te sens-tu, Guy, devant tout ça?
— Je ne suis pas d'accord.

Mais de là à dire les pourquoi et attaquer à son tour, non. Le psychologue sentait bien l'inconfort de Guy et devina qu'il ne voudrait plus revenir.

— Guy et Marie, si vous voulez bien, dans quinze jours, on laisserait Guy jaser tant qu'il voudra. Un peu comme ce soir, c'est Marie qui a surtout donné son point de vue. Êtes-vous d'accord?

Devant le silence des deux, il a dû forcer Guy à dire oui, et Marie, par politesse, a suivi. Le psychologue Duguay avait bien senti, dès le début, qu'un profond problème de couple accompagnait, sinon précédait, le problème de narcomanie du père, de la mère et de l'enfant. « Quand on ne communique pas naturellement, on communique artificiellement. » « Le poisson, quand il est malheureux, ne peut pas le dire, alors il meurt. » Et il commence à pourrir par la tête.

Pendant le retour à la maison surtout, et pendant les deux semaines suivantes, Marie avec sa psychologie de l'autre pour le moins relative, revenait sur les positions du psychologue qu'elle interprétait à son avantage. Guy écoutait très peu comme d'habitude, mais se sentait surtout victime. Cherchait-il ce rôle? Devait-il se punir de la maladie de son garçon et celle de sa fille?... Encore une fois, il se sentait paniquer. Mais là, il ne le dira plus. Il décida de parler le moins possible et se replier sur lui-même. « J'veux rien savoir d'elle! » Au fond, comment pouvait-il argumenter, se défendre contre elle devant son pouvoir combiné de la parole et de l'habitude? « Daniel revient de moins en moins souvent à la maison, je peux donc prendre ma bière sans lui donner le mauvais exemple, » raisonnait Guy. Il s'est édifié de façon plus étanche encore un petit monde intérieur, l'a entouré des barbelés de ses raisonnements et justifications, puis a refusé de retourner voir le psychologue. Guy se sentait coupable, donc bien inconfortable. Sans s'en rendre compte, il accumulait des agressivités contre les autres. les choses et contre lui-même. Il développait une mentalité de victime, provoquait chez les autres des comportements qu'il identifiait de bourreaux et se découvrait encore davantage victime. Se sentant coupable, il souhaitait inconsciemment être puni. Par lui-même ou par les autres.

Pour décider Guy à revoir le psychologue, Marie, à sa courte honte avec un HON!... majuscule, dut demander l'influence des Labrecque et du grand-père. Diplomatiquement, mais tous azimuts, leurs pressions le décidèrent pour une autre rencontre. À la seconde séance, Guy bouda et refusa quasiment de répondre pendant toute la première moitié. Il finit par expliquer:

— Marie va m'achaler pendant deux semaines avec ce que j'vas dire.

— Marie, tu pourrais peut-être le rassurer en lui disant que tu le laisseras tranquille.

Les assurances répétées et l'habile insistance du psychologue réussirent à débloquer le mari dont les ressentiments refoulés finirent par couler à flots. Parfois, des larmes dans la voix soulignaient l'émotion.

— Je l'ai mariée par obligation et je l'ai endurée. Mais là, elle a détruit mes deux enfants, ça je le prends pas.

— Tu peux ben parler, Guy Martel! cria Marie.

— Pis tes pilules?

— Pis ta bière?

— S'il vous plaît, intervint le psychologue. On va essayer de ne pas se faire trop mal: ça n'avancerait à rien. Pourquoi Guy, t'es-tu marié par obligation?

Marie trépignait, prête à crier la réponse bête, injurieuse. Guy cherchait par où commencer. Il avait enduré tout ce mariage pour se cacher et maintenant, il lui faudrait tout déclarer? Puis à un étranger?... Pas évident dans sa tête. Dans sa vie. Marie s'offrit pour répondre, mais essuya le refus du psychologue.

— Guy, veux-tu dire au moins un peu, donner l'idée. Pas besoin de détails. Et tout ça reste entre nous.

Après un autre long silence et une longue respiration:

— J'ai vécu comme Gai toute ma jeunesse et je me suis marié pour ne plus me faire écoeurer.

Au seuil du silence qui suivit, Marie rongeait son frein. Le psychologue penché vers Guy et tournant le dos à Marie lui faisait comprendre que la parole restait à son mari. Guy finit par continuer.

— Comme je disais, j'ai pu endurer, mais là, c'est trop: mes enfants...

— T'es ben plus responsable que moé, ragea Marie que cette accusation répétée brûlait comme l'enfer. Il se soûle depuis des années, mais là, toujours de plus en plus. C'est un bel exemple pour des enfants, ça? Il parle presque jamais ni à moi ni aux enfants: pas surprenant qu'la p'tite...

Guy respirait très fort sous le dépit, la colère. Elle continua:

— Pis quand Daniel s'est fait arrêter, il l'a défendu, presqu'encouragé à continuer. Il a monté le D.P.J. contre nous autres et Daniel.

Marie laissa filtrer quelques larmes éloquentes. Le psychologue en profita pour dire à Guy:

— Je pense que tu n'es pas tout à fait d'accord avec ce que Marie vient de dire.

Il était temps, Guy allait exploser. Il exprima sa colère dans les mots les plus crus, son indignation dans des accusations nettement exagérées. Marie devinant une compassion du psychologue, d'un long regard douloureux se coula sous son aile. Richard nuança un peu les mots trop durs de Guy, démontra l'utilité des échanges dans un couple et tout le positif que cette rencontre pourrait leur apporter. Une dernière fois à chacun:

— Avez-vous quelque chose à ajouter? Vous vous sentez prêts pour deux belles semaines?

Chacun clôtura sur le ton doux que venait d'imposer le psychologue d'expérience.

— Marie –la même chose pour toi, Guy– vous essayez de ne pas vous blesser inutilement avec ce qui s'est dit, ce soir. D'accord?

— D'accord.

— Je pense d'ailleurs qu'on se l'est promis tantôt, n'est-ce pas?...

En retournant à la maison, c'est seulement par bribes que s'est rétabli le contact parlé, monosyllabes, banalités. On était allé très loin dans les accusations sur le sujet si douloureux de la responsabilité des problèmes des enfants et sur les motivations de leur mariage. Et restaient les petites infidélités de Guy avec certains amis. En secret, Marie fourbissait ses armes se disant: « Ça viendra ben, mon fifi!... » En entrant dans la maison :

— Sais-tu, pour un gars qui voulait pas venir à cette réunion, t'es pas venu pour rien?

— Non, pis j'te laisserai pus jamais rien passer.

— Pis moé non plus, fais-toi s'en pas. J't'attends! mon...

Le lendemain soir, comme après chaque rencontre NAR-ANON et avec le psychologue Duguay, Guy se retrouvait chez ses amis. Guy faisait un retour dans une atmosphère détendue, se défoulait, confiait. Francis possédait expérience et théorie, et les passait; grand-père créait l'atmosphère. Claudine, discrète, ajoutait un mot de femme dans ce monde d'hommes. Mot apprécié, à point, repris, faisant toujours l'unanimité. Dans ces échanges, Claudine était un peu la présence de Marie dépouillée de sa colère et préjugés. Simplement présence de femme. Nécessaire présence.

La semaine suivante, ce fut NAR-ANON à bouleverser ce père de famille si vulnérable. Pas à cause du contenu de la rencontre, mais à cause d'un document qu'il en avait rapporté. Encore la culpabilité, pensa-t-il. Il n'avait jamais autant paniqué. Pour cacher son émoi à sa femme, il quitta la maison et se réfugia à l'étable avec la brochure. Il relut, inquiet, les derniers alinéas. En partant de l'exemple donné où des femmes peuvent rechercher inconsciemment un mari alcoolique, ou vice versa, pour se punir de quelque chose ou attirer de la pitié, Guy a pensé que son propre sentiment de culpabilité avait pu pousser son garçon dans la drogue. « Pour me punir. Parce que je me sens coupable de mon homosexualité refoulée, de l'échec de mon mariage, j'ai poussé inconsciemment Daniel à se droguer pour me faire souffrir. Est-ce que ce serait pareil pour la p'tite?... » Réalisant une fraction de seconde cette affreuse possibilité, un frisson d'horreur l'a parcouru et tout s'est embrouillé dans sa tête: il ne comprenait plus rien maintenant. Comme perdre connaissance physiquement, il venait de perdre connaissance intellectuellement. Réflexe de survie. Son subconscient avait bloqué certaines entrées de conscience qui auraient pu lui faire trop mal, détruire. Mécanisme de sécurité, alerte rouge, porte pare-feu, gicleurs automatiques. Guy, déjà perturbé, venait peut-être d'être sauvé. Dans son état, s'il avait eu le temps de comprendre clairement d'un seul coup tous ses raisonnements qui le conduisaient à une culpabilité trop forte à supporter pour lui, peut-être aurait-il succombé à une trop grande douleur et perdu contact avec la réalité. Délire? Folie?... Son cerveau se défendait lui-même et défendait son coeur. Son coeur aussi défendait son cerveau en laissant libre cours à sa douleur. La prise de conscience trop violente de son cerveau pouvait ainsi s'écouler, apaiser en un peu de douleur qui punit pour le mal entrevu intellectuellement. La douleur le sauvait comme le sang s'écoulant pour éviter l'accident cérébral, l'hémorragie interne fatale. Guy venait de se sauver grâce à ses mécanismes de défense. Il devina, mais seulement obscurément, que se sentir mêlé, embrouillé n'est peut-être pas toujours un mal, sinon un mal nécessaire parfois. Avec le nuage opaque qui venait d'embuer l'enchaînement de ses raisonnements, et avec son cerveau ayant perdu contact avec l'horreur insupportable qui l'aurait frappé, Guy sentit au moins quelque chose de très laid et qui appelait beaucoup de souffrance. Il pleura. « Qu'est-ce que j'ai fait? J'ai tout raté. » Pourtant, j'avais tout sacrifié. J'ai dominé ma nature gaie, elle s'est vengée avec un fils narcomane, une fille malade. La nature se venge-t-elle? » Guy se sentait comme une plaie. « Qu'est-ce que j'ai fait? Qu'est-ce que vaut une telle vie?... » Il se démolissait. « Tout est raté! »

N'en pouvant plus, sans avertir sa femme, il partit chez grand-père. À son air, la famille devina le drame. Il se dirigea vers l'escalier du premier étage et grand-père comprit. En haut, assis sur le même divan, Michel parla doucement à ce Guy qui n'arrivait pas à dire un mot. Tout à coup, comme un morceau de sa peau, comme son autre main coupée, le blessé tendit le feuillet de NAR-ANON.

— On dirait que c'est d'ma faute si Daniel se drogue.
— C'est sûrement pas eux autres qui peuvent savoir ça, dit le grand-père en lisant. D'après ce que je peux voir, tu y vas peut-être un peu vite. D'abord, Guy, avant même de terminer ça, qui peut accuser un autre? Souvent, on sait

même pas soi-même de quoi on est coupable. Certains ne se sentent coupables de rien et d'autres se sentent coupables de tout. Les deux ont tort.

— Es-tu capable de trouver quelque chose qui marche chez nous?

— Il y a des problèmes partout et ce n'est pas une seule personne qui est responsable. Et ça c'est vrai surtout chez vous. Je n'accuse pas Marie, elle n'est pas pire que moi, mais elle a sûrement sa part de responsabilités.

— Moi, je l'ai mariée pour ne plus avoir de problèmes.

— Tiens, regarde dans ta brochure, c'est bien marqué que ça peut-être le père ou la mère. Tiens!

— En tous cas, se marier forcé, ça part bien mal un ménage, pis ça fait des années que je n'joue plus avec les enfants, pis... tu sais tout ça et le reste.

— Une faiblesse sur un point, une erreur, c'est toujours pas la fin du monde.

— Ils disent, dans ce papier-là, que Daniel a senti que je désirais avoir des problèmes et qu'il me les a apportés en se droguant.

— Aïe là, ils ne parlent pas de Daniel, c'est toi qui en parle. Dans le texte, on parle en général. Puis tu sais qu'il est impossible de prouver ce que tu viens de dire au sujet de ton gars.

— Y a trop de choses à la fois: je me sens perdu, dépassé. Pis ce maudit mariage-là, qu'est-ce que je suis allé faire là-dedans?

— Tu as eu la paix sociale un bon bout de temps.

— Mais à quel prix? Là, c'est insupportable. La drogue de Daniel nous a révoltés l'un contre l'autre: c'est maintenant la guerre ouverte. Je m'exprime seulement par crise où je dis rien: je suis tanné des deux façons.

Guy posa un regard rêveur sur Michel et continua plus lentement:

— Si on avait pu, aussi, passer toute notre vie ensemble comme on avait commencé, toi et moi...

Un beau silence a réchauffé le grenier des souvenirs. Les deux se sont regardés, collés, et Michel a posé ses lèvres dans le cou de Guy.

— On s'est beaucoup aimé, mon Tit-Guy, n'est-ce pas? Ne serait-ce que pour ces deux ans vécus ensemble, la vie vaut d'être vécue.

— Mais là, c'est pus tenable.

Guy pleura longtemps dans le cou de Michel, sur sa poitrine, sur sa cuisse inerte. Il pleurait sur son passé si heureux, sur tant d'années à se camoufler aux autres et sur son malheur global actuel.

— Des fois, j'ai envie de tout sacrer ça là. Fuir. C'que j'ai bâti, c'est d'la misère. Ça vaut pus la peine. J'ai marié un paravent.

Et encore quelques larmes. Michel souffrait ces confidences, recueillait son trop plein. Guy se défoulait, vidait. Peu à peu, le calme s'établit et ils restèrent serrés l'un sur l'autre.

— Michel, qu'est-ce que je ferais si je t'avais pas?

— Et moi donc? Tu me rappelles parmi les plus beaux souvenirs de ma vie, et viens dans mes bras me rappeler que je peux encore servir à quelqu'un. Merci, Tit-Guy, pour les beaux jours. Pour ta visite de ce soir.

Les yeux de Guy se sont encore embués. Il semblait vraiment accroché à ses belles années d'authenticité et de liberté. Le contraste entre l'hier et l'aujourd'hui le faisait fondre.

— Guy, je te remercie d'être venu me raconter tout ça. Ah j'te garderais dans ma chambre-grenier jusqu'à la fin de mes jours!...

Guy sourit. Ils se sont encore serrés.

— J'ai pleuré comme un enfant, Michel, et j'pense que ça m'a fait du bien. C'est la première fois... depuis ta tentative de suicide après la mort de François.

— Et tu as attendu plus de vingt ans pour me le dire!... Merci, Guy. En tous cas, parfois, des larmes, ça fait du bien. Ça parle d'amour aussi, pas seulement de douleur. Ça fait de beaux souvenirs.

En regardant Guy avec un petit sourire taquin:

— Viens pleurer tous les jours dans mes bras... Pas besoin de drames pour se serrer sur notre coeur comme autrefois. Si tu savais comme la solitude est profonde en vieillissant! et comme tu me fais du bien en revenant!

— Qu'est-ce que je ferais, Michel, sans mon p'tit amant... devenu grand-père des enfants des autres?...

— Ça me rappelle les belles paroles que tu me disais dans le temps. Il n'y a pas de raison pour cesser de se faire du bien en paroles, en caresses, en souvenirs. Guy, tu es chez toi ici!... Bon, viens-tu prendre un café?

Et encore une fois, les quatre mousquetaires ont consommé leur drogue légale, drogue de cuisine, comme disait grand-père. Au départ de Guy, le grand-père, un peu plus chaleureux que d'habitude:

— Un p'tit conseil, Guy: ne prends pas de décisions importantes quand ça va mal. J'ai appris ça au pensionnat... ben avant que tu viennes au monde.

— Ça te rajeunit pas, sourit Francis.

Après le départ de Guy, grand-père ne put s'empêcher de se dire tout haut:

— C'est tellement triste la souffrance de son ami. Surtout, quand c'est grande souffrance et grand ami!... J'vais aller prendre un peu d'air.

— Je t'accompagne, s'invita Francis en constatant la détresse de grand-père.

Grand-père laissa libre cours à ses lentes réflexions soulignées par de nombreux silences attentifs.

— La souffrance est mystérieuse, coquille fermée. La souffrance n'a pas de sens, ou bien elle ne veut pas le libérer facilement. On ressent une pudeur, une gêne devant la souffrance comme devant la mort. Un respect. La souffrance est un embarras intellectuel, une pierre d'achoppement théologique. On peut parler, en parler, échafauder des théories selon ses expériences, son Dieu, ses croyances, mais on reste toujours un peu gêné intellectuellement, insécure au gué de nos glissantes explications. La souffrance est-elle seulement coquille vide, le mal total, gratuit, sans aucun sens... pour faire opposition au bien total, gratuit, qui porte son propre sens en lui-même? La souffrance ne serait-elle que faille nécessaire pour garder humilité à nos théories, aiguillon à nos recherches de logique et d'absolu? La souffrance ne serait-elle que l'incarnation dans notre chair des grands principes du mal, des esprits mauvais qui confrontent les bons esprits? Ou bien, la souffrance ne serait-elle qu'un point de référence qui donne profondeur, perspective à notre joie comme le fait un oeil pour l'autre oeil? Si la souffrance donnait intensité à notre joie et l'acheminait à des niveaux plus élevés?...

— Mais grand-papa, tu ne fais que poser des questions.

— C'est pour garder plus d'humilité à mes raisonnements. Les affirmations peuvent afficher beaucoup d'orgueil, multiplier les risques d'erreurs. L'interrogation ne blesse pas et fait ouvrir de grands yeux en invitant à la réflexion. Elle dit: pense, toi aussi. C'est en toi que se trouve la réponse, peut-être la vérité.

La marche s'est continuée en silence où chacun creusait dans la même direction. Les deux amis semblaient entendre de chacun les han han! répétés de l'effort sur le filon résistant. Chacun sentait l'eau qui coulait sur la plaie de la vérité qui s'ouvrait pour l'empêcher de trop chauffer, sentait la chaleur du coeur, la flamme dans les yeux devant la couleur de l'or d'un peu plus de clarté au puits de leurs réflexions d'intra-terriens. Chacun fuyait-il dans un peu d'intellectualisme la morsure de sa douleur devant la douleur de son ami commun?... En rentrant, après les salutations d'usage, grand-père monta précautionneusement dans ses bras le petit moteur à talons qui ronflait dans le salon. Après l'avoir couché, caressé, embrassé comme d'habitude, grand-père écrivit deux courtes réflexions.

*Le plus important est de susciter des questions, non d'apporter des réponses. Une question bien posée vaut mieux que mille réponses flamboyantes. La question fait sortir du cocon; la réponse pousse à y rentrer.*

*Guy serait-il suicidaire?... Le secret du suicidaire est habituellement bien mal ficelé. La boucle peut sembler bien refermée, mais un petit bout de corde reste offert à l'action d'un bon Samaritain. Sous ses doigts agiles, en caresses sur ses noeuds, en baume sur sa plaie, le suicidaire déballera bientôt ses secrets. À moi de les énouer, lisser, polir. À moi de les respecter et le dire, de les aimer et le faire sentir. À moi, de nouveau l'emballer. Guy, ma main te reste toujours tendue.*

Grand-père se coucha et ne dormit pas.

Dans sa tête se bousculaient les questions. « Où Guy est-il rendu?... » Grand-père prit quelques bonnes respirations et réfléchit. « C'est moi que Guy est venu voir, c'est de moi qu'il a besoin. Il ne me demande pas de miracles, décrocher la lune, cent mille dollars. Il me demande de l'écouter. Après l'écoute, je verrai si j'ai besoin d'aide pour lui. Avec accueil, authenticité, empathie, l'essentiel aura été dit. On ne peut pas tous être aussi sensible, mais on peut tous avoir ce coeur qui nous coule des mains, cette flamme qui nous brûle les yeux. Une gorge serrée n'est pas une honte; une larme échappée, une faiblesse. C'est peut-être dur pour le moral. Mais pour le suicidaire venant de moi et des autres, ces petites douceurs, ces écoutes, ces petits accueils finissent par tisser des liens qui créent de l'humain... et protègent la vie.

Guy, je tiens ta main blessée et la panse. En silence?... ça n'a pas d'importance. Les moments les plus intenses de notre vie ne sont-ils pas ceux où nous gardons le silence?... D'ailleurs, ce n'est pas nous gardons le silence, c'est le silence qui nous garde. »

Et grand-père continua sa nuit peuplée d'inquiétudes. « Guy, tu m'as sauvé la vie lors de la mort de François, aurai-je à sauver la tienne aujourd'hui?... »

# 18

Les parents de Daniel avaient bien senti, depuis maintenant quatre ans, le mystère dans lequel s'enveloppait leur
enfant, sa manière un peu hargneuse de refuser certaines
sorties en famille pour rester seul à la maison, sa perte
d'intérêt pour les petits travaux de la ferme, etc. Puis, peut-
être le pire pour la maman, le premier téléphone de l'école
dès le début de sa deuxième année secondaire annonçant la
détérioration de la conduite et du rendement de l'adolescent.
Mais Daniel était déjà rendu loin. Quand les parents l'ont
retrouvé dépendant, ils avaient déjà presque perdu leur aîné.
Daniel avait repris sa consommation, son trafic et ses piqûres
occasionnelles. Le goût du sexe rejoignait le goût de la
« pique » et vice versa. Il n'avait qu'à téléphoner. Daniel,
nourri aux plaisirs défendus, se sentait rapidement devenir un
homme. Par le défi aux interdits, la transgression qui libère,
il avait pris conscience de lui-même et de son autonomie.
Mais Daniel avait pris le mauvais moyen, plutôt avait fui, était
allé beaucoup trop loin, et dans la mauvaise direction. S'était

trahi lui-même. La drogue était son plus grand pas en avant dans l'affirmation de lui-même... et dans sa propre destruction. À quinze ans, Daniel rampait sur une enclume et la vie s'apprêtait à jouer du marteau.

De son côté, Guy buvait de plus en plus. Jamais rien dans sa vie ne s'était déroulé tout à fait à son goût depuis son mariage. Et il s'était senti tellement isolé par le déménagement de toute sa famille. Plus de conseils, sécurité de la part de parents qu'il adorait, même pas de grands-parents pour ses enfants. Vraiment isolé. Aux retrouvailles du dimanche, Guy avait recommencé à boire et maintenant, consommait beaucoup, parlait peu ou sans arrêt. S'il lui arrivait de regarder sa femme quand elle prenait la parole, il empruntait l'air: « Bon, qu'est-ce qu'elle va sortir encore! » Ou bien: « Hé qu'est simple! » Les relations entre eux, de toute évidence, se détérioraient. Le ton montait aussi. Ils avaient tendance à s'accuser devant leurs amis, régler leurs comptes, se blesser, ce qui mettait tout le groupe mal à l'aise.

— Si t'arrêtais de te soûler aussi, ça irait peut-être mieux.

— Pis, toé, si t'étais pas si frigide...

Les insultes s'élevaient avec les colères, et chacun des amis devait désamorcer les sujets de chicanes. Ces escarmouches aussi rapides que violentes n'attaquaient jamais l'amitié aussi fidèle qu'inconditionnelle de Francis et Michel envers Guy. Guy n'avait-il pas été un grand, un très grand ami de François, le père de Francis? De plus, ces deux amis vivaient une grande compassion devant l'alcoolisme de Guy. Ils savaient que dans les faits, une grande proportion de Gais sont alcooliques, surtout ceux qui souffrent des préjugés, se cachent ou même qui se marient et font des enfants pour camoufler ou essayer de tuer leur orientation sexuelle. Ceux qui ne s'acceptent pas eux-mêmes ou craignent toujours d'être démasqués vivent une tension torturante. Pas surprenant que beaucoup succombent à l'artificiel, se droguent ou se soûlent. « Une société intolérante, butée, fermée, détruit la vie de ceux qui sont à peine différents de la majorité, disait Francis parfois pour encourager Guy. Mais essaye de ne pas aller trop loin, fais-toi aider. On est là, nous autres. » Le spectacle de la bonté, l'accueil inconditionnel de ses amis bouleversait toujours Guy.

Désemparé, Guy se présentait seul, en soirée, de plus en plus souvent chez Francis. Parlait peu, jonglait. Bières par dessus bières, noyait ses inquiétudes ou plutôt son remords. Francis devait le questionner, les réponses toujours raccourcissaient, parfois ne venaient pas.

Le grand-père, parfois, risquait une autre façon d'encourager:
— À quinze ans, on est un enfant, on peut faire des mauvais coups. Francis, d'après toi, cet enfant-là n'est pas pris dans la drogue jusqu'à la fin de ses jours?
— Non. Ce serait bien surprenant... quoique rien n'est jamais acquis avec la dépendance. Mais avec d'excellents parents, de bons amis... Avec un père comme Guy, je ne suis pas trop inquiet.

Guy baissait la tête très bas et semblait affaissé, démoli.
— J'n'ai pas été un vrai père pour lui: j'ai fui toute ma vie... depuis le jour où j'ai quitté cette maison-ci et abandonné Michel.

Le grand-père se sentant interpellé:
— Ce n'est toujours pas pour ça que ton gars a pris d'la drogue.
— On dit que c'est toujours à cause des parents.
— Guy, tu sais bien qu'on trouve des boucs émissaires quand on ne connaît pas la raison d'un phénomène. La colère des dieux cause les tempêtes, les péchés ont causé les tremblements de terre au Québec et les Gais ont causé le SIDA. Voyons donc, Guy!
— Je ne suis pas présent comme un père à la maison. C'est Marie qui décide de tout, je me laisse engueuler. Ça fait

des années que je n'ai pas joué, vraiment parlé avec Daniel. Quand je lui parle, c'est seulement pour lui donner des ordres ou lui dire des bêtises. Et qu'est-ce que tu veux que je dise à la p'tite: elle n'a presque pas de réactions?

Claudine encouragea à son tour.
— Là, Guy, tu exagères.
— Je n'exagère pas.
— Tu ne donnes que le mauvais côté des choses. Tu sais bien que tes enfants savent que tu les aimes: ça se sent ça. Puis tu as fait des bons coups, leur as fait plaisir. Mais ça, j'ai pas besoin de te le dire, tu le sais. Et le plus important, écoute bien: tu n'es pas coupable! tu n'es pas responsable! Rentre-toi ça dans la tête.
— Je ne sais pas trop. Qui est complètement innocent de la narcomanie de son enfant?...
— Guy, que tu aies fait des erreurs de temps en temps comme tout le monde, on comprend ça, moi la première. Mais la plus grosse erreur de ta vie avec ton fils, ce serait de te sentir coupable pour son « trip » de drogue ou autres bêtises passées ou à venir. Si tu te sens coupable pour lui, tu lui voles sa culpabilité, sa responsabilité. Ainsi, tu lui voles le ressort qui peut l'aider à s'améliorer.
— Francis insista:
— En ce moment, ton fils n'a pas besoin d'un homme inquiet, démoli, malheureux. Il a besoin d'un père solide, sûr de lui, capable de dire clairement ce qu'il a à dire et de tenir son bout. Et tu es cet homme!

Guy ne répondit pas. Chacun lui laissa le temps d'avaler ce repas servi froid. Après un long silence, Guy s'est levé et préparé à partir. Il marmonna:
— Oui, bien sûr. J'vous remercie tous.

Francis s'est approché de lui, l'a serré doucement dans ses bras en lui disant à l'oreille:

— Fais un homme de toé, ne TE dénonce pas à toi-même.

Guy a hésité, puis a serré Francis très fort. Et il partit. Un silence un peu lourd engourdissait l'atmosphère. Francis, comme se parlant à lui-même:

— Comme parents, on est porté à se sentir souvent responsables de beaucoup d'échecs ou accidents de parcours dans la vie de nos enfants. Bien sûr, les parents sont responsables de leurs enfants, mais pas de tout ce qui leur arrive, tout de même! Aujourd'hui, l'Etat prend plus de place dans la vie de la famille, et la famille prend moins de place dans la vie des enfants. Et ce n'est pas l'Etat, le Curé, la Police qui vont se dire responsables de la narcomanie, de la violence, des décrocheurs de la société. On est porté à prendre tout le blâme comme parents. Certains, du moins. Par contre, d'autres ne se sentiront jamais responsables de rien. Ce sont les pires, les plus coupables.

Et il a encore baissé le ton en regardant Michel.

— C'est certain que mon beau-père et ma mère ne se sentent coupables de rien à mon endroit.

Claudine commenta:

— Ça te donnerait pas grand chose.

— Peut-être. Mais sais-tu, j'aimerais ça les revoir. Pas pour des excuses, des reproches. Seulement pour leur montrer que malgré eux, j'ai réussi, que malgré eux, j'ai une terre, une famille... un grand-père. Malgré eux...

Grand-père prit son verre d'eau comme tous les soirs avant d'aller se coucher et vint le boire, debout près de Francis devant le télé. Il lui caressa la joue de temps en temps.

Grand-père était toujours ému par la reconnaissance de Francis. Il donna un petit bec au jeune couple et ...

— ... bonsoir et merci. Vous autres, vous ne serez responsables que du bonheur de vos enfants... et grands-parents.
— Bonne nuit, grand-papa.

Une douce tendresse venait d'emplir toute la maison et d'éclairer de sourires les visages du repos.

Le dimanche suivant, grand-père, un peu gauchement, osa rapporter ce qu'il avait entendu à la télé:
— S'il y a des tensions, des difficultés dans une famille, c'est normal que les enfants le ressentent. Un enfant dont la mère prend des tranquillisants a trois fois plus de chances de fumer du pot, et plus tard, dix fois plus de chances de consommer de l'héroïne.

Marie piquée au vif:
— Bon, aussi ben dire que tout est d'ma faute! Y a pas d'père, c't'enfant-là?

Guy, attaqué, s'indigna:
— C'est toi qui les prends les tranquillisants, qui en parles tout le temps, cries, te plains continuellement. C'est pas moi.
— Toi, tu bois.

S'adressant au grand-père:
— À TA télé, ils ne parlent pas des pères qui boivent?
— C'est la même chose que pour les mères. C'est pas plus facile pour les enfants.

La mère reprit, tranchante, à l'adresse de grand-père:
— C'est curieux que c'est toujours les parents qui sont responsables de tout. C'est facile d'accuser quand on n'a pas d'enfant...

Marie hésita, puis se soulagea:
— ... et qu'on utilise ceux des autres.

Presque tous ont protesté, choqués. Guy semblait enragé. Francis, sur un ton sans réplique, le geste menaçant:
— Marie, c't'assez!!

Marie a baissé la tête, savait qu'elle était allée trop loin, surtout dans ce milieu où elle n'avait aucun appui, tout au plus une confidente. Il fallait que sortent ses poisons, à l'occasion, n'ayant jamais pardonné à Michel d'avoir été l'amant de son mari avant de l'épouser. La jalousie et les préjugés l'avaient toujours dévorée: anormalité des Gais, leur « maladie », la non distinction entre Gai et pédophile, entre Gai et assassin d'enfants, etc. C'était un genre de femme maniaco-dépressive qui aurait empoisonné sa vie avec autre chose si elle n'avait pas connu de Gais dans son entourage.

Claudine a offert du café à tout le monde. Plus personne maintenant, ne regardait ou parlait à Marie gênée par la réprobation de tous. Francis prenait ses grandes respirations et grand-père rassurait Guy, le suppliait d'oublier l'injure faite par sa femme.
— Mais ça t'insulte pas, grand-père?
— Non, mon Guy. Il y a longtemps que j'en ai pris mon
    parti des préjugés et des faibles qui les colportent. Les
    faibles attaqueront toujours les forts.

Le grand-père, avec un petit sourire, cita St-Exupéry: « Loin de me diminuer, la différence m'augmente. » Plus sérieusement, grand-père appréciait surtout l'unanimité de ses amis à prendre sa défense.
— Je me sens tellement protégé!... un peu comme une
    espèce en voie de disparition, dit-il avec un sourire
    énigmatique.

Après quelques minutes de répit ou la conversation sur des banalités avait regroupé les interlocuteurs deux à deux, le grand-père qui sentait avoir provoqué un peu la crise, s'excusa auprès de Marie.

— Je pense, Marie, qu'il ne faut pas te sentir accusée, encore moins, coupable. Tu sais bien que la narcomanie, l'alcoolisme, le suicide chez les jeunes, c'est un problème de société. Jamais personne, à ma connaissance, n'a accusé les seuls parents pour ces drames.

Le grand-père se demandait s'il devait continuer à parler de l'anonymat général dans la société, à l'école, dans les loisirs. Le manque de modèles à tous les niveaux, le sentiment très fort de non appartenance, la compétition partout très poussée, l'absence de lieux de rencontres pour les jeunes, de lieux d'identification, le manque de projets. Il avait envie de parler de la société de consommation, consommation de tout, et de plus en plus. C'est ça le modèle de surconsommation qui confronte les jeunes, pensait-il. Parler des conformismes, des drogues légales. Dire que l'artificiel remplace la communication, l'oubli remplace l'affection. Mais devant l'ambiguïté du silence de tous, il a hésité à parler de théories et s'est plutôt rabattu sur un terrain sûr qui ferait l'unanimité.

— Tiens, prenez seulement les loisirs. Qu'est-ce que vous avez à Saint-Césaire pour les loisirs des jeunes? Puis à l'Ange-Gardien?

L'effet réussit et tous se mirent d'accord pour opiner sur ce sujet moins émotif. Le grand-père finit bien quand même par placer sa petite idée choc:

— Ce que vous dites sur le manque de lieux et de projets pour les jeunes rejoint ce que j'ai lu dernièrement dans un journal: « Il ne suffit pas de montrer aux jeunes à dire, non; il faut leur offrir des propositions auxquelles ils pourront dire, oui. »

Tous furent d'accord. Seule Marie dit tout bas à Claudine qui sourit:

— Lui, pis ses journaux et sa télévision!...

# 19

Un vendredi soir, lors d'une des nombreuses visites de Guy, Francis lui expliqua que la narcomanie était d'abord une maladie familiale avant d'être une maladie sociale. C'est d'abord dans la famille qu'elle perturbe le plus. Elle interroge, même remet en question tout le réseau de relations interpersonnelles. La narcomanie a un effet grossissant, voire déformant, du réseau de relations existant. Le moindre incident devient grave; les ententes tacites, les délimitations du territoire psychologique sont bouleversées. Une nouvelle insécurité s'installe. Tout est remis en question dans la famille, tout est à recommencer. Les sous-entendus, les petites intentions cachées sont tout à coup dévoilées et hop! on doit tisser à nouveau le réseau interpersonnel. Tout ce qui était acquis vient de basculer. Et on recommence à zéro. Il faut de l'aide. Rien ne peut remplacer des groupes comme NAR-ANON, AL-ANON, Amis compatissants, etc.

— Et des amis si accueillants, et un grand-père... ajouta Guy dans un sourire un peu triste.

— Je t'ai rappelé des principes. Est-ce que ça s'applique chez vous?... c'est à toi de voir.

— C'est vrai en tous cas que la chicane est poignée avec Marie depuis qu'on sait que Daniel consomme. La chicane s'aggrave de jour en jour. Mais on se serait peut-être chicané sans ça.

Claudine, toujours attentive:

— La narcomanie de Daniel sert de révélateur à vos autres problèmes personnels. C'est à vous autres de trouver un nouveau mode de comportement.

— Je pense que les rancoeurs accumulées, de part et d'autre, au sujet de mon mariage-refuge, mariage-fuite, ça refait surface en bloc. Ça revient dans chacune de nos chicanes.

— Cette situation n'est pas facile ni pour toi, ni pour elle.

— C'est une situation fausse, en fin de compte, avoua Guy bien décidé de vider la question. Là, j'sais plus quoi faire avec ça.

— T'es vraiment le seul à pouvoir décider, dit grand-père.

— Ah si je pouvais faire comme vous autres, Francis, Claudine! Mais Marie me surveille, me jalouse. C'est mon « bavard » qui enregistre tout comme dans les camions long courrier. Je pense qu'elle préférerait me voir la tromper avec une femme plutôt qu'avec un homme.

— Nous autres, on s'est blessé, puis ajusté, résuma Francis qui, après, regarda sa femme. Mais si notre enfant devenait narcomane, ou un de nous, infirme, ou vivait une autre situation grave, je pense que toute notre négociation serait à reprendre. Il faudrait s'ajuster. Es-tu d'accord, la femme, comme dirait Séraphin?

— La femme est d'accord, sourit Claudine, mais je t'avertis, jeune Labrecque, tu ne m'ajusteras jamais à la galette de sarrazin!

196

Et commencèrent les petites taquineries-maison que Guy suivit avec plaisir et étonnement. Jamais ce style ne serait possible avec sa femme. D'ailleurs, Francis et Claudine faisaient exprès devant Guy. Distrait, Guy se demandait: « Pourquoi? Qu'est-ce que je négocie comme nouveau contrat?... » Dans sa tête, les questions pleuvaient sans réponse, pendant que les gais lurons de l'Ange-Gardien s'en donnaient à coeur joie. Lui, le petit exilé de Saint-Césaire, bien planté dans la quarantaine, se demandait encore quoi faire avec sa vie. Sa nouvelle vie... car il se sentait déjà mûr pour briser les interdits.

Ce qui fascinait le plus Guy, en ce moment, c'était la facilité avec laquelle Claudine parlait de la bisexualité de son mari. Elle venait justement de le traiter de « tricoté lousse » sous les rires de tous, Francis inclus. Les farces à double sens, parfois salées, se multipliaient. Claudine exagérait l'importance, voire l'unique importance de la femme dans les échanges intimes et Francis, mi-figue, trois-quarts raisin, louangeait à l'excès les prouesses des hommes entr'eux. Mais tous savaient que, le soir venu, sagement, les deux adversaires iraient au lit resserrer les mailles du tricot prétendument affalé.

Guy, de son côté, avec le jeûne sexuel que lui imposait la guerre familiale et le réveil de vieux phantasmes que soulevaient les discussions sur les raisons de son mariage, décida de « flirter » au moins avec les idées. Il commença par s'impatienter de voir les jeunes Gais de dix-huit ans partager le même appartement sans que ça leur cause de réels problèmes.

— Es-tu jaloux, se moqua Francis?

— OUI!... je suis jaloux! affirma Guy très clairement. Je suis jaloux de tout ce qu'ils peuvent vivre, comparé à nous il y a vingt ans. C'est une injustice!...

Le groupe sourit, grand-père nuança:

— Pas si facile encore, tout de même.

Mais Guy revenait sans cesse sur les Gais, l'amour gai, la vie gaie d'aujourd'hui, etc. Les circonstances aidant, Francis s'approcha de Guy resté seul par hasard et lui souffla à l'oreille:

— Sais-tu que tu commences à m'exciter drôlement?
— J'en peux pus, Francis! J'en peux pus!... C'est maigre et jeûne là-dessus à la maison depuis des mois. Marie est bouchée ben raide. De ce temps-là, pour le sexe, elle est aussi sourde, muette, aveugle que le fantôme d'Elen Keller!...

Au milieu du fou rire de Francis, Guy continuait la liste de ses malheurs du matelas.

— Tu vas pas loin avec ça!... Pis, le spiritisme, c'est pas mon fort!...
— Arrête, supplia Francis, plié en deux par le fou rire. Arrête!...

En entendant Francis rire à tue-tête, toute la famille s'est précipitée. Claudine et grand-père se sont bien amusés; les deux enfants, beaucoup moins.

— Bien oui, leur expliqua grand-père, Elen Keller, c'était une dame sourde, muette, aveugle, et décédée depuis quelques années.

Guy avait retrouvé sa bonne humeur; Francis en profita pour le corrompre en lui sifflant à l'oreille:

— Tu viendrais pas faire le tour du Village gai ce soir avec moi?

Guy s'est allumé.

— Ah ben là, j'viens de « jacker »!

Francis pouffa encore de rire et lui confia avec un clin d'oeil:

— Ici, après souper.

Chacun, après son train d'étable, son souper, se retrouva en pleine complicité à la limite du défendu.

— Claudine, on s'en va à Montréal... pour affaires.

Voyant l'air des deux compères, surtout de Guy, chic, parfumé, habillé serré, frétillant, émoustillé, souriant d'un bout à l'autre, trois fois et cetera –et tout ça en un seul coup d'oeil comme une femme en a le secret– comprit tout.

— Va pas échapper d'mailles, là-bas, Francis!

Francis sourit et salua. Guy ne portait plus à terre. Redevenu un jeune adolescent, c'est comme s'il partait pour son premier rendez-vous galant.

— Te rends-tu compte, Francis, c'est la première fois depuis vingt ans? Là, pour la première fois, j'ai l'impression de tromper ma femme:... pis j'aime ça!

Francis mit la main sur la cuisse de Guy qui en fit autant: ils venaient de prendre l'autoroute.

— Quand on ba-ti-fo-lait ensemble, nous deux, et parfois avec Michel, je n'avais pas l'impression de tromper Marie. Mais ce soir, il me semble que je me libère, que je suis enfin moi-même. Pour un Gai, vivre sur le frein dans un mariage hétéro pendant vingt ans, ça fait rouiller la pédale... d'embrayage.

Francis sourit au jeu de mots, mais surtout au jeu d'un homme exalté par la redécouverte de lui-même. Guy parla sans arrêt... même des vaches –évidemment, c'était en passant à Marieville–, de la nouvelle balance pour camions à la hauteur de Brossard... etc.

— As-tu vu le beau gars qu'on vient de dépasser?

Francis fit exprès.

— Tu vas en voir, et des bien plus beaux sur la rue Sainte-Catherine, pis sexés comme c'est pas possible... pis surtout qui marchent et s'en cachent pas. Pas comme par chez nous, en campagne, où ça prend six mois, des fois

199

deux ans, avant de réussir à le faire admettre à ceux qui marchent de toute évidence. Tu sais que les Gais ont un sixième sens pour détecter les gars qui marchent?

— C'est vrai, mais je l'avais oublié. Sais-tu, Francis, t'es vraiment chic de me sortir ce soir! Je pense que j'en avais besoin plus que jamais: de la sortie et du monde gai.

— Des amis, c'est fait pour ça.

Le Pont Champlain, l'autoroute Bonaventure et hop!... le cœur de Guy battait la chamade sur la rue Sainte-Catherine. L'auto stationnée près de Saint-Laurent, les deux conjurés sont partis à pied, lentement, se laissant baigner par l'atmosphère.

— Je n'aurais jamais cru qu'on pouvait être aussi bien ici. Comment tu t'sens, Francis?

— Comme chez moi.

Devant la vitrine d'un magasin de cuir, celle d'une boutique érophile, se sont arrêtés. Surpris, ébahis, excités.

— Tiens, un club. On entre?

Atmosphère de fumée, d'odeurs, de bruits. Foule tassée, préoccupée, bigarrée. Spectacle de travestis. Il fallait boire: Guy prit une bière; Francis, une eau gazeuse qu'ils payèrent tous les deux le même prix. Puis d'autres clubs leur firent admirer l'agilité, grâce, souplesse des danseurs entassés sur la piste. En passant devant le Jonathan, le club de danseurs nus, ils furent attirés par les photos des « artistes » invités. Guy ravala sa salive et passa sa main sur sa cuisse à défaut de la passer sur son sexe.

— On entre, hein? supplia-t-il devant un Francis amusé qui avait innocemment planifié le Jonathan pour la fin.

— Tu sais, Guy, que Jonathan était l'amant de David?

Pourtant en ce moment, pour les deux compères, la Bible était à plusieurs millénaires de leurs préoccupations. Trop pressés pour voir le spectacle, ils avancèrent trop rapidement dans l'entrée sans laisser à leurs yeux le temps de s'habituer à l'obscurité et bousculèrent quelques clients. Des excuses bâclées firent sans doute penser qu'ils étaient ce qu'ils avaient l'air, c'est-à-dire, des habitants fiévreusement en manque, venant saliver devant de trop beaux grands gars en érection. Dès que Guy vit le premier danseur en action, il s'écrasa sur la première chaise à portée de sa faiblesse.

— Non, c'est pas vrai! Ça peut pas être vrai!

Il mit la main sur sa mécanique qui pompait l'huile abondamment et resta dangereusement stationné devant son parcomètre sans le sou qui désirait marquer en grosses lettres et en rouge: VIOLATION! Seuls ses yeux bougeaient, mais seulement de haut en bas. Les neuf choeurs des anges chantaient sur le corps de ces archanges et décuplaient la puissance du spectacle de ces magnifiques chérubins. Ils exerçaient une telle domination sur Guy qu'il ne vit pas le serveur intéressé qui partit bredouille en le prenant pour un Séraphin. Guy se sentait très agréablement pénétré d'une principauté, assis sur un trône, surtout lorsqu'il goûta aux vertus de la bière que Francis lui avait payée. Il en prit une gorgée et l'oublia, buvant surtout le spectacle des yeux. Francis regardait beaucoup plus Guy que la céleste cohorte sans les malencontreux petits nuages auxquels les livres d'images hagiographiques les avaient habitués. Guy finit par se rappeler la présence de Francis.

— Je savais que ça existait mais... quand même... je pensais pas que...

Chaque geste et déhanchement venant couper ses mots, Francis se contenta de l'idée. Guy s'adapta à la situation et ne parla que par exclamations: les Ah! les Oh! les « As-tu vu ça? Et quelle longueur!... Sa verge mesure bien... »

Le kilométrage se confondit avec... le volume... de la musique.

— Non!... quel beau musclé!... C'est beau son petit attelage en cuir!

Guy avait dû épuiser son inventaire d'exclamations quand une pause du spectacle fut annoncée. Haletant, il vida sa bière d'un seul coup. Le serveur revint, le regarda, soupçonneux:

— Monsieur?...
— Est-ce qu'il va en venir d'autres?
— Si vous en commandez.
— J'en ai déjà l'eau à la bouche.
— On sert surtout des boissons, monsieur.
— Nu?
— Si vous voulez, je peux venir danser à votre table, nu. Pour cinq dollars plus un pourboire à votre discrétion.
— Je vais prendre toi... et deux autres bières: je serai dérangé moins souvent.

Francis s'étranglait à rire sous cape et probablement le serveur aussi en se retournant. Guy, complètement parti, se foutait de tout, s'envoyait en l'air.

— Francis, il va venir danser ici!
— Le trouves-tu à ton goût?
— Ils sont tous superbes. Ah j'suis assez content! Ah que tu as été fin de penser à ça!

Les bières arrivèrent, la danse commença... et Guy chavira. Noyé. Un beau grand gars qui se coule et s'écoule devant un homme sevré depuis vingt ans, ça ne peut que faire des dégâts. Et il en fit. Le danseur ayant deviné la situation, et pressentant un bon pourboire, en mit plus que moins. Les caresses à tout son corps, –tout, incluant partout–, les mimiques du plaisir jusqu'à la souffrance, les mouvements lascifs qui venaient fouiller Guy jusqu'au tréfonds des entrailles, les regards de côté, de face, d'en arrière, l'oeil brillant, à demi fermé, la paupière sombre firent sombrer Guy dans un coma existentiel qui le laissa paralysé où seules devaient survivre quelques fonctions essentielles, et tout au plus au ralenti. Guy était pâmé.

— C'est-tu à ton goût, Tit-Guy? demanda Francis pour ne pas le laisser sans connaissance pendant son extase.

— J'ai envie d'mourir!...

Il revint à la vie un peu plus consciente, toujours aussi raide sur sa chaise. Le danseur venait d'enlever son minuscule cache-sexe qu'il avait laissé tomber au bout du nez de Guy qui le prit dans ses mains sans détourner son regard de la vision béatifique. Là, ce furent les foulées par en avant, les épaules rejetées vers l'arrière, poussant dans une valse céleste et le valseur et les valseuses. Une petite plainte en hein... étouffés s'échappait du Guy transformé en suées et respirations saccadées. Tout le divin appareillage du beau danseur s'approchait de plus en plus, semblait grossir à vue d'oeil sous l'excitation homérique de Guy. Le messager des dieux apportait son message si bien emballé et si près des yeux, des lèvres, de la bouche que les mains du mortel se tordaient d'impatience. Puis la torture du mouvement s'arrêta pour une torture encore plus raffinée. À portée de langue et d'appétence de la victime blême et exsangue, maintenant immobile devant les yeux écarquillés du torturé, le pain des anges s'offrit, gros, immense, essentiel, frais et plein de fibres alimentaires. Guy, comme hypnotisé, ouvrit lentement la bouche à pleine grandeur et goûta dans sa tête la nourriture des dieux directement descendue de l'Olympe et servie sur tout le corps d'un Apollon qui en avait long. N'en pouvant plus, Guy leva les deux mains et les plaça derrière les cuisses du dieu fait bonne chère, désirant l'initiatique pénétration dans le saint des saints. Mais l'intouchable divinité se retira et le voile du temple se déchira. Le dieu venait d'expirer. La frustration ressentie par Guy lui coupa les ailes et le laissa choir, comme une vieille poche de guenilles, plusieurs siècles plus bas où riait un Francis exalté... La divinité aussi amusée –comme quoi le ciel n'est pas aussi statique et de papier mâché que nous le montrent les images– reprit son cache-paradis et empocha. Le pourboire seul lui aurait suffi, mais Guy qui venait de descendre aux limbes à cause de son projet mort-né sans être ondoyé d'un jet divin, ne se préoccupait plus des nourritures terrestres et donna beaucoup trop. Il avait confondu le message et le messager: McLuhan exultait.

Il finit par se tourner vers Francis:
— Moi, c'est ben simple, j'en peux pus!...

Avec le « pus », ses poumons se sont vidés de tout l'air non expiré des dernières cinq minutes et de toute la tension qui lui cramponnait les rognons.
— Ah moi, chu pus capable!...

Francis lui montra ses bières qui traînaient là.
— Ta bière croit que tu es malade.
— Le marchand de paradis m'a assoiffé.

Et il vida presque tout en très peu de temps.
— Francis, j'ai pensé défaillir... Là, faut que je respire parce que je meurs d'une attaque d'apoplexie.
— Oui, respire, parce que le spectacle reprend.
— Francis, viens m'aider, supplia le rationné pendant vingt ans qui serrait à deux mains son billet de rationnement.

Ils se sont assis très près l'un de l'autre et passé le bras autour du cou. Francis remarqua sans peine une violente érection ... et tout l'intérêt de son ami pour la suite du spectacle. Moult étalons superbes, moult perfections, beautés, en solos, en duos, en toutes sortes de positions, combinaisons... de groupes et surtout sans combinaisons, transportèrent ces voyageurs de l'espoir impossible sur une île enchantée où s'épivardaient d'irrésistibles sirènes toutes en queues.

La fête continua, mais il fallut bien à un moment donné se résigner à sortir. Sur le trottoir, juste devant eux, marchait un couple d'hommes en se tenant par la main. Francis prit lentement la main de Guy qui se raidit.
— Tu n'y penses pas!?

— Bien oui, regarde en avant.

— J'ai vu, mais...

Guy a cédé à moitié et diminué sa vitesse, marchant presque sur le bout des pieds. Il se demandait si le ciel était pour lui tomber de nouveau sur la tête. Il ne fournissait pas à vivre toutes ces émotions, à refaire sa vie.

— Ah non! c'est pas vrai!!!

Deux gars s'embrassaient. La main de Guy s'est toute mouillée dans celle de Francis. Dépassé par les événements, Guy supplia:

— Arrête. C'est pas vrai! J'arrive pas à croire. Pis... ils s'embrassent encore!

Hypnotisé, Guy serra très fort la main de son copain.

— Francis, j'ai envie de faire l'amour.

Francis, comme si de rien n'était, le poussa lentement vers le mur et, face à face, a ouvert ses bras, a collé voluptueusement tout son corps sur celui de Guy, les hanches bien ajustées, sexe sur sexe, les deux bouches se sont rencontrées. Ouvertes, mouillées, fiévreuses, les lèvres se sont passionnément caressées, les langues se sont mêlées, les hanches ont bougé, Guy a fortement soupiré... etc., etc., etc. Francis a senti une chaleur, a accentué la pression en délicieux roulis et tangage sur la coque du pétrolier qui venait de couler. « Quel merveilleux naufrage, pensa-t-il, et pas dangereux pour l'environnement! » Guy, le menton encore appuyé sur l'épaule de Francis, la bouche grande ouverte, soupirait comme un vieil engin qui remonte une côte. Certains passants l'ont regardé, et continué, pensant qu'il pleurait. Peut-être, mais ils n'avaient pas vu par où étaient sorties les larmes du matin.

— Ouach, c'est collant, gluant et froid maintenant. Marcher avec du blanc d'oeuf aux cuisses!... grimaça Guy les jambes toutes croches.

— Ah, j'savais pas qu't'avais un oeuf... à la coque: excusemoi d'avoir frappé ton bateau, sourit Francis.

— P'tit drôle, attends que j't'attrape le gouvernail!...

Guy poursuivit Francis en riant et criant à tue-tête. Puis se sont calmés. Et comme des gars qui viennent de briser les pires interdits, ils ont examiné la situation: « Qu'est-ce qu'on fait à c't'heure? » Comme deux enfants qui ont essayé leurs bottes... dans l'eau du printemps et qui se retrouvent tout mouillés: « Que va dire maman?.. »

— Ça paraît- tu gros?

— Non, ça rapetisse.

— Ah non!... J'veux dire...

— Ben non, ça paraît pas avec tes culottes foncées.

— Excuse-moi encore une fois. Ou merci...: j'ne sais plus quoi dire. Ah Francis, j'me sens complètement fou. Ça fait vingt ans!... J'vois des hommes qui se tiennent par la main en public, semblent à l'aise, s'embrassent sur la rue...

— D'autres, sur la bouche, continua Francis en se moquant.

Et plusieurs passants médusés virent rire et courir, en pleine nuit sur la rue Sainte-Catherine, deux habitants de la Rive-Sud comme deux queues de veaux au printemps... en invoquant à tue-tête Elen Keller.

# 20

Daniel gonflait la poitrine, mais réussissait de moins en moins, maigrissait. Se décharnait. Grandissait en orgueil: mince, sec, gauche, sans consistance. Devenait vulnérable. Dans son état, il avait besoin d'une meilleure image. Pour compenser son apparente faiblesse physique, il avait besoin de prestige. Peu importe lequel. Il choisit le plus facile d'apparence: le dur. « J'dois passer pour un tuff! » Discrètement, a remarqué les attitudes et comportements de ceux qui projetaient l'image désirée. Aux nouvelles de la télé, il remarquait surtout les faits d'armes des bandes des grandes villes, se fit une idée avec le temps et précisa son plan. Ne se départissait plus de sa veste de cuir et compléta son coup d'oeil par des poignets cloutés et de hautes bottines noires lacées. Puis ce fut l'événement le plus gros, le plus déterminant pour ses parents: Daniel se fit raser.

— « Skin head », c'est mon « bag ».
— Qui c'est ça encore, ces fous-là? cria sa mère.

Guy appuya sa femme, Daniel leur tint tête en se convainquant: « Il faut être tuff partout, pas seulement devant les copains, les filles, à l'école. Les p'tits vieux, les étrangers. » Il pensait « tuff », agissait « tuff ». S'arma. Un couteau toujours caché à la maison fit son petit effet partout ailleurs. Devant des miroirs, prenait des airs de « tuff », étudiait ses effets. Devant les plus jeunes, plus faibles, se pratiquait. Au début, il trouvait parfois difficile de bousculer, d'insulter, mais se fermait aux sentiments. « Pas de faiblesses, seule compte la coke. » Il avait maintenant amadoué des plus âgés, plus « tuffs », leur parlant en complice, offrant une « sniffe ». « Maintenant, j'pense que j'fais partie d'leur gang », espéra-t-il. Ses parents et amis n'existaient plus: « J'ai sorti d'la marmite. »

Une seule exception: sa petite soeur... mais en cachette. Elle le regardait arriver avec ses grands yeux tristes. Un jour,
— Qu'est-ce que t'as fait Daniel, ça fait trois jours...?
— Regarde ce que j't'ai apporté. Quand tu écouteras c'te musique-là, tu penseras à moi.
— Des fois, j'ai peur pour toi. Qu'est-ce que j'vas faire quand tu seras pus là?
— J'vas toujours être là, voyons.

Ils se serraient parfois dans les bras.
— Oh qu'est-ce que t'as au bras?
— Ah ça fait même pas mal. T'occupe pas, p'tite soeur. J'ai d'l'argent maintenant: veux-tu autre chose?

Il a fallu insister pour la faire répondre. Et attendre.
— J'm'ennuie de toi. J'ai peur. Papa, maman parlent seulement de toi: c'est comme si j'étais pus là.
— Moi, j'vas toujours m'occuper de toi. Qu'est-ce que tu voudrais?
— C'est fou...
— Dis quand même.

— Des fois, je rêve de partir en fusée avec toi. Ou bien courir, jouer dans un champ plein de fleurs. On rit, on se pousse, on a du plaisir. On cueille des fleurs, se taquine, on est heureux.

Après un silence,
— Des fois, j'me vois dans un cercueil... à deux places.
— À deux...?
— Je suis très belle avec ma robe rose, je me retourne vers toi, je te souris. Tes cheveux ont repoussé, tu es comme avant. Puis on se replace et redevient sérieux. On joue bien notre rôle. Le cercueil s'élève, nous balance douce-ment, on se sent comme un cerf-volant. On redescend, regarde ce qui se passe en bas... on est heureux. Puis, on se retrouve ici dans mon lit, couché un à côté de l'autre.

Daniel l'écoutait, médusé. Il l'avait suivie dans son rêve et se sentait devenir triste. « J'suis un tuff ou j'en suis pas un?.. » mais devant le regard d'une enfant malade dont il était le seul médecin:
— P'tite sœur, c'est beau tes rêves. Un jour, j'vais t'amener dans un grand champ plein de fleurs. Mais pas de cer-cueil.
— Viens coucher ici tous les soirs. Toute seule sur l'étage, c'est si grand! Je m'ennuie la nuit.

Sylvie sentait le besoin d'entendre respirer dans la cham-bre d'à-côté. Le rythme de la vie d'un autre l'inspirait. Ne sachant pas trop préciser, elle bégaya son idée:
— Ça m'aide à... Quand tu n'es pas là, des fois, j'essaie de ne plus respirer... le plus longtemps possible. Je viens toute étourdie dans ma tête, c'est comme si je perdais un peu connaissance. C'est-tu comme ça quand tu t'piques?

Peut-être que, dans sa tête de petite enfant du silence, la vraie question à poser était plutôt: « Est-ce que c'est ça que t'essaies de faire quand tu te piques: arrêter de respirer?... Essaies-tu de perdre connaissance?... » Mais les mots du délire, souvent plus près de la réalité que ceux de la logique, se diluèrent dans le vide et l'impuissance. Daniel expliqua encore une fois à sa soeur l'euphorie de la piqûre avec une telle fougue et conviction que Sylvie se demanda si un jour, elle ne l'essaierait pas à son tour.

— Dors bien, p'tite soeur.

— Toi aussi, mon grand cerf-volant.

Daniel sentit vaguement tout l'étrange des paroles d'une enfant isolée, victime de l'accoutumance du silence, de l'isolement... et s'endormit. Toute la nuit, lui sembla-t-il, il tira sur la corde d'un cerf-volant transformé en large cercueil où, sans les voir, s'amusaient deux enfants. Il craignait toujours que tombe le cerf-volant, que chavirent ses occupants. En même temps, se sentait en équilibre instable sur l'autre bout de la corde fragile. Dans les airs, il tremblait à son tour.

Dans un cercueil, il voguait. Que c'est difficile de vivre comme un oiseau blessé dans un cercueil volant! Tout menaçait de chavirer. Puis il se retrouvait au sol, tentant de contrôler l'équipage volant qui, maintenant au-dessus de sa tête, bascula. Une vision d'horreur: une morte terriblement blanche, les yeux rouges et agrandis, les cheveux hérissés tombait sur lui, bouche grande ouverte en hurlant. Dans un cri étouffé de cauchemar, Daniel, tout en sueurs, se réveilla. Il souleva sa tête de l'oreiller mouillé, bougea, se frotta les yeux pour chasser la vision d'apocalypse. Son coeur battait si fort! « Pourquoi j'ai rêvé à ça? » Peu à peu, Daniel s'est raisonné et recalé dans une autre position. Pour calmer sa frayeur, il écouta la présence de sa soeur. Rassuré au calme apaisant des profondes et lentes inspirations, il sentit vaguement l'importance d'entendre auprès de soi quelqu'un respirer.

Au matin, Daniel s'empressa de chasser le souvenir de son rêve qui le harcelait. Il choisit de bougonner et massacrer toute la réalité. Sa mère encouragea son modèle en l'imitant et Sylvie, tendue, semblait ne rien remarquer. Guy sans rien dire repartit pour l'étable. Près du chemin, en voyant arriver l'autobus scolaire, Daniel calmé souhaita tout de suite: « Bonne journée! » à sa soeur parce que, devant les autres, il ne lui parlait jamais. Et quand la porte s'ouvrit, monta, froid et méprisant sous la lame et le cuir, un jeune macho fragile.

Daniel quitta bientôt l'école, découcha de plus en plus souvent, vivait en « gang ». Il commerçait la drogue et son corps. Volait. Ses retours à la maison, toujours marqués de confrontations, s'espacèrent. La petite soeur dépérit. Un jour, Daniel téléphona:

— Maman, j'peux-tu parler à papa?
— Il est dehors.
— C'est important, j'vas attendre.
— Qu'est-ce t'as fait encore?
— Vas-tu aller chercher papa!?... cria l'enfant retenu au Bureau de la Protection de la Jeunesse.

Il ne demanda rien, mais espéra que ses parents feraient quelque chose. Tout.

— Pour vol. Ils pensent que je vends d'la dope.

Guy hésitait.

— On pensait que tu nous avais oubliés.

Impatienté sous l'aiguillon, violent:

— Bon, fais-tu quelque chose, là!?!...

Guy faillit raccrocher sans répondre.

— On va voir à ça.

Encore une fois, Francis, grand-père et Claudine, unanimes. « Tiens tes promesses. Rappelle-lui votre entente... » Les parents, en front commun, rencontrèrent le grand adolescent embarrassé.

— Tu le sais qu'on t'aime, on veut ton bien, on ferait tout pour que tu te conduises comme du monde. On a tout essayé: tu nous as dit que tu étais assez vieux et de te laisser tranquille. Quand tu seras prêt à te faire désintoxiquer, on va tout faire pour t'aider: on te l'a promis.

— C'est pas parce que je prends un peu d'drogue...

— Assez pour être obligé de voler, contredit sa mère.

Daniel fit sa crise; sa mère aussi. À la fin, le père resté calme rappela:

— On va voir ce qu'ils prévoient pour toi, et toi, tiens-nous au courant. Tu te souviens de notre entente, déjà?

— Oui, mais là, j'suis faite pour le Centre d'Accueil fermé, au moins.

— Veux-tu t'faire désintoxiquer?

— Pis vous autres... voulez-vous vous faire désintoxiquer?...

La maman piquée au vif démontra la nette différence entre les deux situations et ils se quittèrent en mauvais termes.

Le lendemain soir, Francis et grand-père visitèrent Daniel avec Sylvie.

— On t'a amené ta soeur qui s'ennuyait.

Les deux enfants gênés se sont très peu parlé.

— Je veux que tu reviennes à maison. Je fais des... rêves quand t'es pas là. J'ai de la misère à respirer.

— Moi aussi, j'voudrais, mais j'peux pas. Ça dépend de papa pis d'maman: parle-leur z'en.

— J'aime mieux que tu reviennes.

Francis et grand-père avaient toujours entretenu une bonne relation avec Daniel. Peu de contacts mais bons. Ne pas être directement responsables de lui comme pouvaient l'être ses parents dégageait la relation d'un certain aspect coercitif et éludait l'aspect autorité qui répugne si souvent aux adolescents. De concert avec le psychologue et la travailleuse sociale, on essaya de mieux évaluer le dossier, de mieux cerner la meilleure décision pour Daniel. Grand-père parla de Boscoville. Mais c'était loin, c'était plein: il fallait attendre.

Francis hésitait toujours devant les institutions en général. Sans trop préciser, il parla de la maison de désintoxication qui l'avait tant aidé.

— Richelieu, c'est juste à côté.

— Est-ce qu'ils prennent des gars si jeunes?

— Oui, répondit Francis, mais si Daniel ne veut pas se faire désintoxiquer, ne le demande pas, on perd notre temps.

— Ca, c'est pas fait, affirma la travailleuse sociale. Faudra prendre une décision et quelle qu'elle soit, elle ne sera pas parfaite.

Le juge opta pour la désintoxication obligatoire.

— Et estimez-vous chanceux, Daniel Martel, parce que sans cela, c'était le Centre d'Accueil fermé jusqu'à votre majorité.

Après la désintoxication, Daniel devait aussi garder la paix jusqu'à sa majorité. Francis, se rappelant ses différentes condamnations à la désintoxication, n'avait pas confiance.

— Le Centre qui affiche le meilleur taux de réussite, c'est vingt-huit pour cent. Il est situé près de Trois-Rivières. Imagine les autres, grand-père!

— Entre nous, Francis, je pense qu'une vraie désintoxication pour Daniel va être bien difficile tant que le climat familial ne se sera pas amélioré...

— Parlent-ils de divorce? demanda Claudine.

— Pas avec moi. Peut-être entr'eux.

Dans le silence qui suivit, Francis songea:

— Si la narcomanie est amenée par une cause familiale, sociale, pour s'occuper efficacement de la victime, il faut s'occuper d'abord efficacement des causes.

Daniel partit pour sa cure. Il avait dix-sept ans.

# 21

L'abstinence sexuelle conjugale mettait Guy en combustion. Même qu'il se transformait en fournaise à combustion de moins en moins contrôlée. Le registre hermétiquement fermé, le tuyau complètement bouché, les gaz dangereusement s'accumulaient. Les crampes à son bas ventre se multipliaient. Guy, avec sa chaudière allait exploser. Marie le tisonnait, remuant de vieilles braises qui refusaient obstinément de s'éteindre comme tout bon tison dans un petit nuage de poussière et de suie à odeur de créosote. Guy regimbait sous l'aiguillon et sa bûche se consumait stérilement sans transmettre lumière et chaleur. Un noeud parfois éclatait sous la pression calorifique mais ce cri primal ne réussissait jamais à devenir relation, chacun se refusant orgueilleusement à faire les premiers pas et s'offrir à l'autre comme tuyau d'échappement. La pression augmentait donc toujours et le foyer menaçait d'exploser. La tire de la longue cheminée des habitudes ne réussissait qu'à attiser les besoins et non à évacuer les petits surplus. Leur rétention se transformait en gaz asphyxiants, en scories de toutes sortes, en pollution contre nature et pollutions nocturnes, annonçant d'autant plus le feu de cheminée. Si tout l'édifice ne devrait pas brûler nécessairement, au moins quelques tuiles pouvaient pétasser, se briser et leur tomber sur la tête. Guy et Marie vivaient dangereusement dans leur foyer où les cendres déjà s'accumulaient.

Malgré cette constipation sexuelle dans le couple Martel, Claudine se questionnait encore sur le bien-fondé d'attirer Guy dans le Village gai...

— ... le retourner à ses racines, ajouta-t-elle avec un petit sourire. Ce n'est pas l'éloigner de sa femme, le pousser à l'infidélité d'abord, au divorce ensuite?

— Chose certaine, je n'ai pas pensé à ça en offrant le voyage à Guy. Tout ce que j'avais dans la tête, c'était lui faire plaisir, le sortir un peu de ses problèmes, le détendre.

— Moi, dit grand-père, je suis d'accord avec Francis. Seulement pour distraire Guy, lui changer les idées même s'il est revenu soûl comme une botte, ça valait l'coup.

— ...ça valait l'coup...: sacré grand-père. Mais sa femme?

— C'était la protéger. Guy est tendu dangereux depuis quelques mois. Venir nous voir si souvent, pleurer presqu'à chaque fois: Guy est à bout de nerfs. Faire baisser sa pression va lui permettre de voir plus clair. Tu sais, on réfléchit mal quand on s'gratte.

— Oui, mais...

— C'est un peu gros, je le sais, je ne dis pas que Guy est rendu là, au contraire, il n'y pensera peut-être même jamais. Seulement, Claudine, pense au nombre de maris qui ont tué femme et enfants avant de se suicider. Et multiplie par mille pour tous ceux qui ont battu, brusqué violemment leur famille sans se suicider. Et qui, la plupart du temps, n'ont subi aucune dénonciation. Et surtout, remarque que cette violence conjugale n'est pas un phénomène de Gais nécessairement.

216

— Oui, je sais. Guy, j'en suis convaincue, tournerait sa violence contre lui-même, non sur les autres. Mais avant le meurtre ou le suicide, on peut faire bien du mal. Guy et Marie ont déjà transformé leur ménage en enfer.

— Oui, compléta Francis, respirer, vivre, vaut bien quelques sucettes, un peu d'sexe. Guy, ça lui prend moins que rien pour le porter aux nues. Ah si vous l'aviez vu!...

Francis conclut dans un sourire moqueur en regardant grand-père:

— Ça brûle vite une vieille grange!...

— Et les p'tits niques à poil aussi!... alluma Claudine à brûle-pourpoint.

Francis tout surpris, éclata de rire avec grand-père. De grandes vagues d'affection et d'admiration vinrent encore une fois caresser Claudine qui sentit toute la chaleur des deux hommes de sa vie. Grand-père finit par continuer son raisonnement.

— La société est pensée, organisée, dirigée par une mentalité macho. Le mâle a droit de vie et de mort sur sa femelle et les autres faibles, inférieurs que sont ses enfants. En état de crise, ce bas-fonds inculqué, justifié, nourri par des millénaires de pouvoir politique et religieux dictatorial remonte en surface, et c'est l'inconscient collectif barbare qui prend les armes. « La femme est mon esclave et ses enfants m'appartiennent. Ma femelle ne sera pas libre sans moi parce que je suis sa liberté; elle ne sera pas heureuse sans moi parce que je suis son bonheur. » Et c'est cette même base anthropologique du pouvoir, je dirais, qui fait mépriser les Gais que cette dictature mâle considère comme des traîtres. Moi, je trouve que c'est pour ça que la lutte de libération des femmes et la lutte de libération des Gais est la même. Elle a les mêmes causes, la même origine, les mêmes objectifs. Lutter pour le respect des femmes, c'est lutter pour le respect des Gais et vice versa.

Francis, haïssable tant qu'il pouvait, s'est mis à applaudir, mais Claudine continuait à faire ses tartes.

— Sais-tu, grand-père, ironisa Francis, tu n'as pas besoin d'aller dans le Village gai pour te défouler!

Claudine, en bonne ménagère attentive à tout, et qui aimait bien saler la conversation :

— Je pense que c'est déjà pas mal gai, ici, hein, Francis?

— Oui, ma Claudine. Tu mets tellement de gaieté partout où tu es, répliqua Francis en allant lui donner une beau bec entre les... deux pâtes à tarte.

La belle Claudine toujours calme s'est retournée à demi et, tenant comiquement levé son rouleau à pâte, a répondu:

— Mais restent Marie et ses enfants: ils ne font pas partie de l'andropause ou l'anthro... d'autre chose de grand-père, que je sache.

Grand-père repartit:

— La violence n'est pas un problème conjugal, c'est un problème de gars. De gars qui ne savent pas exprimer leurs émotions, agressivités, colères. Guy est de ceux-là. Protéger Guy, c'est protéger sa femme et ses enfants. Lui montrer qu'on peut s'aimer comme il le voit ici, comme il le voit dans le Village gai à Montréal. C'est faire baisser sa pression et protéger sa famille. C'est lui ouvrir une porte de sortie, lui montrer qu'il y a autre chose, lui montrer que la vie ne se termine pas avec son problème. Es-tu d'accord?

— Même au prix d'un divorce?

— Un divorce vaut mieux que meurtres et suicide. D'ailleurs, Guy est Gai, pourquoi doit-il continuer à se torturer?... S'il est prêt à se libérer, sortir du placard comme on dit dans le milieu gai... Je ne crois pas que Marie soit assez ouverte et libérée de préjugés pour accepter tout compromis sur le sujet.

— C'est pas une petite Vaillancourt... sucra le beau Francis.

Le rouleau à pâte s'est relevé... accompagné d'un sourire odorant un délicieux dessert.

De l'autre côté de la rivière Yamaska, à Saint-Césaire, Guy mijotait. Devant le spectacle de ses désirs refoulés depuis vingt ans, une seule pensée lui suffisait maintenant, et son si long jeûne se sculptait dans son entrejambes. Guy étouffait dans sa peau et ses vieux vêtements. Guy vivait sa révolution française. En bon Robespierre, il avait cru en se mariant avoir guillotiné le bourreau. Maintenant c'était toute sa vie qu'il sentait remonter à la surface. C'était son identité qui lui fouillait les interstices, forçait les craques, fendillait le vieux mastic des soumissions séchées et lui secouait tout l'édifice patiemment érigé en mur, même en murmure contre lui-même et contre la société. Guy frémissait sur son socle, sentait le vertige l'envahir. « Non, c'est trop beau, trop bon pour moi, j'me suis privé trop longtemps! » Il ne le voyait pas claire-ment, mais le devinait, sentait: le mariage tel que vécu, c'était fini. Ce n'était plus qu'une question de temps. Ce n'était pas encore très clair dans sa tête, mais dès qu'il pourra assumer sa décision, le fruit mûr se présenterait et sa cueillette...: simple question de temps. Guy a résumé sa décision en se justifiant: « Les jeunes vivent, aujourd'hui à dix-huit ans, ce que j'ai toujours rêvé; j'en ai plus de quarante et je ne pourrais pas les imiter?... Suffit, Marie! Surveille tes poules, je lâche mon coq.»

Marie, de son côté, sentant son univers basculer de plus en plus, devint davantage soupçonneuse, voire agressive. Le premier tremblement de sa terre s'était produit devant le Directeur de la Protection de la Jeunesse où Guy s'était complètement révolté, et le volcan menaçait de sauter encore à tout moment. Elle eut le vertige, l'intuition de l'irréparable, le soir d'une sortie mystérieuse à Montréal avec Francis. « Ah celui-là, il débauche mon mari!... Un homme marié avec femme et enfants... » Marie n'eut droit à aucune explication, seulement à un Guy un peu plus songeur. « Qu'est-c'qu'il mijote encore, celui-là?... » Marie avait tellement rongé son frein qu'elle en mordait les sabots. À bout d'inquiétudes et selon son habitude, elle prit les devants.

— Guy, ce soir, il faut s'parler. Puis, dis-moé pas que tu peux pas, que tu sors, que t'as pas l'temps! Guy, on va s'parler! Point!

Guy avait cogité beaucoup depuis quelques jours. Il se sentait presque prêt, mais pas tout à fait encore à son goût. Il précisa:

— Si c'est pour faire une crise, c'est aussi bien de remettre ça à plus tard.

— Crise ou pas, Guy Martel, tu vas écouter c'que j'ai à te dire!

— D'abord, où es-tu allé avec Francis? J'veux une réponse, pas encore des faux-fuyants.

Sur un ton décidé, calmement, Guy répondit:

— Ecoute ben, là: maintenant, ce n'est plus du gueulage que je vais faire avec toé, c'est l'essentiel. L'important n'est pas de savoir où je suis allé, c'est de savoir où s'en va notre mariage. Pis si t'es pas capable de suivre mon rythme, eh bien, tu vas restée « pinée » là!

Marie, bouche bée, se pétrifiait. Sodome et Gomorrhe brûlaient sous ses yeux, son passé s'écroulait. Elle se sentait vaguement dans la peau de la femme de Loth changée en statue de sel devant la destruction de sa ville. Elle pressentait même la destruction de son avenir. Dans un moment plus « Léger » elle aurait pu se plaindre n'eut été la gravité de la situation:« Sodome, ô ma ville, tu t'es faite belle pour recevoir ta Princesse... et aujourd'hui, tu me transformes en salière. » Plus Ancien Testament que Nouveau, Marie menaça plutôt:

— Fais bien attention à c'que tu vas dire!...

Guy, décidé plus que jamais:

— Surtout depuis nos problèmes avec Daniel, on s'est rendu compte, toé aussi bien que moé, que ça marche vraiment pas nous deux. Et dans le passé, ça a très peu marché.

— Tu voulais une femme pour te couvrir, tu l'as eue. De quoi te plains-tu?

— J't'ai dit où j'en étais dans ma réflexion, penses-y toi aussi. Ça ne peut pas continuer d'même.

Guy refusant le combat sur son terrain, Marie se sentit désarçonnée. L'attaque étant sûrement sa meilleure défense, du tic au tac, elle se défendit par la tactique de l'attaque.

— Essaye pas de m'faire croire que tout est d'ma faute! C'est toé qui voulais te marier pour cacher que t'étais un fifi. Pis c'est toé qui m'as trompée, pas moé, et avec des fifis à part ça! Pis la maladie des enfants? Tu vas m'faire croire que c'est d'ma faute? Pis ta bière... un vrai soulon! Pis... pis... j'pourrais continuer longtemps.

— T'essaye de me blesser et c'est tout. De me dominer. J't'ai dit de réfléchir, pas de gueuler. J'te le dis une dernière fois: penses-y. Moi, ma décision est prise...: je réfléchis pour trouver une solution. La solution sera choisie avec toé ou sans toé. Chose certaine, il faudra une solution, parce que moé, j'ne continuerai pas d'même. J'ai pus l'goût d'gueuler, j'l'goût d'régler. Une fois pour toutes.

— C'est des affaires qui s'règlent à deux, ça, mon jeune, répondit Marie sur un ton de menace et de conclusion.

Il s'agissait de ne pas perdre ni la face, ni sa bonne habitude de domination. Les deux époux, pour éviter de se parler, s'occupèrent séparément à se préparer quelque chose à manger et allèrent se coucher. Marie s'approcha peu à peu de son époux, l'attoucha lentement pour sonder les coeurs et les reins, surtout les reins, prit un peu de vitesse et d'initiative pour finir par faire bouger Guy qui ne demandait pas mieux au fond, surtout au fond. Après deux mois de célibat forcé, les gestes de la nuit furent, de part et d'autre, bien acceptés. Marie venait de répondre à Guy en pensant à sa menace: Si t'es pas capable de suivre mon rythme, tu vas rester « pinée » là. Guy, enfin soulagé, se tourna de côté en remerciant tout bas Elen Keller.

Pendant ce temps, à l'étage, Sylvie réveillée aux cris de sa mère, tremblait. Elle s'était perçue comme une malade: humiliation; et comme victime d'un divorce possible de ses parents: insécurité. Tremblant de tous ses membres, elle commença à pleurer doucement, puis des flots jaillirent et des gros sanglots emplirent toute sa chambre. Elle se leva et alla se coucher en titubant dans le lit de Daniel. Elle enfonça sa figure dans l'oreiller et parla au grand absent. À mesure que sa prière s'écoulait, les sanglots diminuèrent et un certain calme l'envahit. Calme morbide, espèce de soumission au mal, refus de lutter. Elle se sentait s'enfoncer dans l'inconscience. La désirait. Avec Daniel, pour Daniel, ça valait la peine. « Je ne veux parler avec personne d'autre. » Seule, le cerf-volant tomberait. « Jouer à la mort dans un cercueil volant à deux places, c'est amusant. Jouer à la mort, seule, dans un cercueil à une place... Daniel, pourquoi t'es pas là? J'veux pas rester seule! Le cercueil est débalancé quand tu n'y es pas. Ça penche, j'ai peur, j'vais tomber. Le cercueil roule maintenant sur lui-même, de plus en plus vite, je suis toute étourdie... Daniel!... Tiens, le cercueil est arrêté, mais à l'envers... au-dessus d'un cimetière. Je suis couchée dans le ciel en regardant en-bas. Des pierres tombales me crient des noms, le mien aussi. Ma robe se déchire. De grands lambeaux pendent vers la terre. Les pierres rient, se moquent, m'appellent. Daniel! Je ne veux pas être enterrée sous elles, toute nue. C'est froid, la terre, pesant une pierre. Daniel! Je suis toute nue, j'ai honte, j'ai peur: viens à mon secours. Tire sur la corde du cerf-volant, ramène-moi au-dessus de chez nous. J'aime pas les cimetières. Ah oui, tiens, je sens que le cercueil est attiré, il bouge, se retourne à l'endroit: tu es là, Daniel? Je me penche au-dessus. Bien oui, là-bas, je te vois. Tu tires toujours doucement, mais ne souris pas. Est-ce bien toi? Tu sembles si indifférent! Je te crie: C'est moi, Sylvie! Me reconnais-tu? Tu sembles bien méchant. Tu tires brutalement le cercueil et le fais chavirer au-dessus de la maison. Je tombe, passe à travers le toit et tombe dans mon lit... mouillé. Tu n'entres pas dans la maison. On dirait que tu rôdes autour comme un loup-garou, fais peur aux animaux et me reconnais plus comme ta petite soeur, « ta préférée » tu disais avant. Non. Transforme-toi en Daniel. Viens coucher près de moi. J'en veux pas d'autre que toi pour parler. Ton vrai toi comme quand on était petit. Vite, Daniel, j'ai peur de repartir en cercueil. Je m'accroche à toi, à ton oreiller. Viens, Daniel! Viens!... »

Daniel ne répondait pas. Ronflait dans son Centre de désintoxication. Il faisait son temps dur. Faisait semblant de répondre aux demandes, de s'exprimer, juste assez pour éviter des problèmes. Juste assez pour être libéré le plus tôt possible. Il disait son père « ben correct » il descendait sa mère et gommait sa soeur. Pas moyen de lui faire dire ses sentiments envers elle. Se sentait parfois un peu triste en pensant à sa tristesse. « Lâche pas, Sylvie; moi non plus, j'lâche pas. » Mais Sylvie n'entendait pas, elle pleurait dans l'oreiller de son frère.

# 22

L'Ange-Gardien était une petite ville tranquille, sans histoire. Le dernier grand événement: la nouvelle école secondaire qualifiée de polyvalente, avec piscine, s'il vous plaît. Bâtie en dehors de la ville, « dans l'champ » comme disaient les gens –forcément, pour être sur la terre de l'organisateur du parti politique au pouvoir– la nouvelle polyvalente demandait un nom. Qui, quel groupe serait immortalisé par le patronyme du monument? Les pressions se sont manifestées, voire multipliées. Le Commissaire d'école régnant aurait bien aimé lui donner son nom: Polyvalente Auguste-Grenier. Mais ce clinquant aurait pu trop choquer. Il s'est rabattu sur le nom d'un curé récemment décédé. Dans la place, des progressistes non conservateurs auraient préféré le nom de l'ancien seigneur ou, s'il fallait un curé, celui qui appuya si clairement les Patriotes de 1837. Mais le Commissaire régnant avait ses appuis engraissés à l'auge du pouvoir depuis des années dans les petits groupes d'influences et gagna son point. Ce sera la Polyvalente Monseigneur-Zéphir-

Isidore-Pomerleau. Ce qui devint dans le langage courant: ZIP. J'vais au ZIP l'an prochain. J'm'ai fait zippé par le Principal. Le ZIP va pas bien, c't'année. Une mention honorable devenait: J'ai été zippé premier; une suspension de l'école: j'ai été dézippé pendant trois jours. Et notre Commissaire Auguste, complètement zippé de fierté, planait au-dessus de son monument.

L'Auguste Commissaire, ou le Commissaire Auguste, les deux se disaient parce que le dit Commissaire, recto ou verso, était absolument identique. L'Auguste s'agita très fort avant, pendant et après l'érection de son monument. Surtout pendant. Une fois terminé, restait à l'utiliser. Trois fois, quatre fois, le Directeur de l'école primaire demanda au Commissaire la permission d'utiliser la piscine du ZIP. « Nous avons nos sauveteurs diplômés, tout. » « Niet, fut la réponse. Question d'administration », répétait toujours le Commissaire quand il ne pouvait donner les vraies raisons. Monsieur le Directeur Pierre Pelchat, avec l'aide d'une bonne âme, finit par trouver son erreur. Il s'agissait d'engager le fils et la fille D'Auguste comme surveillants. Le tour fut joué et permission toujours accordée.

Ce Directeur d'école avait développé une certaine diplomatie « pour le bien des élèves » disait-il. Son prédécesseur avait été congédié par le même Commissaire, entr'autres, parce qu'il avait refusé de faire des rapports incriminants sur quelques enseignantes. Surtout une qui battait tous ses records de suspicion. Auguste ne l'aimait vraiment pas. Elle faisait probablement ombrage à l'Empereur. Fallait la congédier. Pour étayer ses projets, plusieurs fois, le Commissaire était venu dans le bureau du Directeur, à l'époque, pour faire des pressions... et menaces à peines voilées. Toujours sans succès. « J'ai de bonnes enseignantes » répétait toujours le Directeur. Mais ce qui a peut-être fait déborder le vase, c'est que le malheureux Directeur a refusé l'entrée de l'école à un enfant qui n'avait pas l'âge légal. Mal lui en prit parce que cette famille Chicoine du Rang Rivière Silencieuse était grande amie de la famille Auguste... et le Directeur fut congédié. Malheureusement pour le parfait Commissaire, un vice de forme,–question d'administration?– le garda en fonctions encore un an. L'année suivante, par contre, le Directeur fut pour de bon victime de la « bonne administration ». Et monsieur Pelchat obtint le poste.

Ce qui n'empêcha pas monsieur le Commissaire de continuer à « bien administrer » en créant des conditions pour faire démissionner en bloc tous les enseignants de Catéchèse de la Polyvalente et, à quelques reprises, de pousser son âme damnée, madame Malvenue, à détruire la réputation d'un enseignant parce qu'il ne militait pas dans le bon parti politique. Le fait aussi de ne pas lécher les enfants de madame Malvenue condamnait l'enseignant à une campagne de diffamation publique. Et curieusement, ces événements se produisaient toujours quelques mois avant la réélection de l'Auguste Commissaire ou du Commissaire Auguste.

Notre grand-père Michel qui s'ennuyait parfois à la maison depuis le départ des enfants pour l'école, décida de postuler le poste de brigadier scolaire devenu vacant. Il insista sur sa formation de pédagogue et ses nombreuses années d'enseignement. Le Commissaire Auguste laissa passer ce petit poisson afin de réserver ses interventions pour des causes plus prestigieuses... et payantes politiquement. C'est ainsi que Michel Nolin, ancien enseignant congédié, conspué, etc., se rapprocha du monde dit de l'éducation. Ses anciennes aventures étaient-elles oubliées?... Michel demanda au Directeur Pelchat de l'aider...

— ... à équilibrer mes relations avec les enfants. Je ne sais plus, je ne sais quoi. Si je m'écoutais, je les serrerais tous dans mes bras. Vous savez, depuis que j'ai quitté ces groupes d'enfants que j'aimais tant, je suis descendu aux enfers bien souvent. Comment tant les aimer sans les bouleverser?

— La discipline est peut-être la réponse. S'ils sentent que vous les aimez trop et qu'ils n'ont plus besoin de vous obéir?... Pourrez-vous exiger? Etre ferme sans cesser d'aimer? La main a autant de place que l'explication; la raison, autant que le coeur.

— Wow! a raconté grand-père à Claudine et Francis, je me suis aperçu que je n'étais pas le seul à pouvoir expliquer de bien belles affaires comme je le fais à vos enfants. En tous cas, je lui ai dit, oui et l'ai remercié chaleureusement. En revenant, j'ai essayé de me remémorer le tout. Je me suis regardé la main et l'ai placée sur le coeur... et pour tout simplifier, j'ai décidé que le Directeur avait raison avec son explication.

Michel se sentait comme un jeune débutant, un enseignant à sa première année.

C'est ainsi que tous les jours maintenant, grand-papa Michel, comme il se faisait appeler, aidait et protégeait les enfants qui traversaient la rue Principale. Et peu à peu, grand-papa Michel, devint Romanichel. À mesure qu'il se faisait connaître par les jeunes, qu'il s'imposait parfois, il arriva de diriger certaines petites bibittes à poil encore couvées par leur maman qui, d'ailleurs, ne fournissait pas à s'épiler. C'était le cas de la petite Urina Malvenue. Le prénom pouvait surprendre, mais sa maman voulait absolument que sa plus vieille lui rappelât son propre père que tout le monde, depuis toujours, appelait Pissous. Sa maman Malvenue l'avait bien avertie qu'elle était au-dessus de tout enseignant, encore plus des vulgaires surveillants ou suppléants, et qu'elle devait toujours se faire lécher, et dans le sens du poil, à part ça. Les enseignants et enseignantes qui l'avaient traitée avec justice, donc comme les autres, avaient subi les attaques vicieuses, les calomnies de plus en plus graves, les dénonciations de plus en plus dégradantes jusqu'à ameuter une partie de population –des naïfs existant partout–. La maman avait même fait démissionner une enseignante en faisant signer une pétition

228

de vulgarités à son sujet. D'ailleurs, plus les horreurs inventées, colportées, revues et augmentées sont incroyables, plus elles sont crues. Et sur grand-père, elles furent crues! C'est ainsi que les Malvenue, n'ayant jamais pu sortir de la fange, essayaient d'entraîner les autres avec eux. Une très petite partie de population s'est salie avec les Malvenue, croyant se hausser en abaissant les autres, se valoriser en détruisant tout ce qui les dépassait. Pour ceux qui n'ont jamais rien fait dans leur vie, en se mêlant des affaires des autres, ils se donnent l'impression de réussir enfin quelque chose. Pour oublier et faire oublier qu'ils sont des ratés, ils essaient de faire rater la vie de ceux qui ont réussi. C'est un instinct grégaire qui se développe chez les faibles, les insécures et les psychopathes, cette partie de troupeau qui peut devenir vicieuse et attaquer à tout moment sans raison valable apparente ou prévisible. Une fois, ce sera à cause de la pleine lune, une autre fois pour gagner une élection ou parce qu'une bébelle de leur fond de cour fonctionne autrement: leur bébelle avance au lieu de régresser comme d'habitude, etc. Un grain de sable, des aruspices défavorables, un vol d'oiseau, le cri d'un corbeau, les entrailles d'un taureau sacrifié... On pourrait en faire un poème: quelques vers de plus sur tant de pourriture. Quoiqu'il en soit, la petite Urina, envers et contre tous, poussa sa bibitte à poil senior de mère, à déclencher sa bataille préférée, soit celle de la charogne.

Personne n'a jamais su pourquoi, encore moins la petite Urina elle-même. Quoiqu'il en soit, elle décida de bouder le grand-père brigadier, le ridiculiser auprès des autres enfants, les pousser à le mépriser, désobéir. Jamais en face de lui, par exemple; comme ses parents, seulement dans le dos, en lâches et en hypocrites. Vu que la plupart des autres enfants et la plupart de leurs parents jouissaient d'un minimum de sens de la justice, ils ne se sont pas laissés échauffer l'aîne par les démangeaisons Malvenue. Mais, surtout dans les petites villes de campagne où souvent la tradition du commérage se vit au quotidien, certains de ses adeptes ont prêté l'oreille et ensuite leur anus aux Malvenue pour salir le grand-père. « Trop vieux. Ridicule. Injuste. Dangereux... » C'était le début.

La mère et son mari Pissous sont allés dans tous les groupes sociaux, religieux, pédagogiques, politiques de la ville pour salir le brigadier devenu vicieux, violeur, « ... l'assassinat de ses victimes étant pour le lendemain. » Ils réunissaient de temps en temps chez eux les ratés de la politique qui n'ont jamais rien pu réussir d'autre que le salissage. Chez les Malvenue, c'était devenu le centre d'accueil des ratés. Ils ont colporté une pétition où ils parlaient de bestialité du grand-père et poussaient les gens à la signer, non seulement pour congédier, mais aussi chasser de la région ce révolutionnaire international, violent, marxiste, saboteur, trois fois et cetera. Et c'était justement année d'élection pour le Commissaire Auguste. Il sauta sur l'occasion pour demander la pétition, encourager l'organisatrice, Archange Malvenue, et se fit du capital politique. Il utilisa les rouages de la Commission scolaire, les journaux, surtout le commérage et le Président de la Commission scolaire, militant dans le bon parti politique, –lui,– afin de publiciser son bon travail de gestionnaire intègre, d'ami fidèle de la chose scolaire, en un mot, de bon administrateur. Auguste Grenier, une fois de plus, gagnerait son élection.

Le grand-père, pendant tout ce temps, se faisait insulter par certains petits voyous qui avaient appris à le faire de leurs parents. Le petit Jonathan en fit des colères, partit des batailles pour défendre son grand-père, réunit un groupe de petits amis dans lequel les Pissous n'étaient pas les bienvenus. Devant certaines bassesses inventées par les Malvenue, comme le danger de faire violer les enfants par grand-père, tous ceux qu'il avait violés dans le passé et pire encore, Jonathan ne put qu'avoir de la peine, mais une immense peine. Il fut assommé par la peine. Son coeur n'était plus assez grand pour contenir sa douleur. Il finit par ne plus rien dire, ni à l'école ni à la maison, se replier sur lui-même... et souffrir. Souffrir comme jamais un enfant de huit ans ne devrait souffrir. Souffrir devant l'injustice, le mensonge et souffrir de la souffrance de son ami, son vieux Pépé.

— Dis-leur, grand-père que c'est pas vrai. Tu le sais, toi, que c'est pas vrai! Dis-leur, fais quelque chose!

— Bien oui, je le sais que ce n'est pas vrai. Toi aussi, tu le sais que ce n'est pas vrai. Parce qu'on se connaît, on s'aime, parce que tes parents t'ont bien élevé, éduqué. Tu n'es pas un Malvenu!

Outré, Jonathan:

— Mais qu'est-ce qu'ils font leurs parents aux Marcoux, aux Lussier, aux Campbell, pis aux autres chiens sales comme eux qui rient de nous autres?!

— Leurs parents n'ont jamais appris, étudié, n'ont jamais été éduqués. Comment veux-tu qu'ils éduquent leurs enfants? Puis leurs enfants qui rient de toi à l'école, c'est bien plus des victimes que des bourreaux. Leurs parents ne savent pas vivre.

Grand-père maintenant parlait pour Francis et Claudine attentifs.

— Les enfants amènent à l'école les préjugés de leurs parents. « Les enfants sentent la sauce dans laquelle ils ont mijoté » me répétait un jeune enseignant dans le temps.

— Ça veut dire quoi, ça? questionna Jonathan.

— Ça veut dire qu'à la maison, les parents ne parlent que de fifis, de tapettes et qu'ils se moquent toujours des Gais, les ridiculisent. Les petits enfants qui entendent ça haïssent les Gais parce qu'à cet âge-là, ils pensent encore que leurs parents ont toujours raison.

Révolté, Jonathan cria

— C'est pas juste!

— Mais tu vois bien que ce n'est pas les petits enfants qui sont coupables, c'est leurs parents. Bien plus, Jonathan, bien des parents disent à leurs petits de ne jamais parler aux Gais parce qu'ils sont méchants, dangereux, qu'ils peuvent leur faire bien du mal, les faire prisonniers et même les tuer. Tu comprends que ces enfants-là ne veulent pas m'écouter à l'école. C'est leurs parents qui l'ont dit: c'est des enfants victimes de leurs parents.

— C'est pas juste! pas juste!

— Tu as raison, Jonathan. Mais je vais te dire une chose: ne dis pas à l'école qu'on a déjà couché ensemble. Tu te souviens quand on a eu beaucoup de visite à la maison? Tu te souviens aussi qu'on s'est souvent tiraillé ensemble, on s'est chatouillé, même que des fois ton papa était avec nous autres? On a eu du plaisir, hein?

— Bien oui.

— T'es-tu senti respecté, t'es-tu senti gêné?

— On a eu beaucoup de plaisir. Puis, quand on a couché dans ton lit, on était collé ensemble pour s'endormir. Puis tu me prends souvent dans tes bras, tu me serres, tu m'embrasses. Tu m'aimes, grand-papa, et c'est pas vrai ce qu'ils disent de toi. Ils sont méchants! ils sont méchants!

Et Jonathan, de toutes ses forces, serra le cou de grand-père. Et sa première expérience de l'injustice, en gouttes brûlantes et abondantes, coula dans son cou. Jonathan souffrait. À huit ans.

Ce soir-là, Mélodie s'exprima sans qu'on le lui demande. À six ans, elle avait droit à son opinion:

— Urina Malvenue m'a dit que grand-papa était un maniaque sexuel.

— Est-ce qu'elle t'a dit autre chose? demanda doucement sa mère.

— Non, parce que je lui ai dit: maniaque, toi-même. Elle m'a plus jamais parlé.

Claudine jetait un coup d'oeil de plus en plus fréquent sur la tristesse de son fils. Les questions se multipliaient, insistantes, de plus en plus précises tout au cours de la semaine.

— Qu'est-ce qu'ils t'ont dit aujourd'hui?

Jonathan devenait de plus en plus embarrassé pour répondre. Ce n'était plus seulement grand-père qu'on salissait, mais aussi l'enfant. Une fois les jeunes couchés, grand-père a fait le point, précisé:

— Moi, je vais voir le Directeur Pelchat tous les soirs pour lui rendre compte de tout. C'est un homme équilibré, pas une femme-vitrine comme madame Desranleau, ton ancienne Directrice au Secondaire, Francis, celle que tu appelais parfois: la vieille fille mal fourrée. Il m'a dit que tous les jours, il recevait quelques injures envoyées par certains parents. « On sent bien que tout est planifié, organisé par Archange Malvenue. À chaque année, on a les mêmes problèmes avec elle et tous ses enfants. Pas une enseignante ne veut les avoir dans sa classe. Depuis la première année du primaire de ses filles qu'elle agit de la sorte. Vous pourrez vérifier auprès des enseignantes de l'Elémentaire. Chaque année, les Malvenue en démolissent une. Cette année, c'est votre tour, monsieur Nolin. C'est une famille de malades sociaux. Regardez, seulement pour vous montrer le déséquilibre psychologique de la Malvenue, ses rumeurs et ragots de ce temps-ci, c'est que vous avez déjà fait une dépression nerveuse, que vous coûtez bien cher à monsieur Labrecque pour vous entretenir, que vous violez des enfants. Puis là, elle fait répéter par deux petits arriérés du Secondaire, un Milton et un Tétreault, –deux petits salauds qu'on a bien connus ici au primaire– que vous vendez de la drogue à l'école. Aujourd'hui, s'est ajouté que vous êtes un violent marxiste qui déclenche des grèves ici et là dans la Province. Même que toutes les grèves à l'Université du Québec à Montréal, c'est vous qui les avez organisées. L'accusation semble venir du Maître de poste, la Rondelle, comme la population l'appelle, qui répète en plus:« C'est un terroriste international: c'est bien évident, y envoie, pis y reçoit des lettres d'un peu partout dans le monde. »

Michel rappela à Francis qu'il envoyait des lettres aux prisonniers politiques dans le cadre d'Amnistie Internationale. Bien tristement, il continua:
— Mais le pire, je trouve, c'est qu'on commence à salir Jonathan et que de moins en moins de jeunes lui parlent.

Francis trancha.
— Les enfants doivent rester en dehors de ça. Demain, j'vas voir le Directeur.
— Je t'accompagne, insista Claudine.

Le lendemain, après une très mauvaise nuit, grand-père annonça tout bas à Claudine:
— C'est la dernière fois que j'y vais: je démissionne.

Avec des larmes dans la voix:
— Jamais Jonathan ne souffrira à cause de moi. Grand-père, ce soir-là, écrivit dans son journal:

*Un enfant est si merveilleux quand on lui laisse son être propre et devient si sale quand il est sali de la saleté de pseudo parents qui se prennent pour des hommes et des femmes...quand ils ne sont que des torchons!*

Et l'Auguste Grenier gagna ses élections.

# 23

Chez le couple Martel, on se retrouvait une semaine chez le psychologue et la semaine suivante aux NAR-ANON. Chez le psychologue, le couple s'accusait, battait: l'expression verbale jouait son rôle d'exutoire. Les deux combattants revenaient fatigués, épuisés même, malgré les bons mots de Richard Duguay qui les encourageait à se parler en leur montrant le comment, la nécessité et les bienfaits de la communication. « Ce sont les secrets, frustrations refoulés qui font le plus de mal, pas la vérité. » Au retour, les deux adversaires obligés de fonctionner ensemble ne savaient pas trop comment s'ajuster. Ils se parlaient peu, se lançaient des flèches. « Laisse faire, toé, la prochaine fois qu'on va y r'tourner!... » préparaient leurs munitions. Finies les grosses engueulades stériles entr'eux: ça, c'était pour le psychologue. Commencèrent peu à peu et se multiplièrent bientôt les références aux principes du thérapeute. « Tu vois, ça encore, c'est parce que tu refuses de communiquer: Richard l'a dit. » « Pis quand un des deux veut trop dominer l'autre, ça finit par éclater. » Les « Richard l'a dit... » devenaient une sorte de référence, de lien ténu entre un homme et une femme qui avaient peur de divorcer. « J'vas l'dire à Richard c'que tu viens d'faire là. » De grands enfants se livraient entre les mains d'un psychologue qui avait gagné leur confiance et devenait le ciment de leur relation. Ils ne devinaient pas encore qu'un jour, leur Richard finirait par se retirer et les laisserait à eux-mêmes. Pourtant, il les préparait: « Vous voyez, cette petite discussion que vous venez d'avoir, vous pouvez faire ça entre vous, chez vous. Pas besoin de témoin psychologue. Vous vous en venez bons. » Une autre fois: « Tiens, ce soir, je n'ai presque pas eu à intervenir: vous voyez que vous pouvez vous parler.... pas seulement une fois par deux ou trois semaines, mais tous les jours. Que diriez-vous de ne plus se rencontrer qu'aux six semaines maintenant? » Le couple accepta.

Aux NAR-ANON, l'atmosphère était beaucoup plus détendue pour Marie et Guy. Là, ils étaient projetés hors d'eux plutôt que fixés sur leurs petits bobos personnels. Ils s'apitoyaient sur les problèmes des autres et oubliaient parfois de se sentir concernés. « Une fuite » aurait dit le psychologue. Mais la réalité se chargea d'eux: Daniel revint.

Joie, appréciation, encouragements de part et d'autre. Promesses, mais d'un seul côté: Daniel éludait habilement; à demi-mots, fuyait. À la lumière des principes et de l'expérience avec le psychologue Duguay, le couple, surtout Marie, décida d'une réunion de famille.
— D'accord, Daniel?!

Le ton de la question de la mère était une réponse en lui-même pour le fils. Intérieurement, Daniel se sentit encore au Centre et se ferma. Après le souper, tous se réunirent au salon, même Sylvie, expressément invitée, qui ne laissait pas Daniel d'une semelle. Marie joua les psy. Elle présenta la situation du retour de Daniel, ses bonnes résolutions et le désir de tous de l'aider, « l'intégrer au nouveau fonctionnement du foyer. » Daniel écoutait et ridiculisait tout en son for intérieur. « À quelle place qu'à s'en va avec ses gros sabots?... » Le ronron de sa maman ne l'atteignait pas, pensant beaucoup plus à ses prochaines orgies de sexe et de coke. « Ça s'fête une sortie de prison! » décréta-t-il.

— Qu'est-ce t'en dis, Daniel?

— Hein?

— Je viens de te demander si tu veux continuer tes études?

— Pas vraiment, non.

Le père, un peu ennuyé lui aussi, prit la parole.

— Daniel, si les études te tentent pas, je serais prêt à t'engager, ici. Tu aurais ton salaire d'assuré, une place pour rester. Aimerais-tu ça, Sylvie?

Sylvie ne broncha pas, mais tout son corps s'était ramassé dans ses yeux fixés sur son frère en très intense supplication. Daniel réfléchissait, non pas à la question, mais à la manière de dire, non. Il devait coucher chez ses parents, fuir ses anciennes connaissances, etc. C'était difficile de refuser, mais il ne pourrait sûrement pas supporter. Il commença tout de suite à questionner, argumenter. Le salaire, le travail, les amis de gars et filles, « quand j'vas pouvoir sortir?... » Il fallait composer avec les ordres de la cour, la protection du jeune homme. Il fallait l'empêcher de détruire la famille par son problème de drogue. Il fallait... Le père, très hésitant, cherchait péniblement ses idées, surtout ses mots. Daniel, rusé, vite, amendait chaque proposition à son avantage. Marie qui trépignait devant la lenteur et l'imprécision de Guy finit par tout reprendre en main et décider pour tous. Daniel pressentant la fin du « Conseil »:

— Bon, j'peux-tu aller au village, j'ai ben des amis à rencontrer, fêter un peu: j'me suis ennuyé.

— Mais tu dois coucher ici, rappela le papa.

— Il n'y a pas de danger pour la drogue, Daniel? Tu sais qu'on voudrait pas que tu recommences, supplia la maman.

— Ben non, voyons, c'est fini, ça.

L'embrassade de la mère, la chaleureuse poignée de main du père et la grosse accolade de Sylvie ont un peu gêné l'adolescent manipulateur.

— Je r'viens, p'tite soeur.

Il revint aux petites heures du matin, et sans trop de bruit se coucha. Il ne dormit pas, se roula et Sylvie, sans un mot, suivit de sa chambre les longs soupirs d'ennui de son héros revenu. Le lendemain, le héros se leva vers midi. De mauvaise humeur, bougonnant. Aux questions de sa mère, habituellement délicates comme une mitrailleuse, Daniel explosa et la remit à sa place.

— Chacun nos affaires, ké-là?!... J'suis assez vieux pour savoir c'que j'ai à faire.

— Si tu travailles ici, va falloir te lever le matin.

— Ca, c'est avec 'pa que j'arrange ça.

— En tous cas Daniel, tu sais que c'est pour ton bien...

— Je le sais, 'man, mais achalez-moé pas personne avec des tas de questions: où es-tu allé? avec qui? pourquoi? à quelle heure?... Je suis assez vieux pour avoir ma vie privée.

La maman essaya de l'amener voir leur thérapeute.

— Il nous fait beaucoup de bien, à nous, tu sais.

Elle décrivit un peu son fonctionnement et s'offrit à payer les honoraires. Peine perdue.

— Des psy de toutes sortes, j'en ai assez vus, des thérapies, ça fait six mois que j'en fais! Pis là, j'suis correct. Enervez-moé pas trop parce que ça va me faire r'tomber dans la drogue.

Marie comprit le message, en parla à Guy avec qui elle avait retrouvé un projet commun: Daniel.

— Là, j'ai peur qu'il nous manipule, craignit le père. C'est NAR-ANON qui va nous aider.

Daniel exploita toutes les situations, de toutes les façons possibles sans trop que ça paraisse dans le but de travailler le minimum de temps, de découcher, de quémander des avances de salaire, de vivre la nuit plus que le jour. Des raisons, des justifications, il en produisait sur une base industrielle. Ensuite, les pressions, monter ses parents l'un contre l'autre, même utiliser Sylvie...

— Ne pas faire le train, le matin, c'est rien comparé à ce que j'apporte à Sylvie: j'suis son seul ami au monde. À parle même pas à vous-autres, mais avec moi elle communique. Voulez-vous la tuer, c't'enfant-là?

Les parents se fatiguaient d'argumenter, de toujours se battre pour obtenir la moindre chose, parfois se sentaient vaincus. Faiblissaient. En secret de sa femme, mais avec l'accord arraché de longue lutte avec Daniel, Guy réussit à faire rencontrer son fils par Francis.

Daniel fut plus prudent avec Francis à cause de son expérience et resta plutôt sur la défensive. Il répéta ses bonnes intentions et son désir de rester loin de la drogue. Francis ne fut pas convaincu.

— Ce qu'on va se dire, Daniel, ça va rester entre nous. Ce n'est pas pour le rapporter à tes parents. Mais laisse-moi douter un peu: tu te tiens avec tes anciens amis de gars et de filles, tous narcomanes ou presque et tu ne consommes plus?

— Mais puisque j't'le dis! Regarde-moé les bras: pas une trace de piqûre.

— Tu sais bien qu'on peut s'piquer bien ailleurs, on peut « sniffer » fumer de la « free base »... Daniel, moi, je veux seulement t'aider à ne pas faire c'que j'ai fait: vols, prostitution, prison, tentatives de suicide...: l'enfer, Daniel. J'aimerais mieux mourir que recommencer ça. J'ai jamais eu d'amis pendant c'temps-là, jamais d'emploi, jamais... j'ai... été un vrai légume. Et malheureux comme tu devines déjà qu'on peut l'être. J'ai vraiment pas besoin de te dire tout ça: tu as déjà assez souffert de ta consommation pour deviner ce qui s'en vient. Le pire n'est pas passé pour toi, il est à venir.

Daniel sentait qu'il ne pouvait rien cacher à l'expérience de Francis, mais ne pouvait non plus tout avouer. Savait que Francis avait raison, mais ne pouvait s'y soumettre. Daniel semblait un peu gêné, cachait le plus gros de son désarroi, tristesse. Francis continua toujours doucement, sans juger, condamner.

— Moi, j'ai trop souffert de ma consommation pour rester indifférent au martyre d'un autre, surtout d'un ami. Tu as ta liberté, tu en fais ce que tu veux: je respecte ça. Mais si ça devient trop difficile, tu te sens trop malheureux, viens me voir. Le jour, la nuit, je serai toujours prêt à te recevoir, aller te voir, jaser, t'aider. Je dois bien ça au fils d'un de mes plus grands amis. Ça te va, Daniel? Promis?

— J'te remercie, mais j'pense pas avoir trop de problèmes.

Un long silence fit comprendre à Francis qu'il était temps de le reconduire. Ils parlèrent de choses et d'autres parce que, pour Daniel, le sujet semblait épuisé. Avant de le laisser au village de Saint-Césaire tel que prévu, Francis demanda avec une certaine insistance:

— Si tu te piques à l'occasion, s'il te plaît, veux-tu penser au SIDA? Utilise des seringues neuves, désinfectées. Quand on est en manque, on prend pas toujours ses précautions. Y a des gens qui t'aiment Daniel, y a des gens qui ont besoin de toi. Puis le « crack », Daniel: il y a assez d'autres choses à consommer pour éviter ça, hein? Le « crack », c'est le SIDA des narcomanes.

— Bien sûr que je vais faire attention.
— On se fait confiance tous les deux, Daniel?
— Bien sûr.

Francis tendit la main.
— Et surtout, Daniel, n'oublie pas Sylvie: toi seul peux la sauver.

Daniel remercia et tourna le dos. Francis ne put s'empêcher de revivre son passé, ressentir la même détresse qui triturait Michel à chacune de leurs séparations, dix plus tôt. Puis il revit toutes les démarches de Michel pour le sauver, ses attentes, invitations, inquiétudes. Ses espérances trahies...: « C'est un martyre que d'essayer d'aider un ami narcomane ». En arrivant chez lui, Francis se rappela la rivière, l'étable, regarda le champ où ils affrontèrent l'orage, et s'approcha du puits. Que d'émotions autour de ce puits! Il pompa un peu d'eau. « Michel a soutenu mon père suicidaire à bout de bras, puis il m'a ramassé et donné à boire au même puits, avec la même générosité... Et toute cette terre qui est à moi maintenant, grâce à lui. » Francis buvait lentement en pensant à Daniel. « Lui faudra-t-il un autre Michel? Devra-t-il souffrir autant que les autres pour sortir de sa narcomanie?... »

Au puits, Claudine remarqua le manège de son mari: tenant à deux mains un vieux gobelet rouillé, buvait lentement. Elle devina son émotion, appela grand-père. Les deux respectèrent son silence et l'attendirent. Francis finit par rentrer et se mit à table pour dîner.
— Comment ça a été avec Daniel, s'enquit Claudine.

Francis prit une longue respiration.
— Il n'a pas fini de souffrir.

Un silence chargé d'émotion, celle de Francis, envahit Michel et Claudine. Il continua en regardant au loin:
— Il n'a pas la chance d'avoir le même grand-père que moi.

# 24

Dans les mois qui suivirent, Francis répéta un peu plus souvent à ses enfants d'une manière ou d'une autre: « Vous avez un si bon grand-papa! » Chaque fois, le coeur de grand-père lui fondait de tendresse. Son tissu trop léger ne retenait plus les surplus. Toute secousse débordait, le laissait incontinent. Et il pleurait. C'était son coeur qui débordait. Il faut dire que depuis sa démission, il avait changé, vieillissait. « Dézippé », grand-père songeait, même si Jonathan s'était très facilement replacé. Francis avait expliqué aux enfants que pour grand-père, pleurer était façon d'aimer. Ils ont compris qu'il avait beaucoup aimé. Un soir, Francis dit à son petit pour l'endormir:

— Grand-père se souvient d'un beau secret. Un jour, je te raconterai la plus merveilleuse histoire d'amour. Tu verras, toi aussi, tu pleureras de joie. Grand-père se souvient, mais toi, souris en t'endormant.

Le lendemain, grand-père confirma:
— Je pleure de joie.

Parfois, les enfants étaient surpris, Claudine aussi. Le spectacle du bonheur surprend aussi, saisit comme celui du malheur. Mais on s'habitue. Aux deux. Par contre, les parents n'étaient pas dupes.

L'été passa assez bien, mais l'hiver suivant sembla difficile. Grand-père jonglait. Trop. Ce qui n'empêcha pas le petit Jonathan d'affirmer ses neuf ans. Sa belle petite figure ronde, yeux vifs et intelligents, ses réparties faciles, sa façon de dire, non, sa propension à diriger sa petite soeur ou les autres enfants en visite, ses arguments, sa résistance devant ses parents, tout laissait présager un caractère, une force, une volonté. Grand-père y voyait François et continuait à l'idéaliser se rappelant son passé avec lui. Le petit marchait tête haute, ne s'en laissait pas imposer. Jonathan prenait parfois son air de jeune dieu concentré et embouteillait grand-père. Ensuite, il n'avait plus qu'à le caresser et un bon génie sortait de la vieille carafe toujours prêt à le servir. Ah Jonathan!... et pauvre grand-père!... Même sa mère n'en arrivait pas toujours à bout. Quand les deux enfants jouaient ensemble, la petite soeur ne désirait pas toujours être dirigée et le ton montait, les cris se multipliaient. Grand-père, alors, sortait de sa morosité et essayait souvent de séparer les deux belligérants. Il savait de moins en moins s'imposer. Avec de solides arguments, mais souvent fallacieux, il réussissait parfois à détourner l'attention, faire baisser la pression. Le ton aidait davantage, parfois, une caresse à Jonathan en lui disant qu'il l'aimait beaucoup, et il lui arrivait d'emporter le morceau et de les séparer. Jonathan cédait mais ça devenait de plus en plus difficile avec le temps. Céder à sa petite soeur au nom de l'amour du grand-papa n'était pas très glorieux. Et l'argument s'usait. Une fois, Jonathan lui dit:

— Là, c'est au tour d'aimer ma soeur.

Grand-père est resté tellement surpris!... et il a compris.

— Je pense que je vous aime bien tous les deux.

La petite était encore trop jeune pour avoir saisi la passe, mais la maman qui ne manquait pas grand chose, comme toute maman d'ailleurs, a dû étaler un grand sourire par en dedans. Surtout qu'elle en riait encore, le soir, quand grand-père a raconté l'incident à Francis. Un éclair a jailli des yeux du père, une grande chaleur s'est rendue jusqu'à grand-père. En silence, Claudine laissait aller les choses en faisant confiance et à grand-père et aux enfants. Francis semblait tout ignorer, mais ne perdait rien aux péripéties qui se déroulaient dans sa maison. Francis souriait en silence: la nature s'arrangera bien avec la nature.

Mais un jour, ne venant pas à bout de l'autorité grandissante de Jonathan et de ses abus contre Mélodie, grand-père, un peu impatienté, dit au petit Napoléon domestique:

— Jonathan, là, tu fais bien de la peine à grand-papa.

C'est comme si grand-père avait brisé tous ses jouets, gâté tout son plaisir. Ses gestes ont diminué leur rythme, son espace s'est peu à peu refermé, puis tout à coup, s'est levé sans dire un mot et s'est enfermé dans sa chambre. Sa petite soeur interloquée devant tout le terrain de jeux ne savait plus trop que faire, personne avec qui se chicaner. Et grand-père, encore bien moins. Il a senti qu'il avait blessé l'enfant. À son air, grand-père avait sûrement plus de peine que l'enfant. Il s'est présenté, attristé, dans la porte de la chambre. Jonathan, assis sur le lit, tête baissée, avec une moue bien caractéristique d'une grande émotion intérieure, l'attendait. Grand-père s'est assis près de lui sans un mot, a mis sa main sur son petit genou... et très doucement:

— Tu m'as pas fait de peine tant que ça, tu sais.

Le petit s'est jeté à son cou, l'a serré si fort! Grand-père caressait son dos et les lèvres de Jonathan, son cou.

— Mon petit Jonathan, je t'aime tellement, tu sais!
— Moi aussi, grand-papa!

— On va rester de grands amis et on va se le dire en secret. En se faisant, tiens, un clin d'oeil. Si tu veux bien, quand on jouera avec ta petite soeur et qu'on se fera un clin d'oeil, ça voudra dire: Jonathan, t'es mon ami, ... en secret. Pour toi, ça voudra dire: T'es mon ami, grand-papa, ... en secret. Ta soeur ne le saura pas. On lui aura joué un bon tour.

— OK, grand-papa!

— Veux-tu, on va commencer tout de suite?

Les deux complices ont retrouvé la petite et découvert un intérêt commun. Aussitôt, Jonathan tout fier, a essayé un clin d'oeil que grand-père lui a aussitôt rendu. Jonathan, tête baissée, ne pouvait s'empêcher de rire. Il ne put garder totalement le secret et dit:

— Mélodie, tu t'es fait passer un sapin.

La petite grimaça une moue d'indifférence et ne répondit même pas à ces balivernes de grand frère.

Dès le printemps arrivé, grand-père reverdit. Il retrouva son goût des promenades avec les enfants, main dans la main. « Pas loin, pas longtemps » les rassurait-il. Il leur expliquait tant de choses sur la nature, l'amour, ses souvenirs. À la rivière, il leur enseignait le courant, le danger, l'amour de l'eau.

— Un jour, je vous dirai le secret de la rivière. Là, vous êtes trop jeunes, mais ça viendra.

Un autre jour, il prenait le chemin et leur racontait le procès d'une chenille que Félix Leclerc avait fait éclore en papillon au beau milieu de la bibliothèque de son enfance. Dans l'autre direction, il a raconté la mort d'une grande épinette.

— Le grand bruit qu'elle a fait en s'écrasant, le grand dégât, mes enfants!... Tout le village en a parlé. Guy, vous savez, notre grand ami qui vient souvent nous voir avec Marie et ses deux grands enfants, bien oui, c'est lui. Il m'a aidé et on a coupé les branches de l'arbre. Puis un soir d'hiver, pour que ça ne soit pas dangereux pour le feu et pour que ce soit plus beau, on les a fait brûler. Ah si vous aviez vu ça! Ça pétillait très fort, montait très haut. Des flammèches remplissaient le ciel: un vrai feu d'artifices. Les gens ne le savaient pas tous, mais pour nous, c'était bien important ce bon feu de bois. J'en vois la lueur encore aujourd'hui, en ressens la chaleur. C'est important un ami, vous saurez, en serrant un peu plus fort la main des enfants.

— Tu l'aimes beaucoup, Guy?

— Ah oui. Comme ton papa, vous autres, votre maman. Je suis tellement chanceux d'avoir des amis comme eux, comme vous!

— Ça doit faire longtemps, l'épinette, j'm'en souviens pas.

— Bien longtemps, Jonathan. Avant que votre papa vienne au monde.

— Ah ça fait bien trop longtemps!

— Non, pas pour un ami. Ça ne fait jamais trop longtemps, pour un ami...

Accroché au tic tac de la vie même à soixante-sept ans, grand-père demeurait ainsi ce vieux pendule toujours fidèle. Dans le champ, grand-père leur enseigna à se coucher par terre si jamais ils se faisaient prendre par un orage.

— À cause du tonnerre et des éclairs, bien sûr. Même si c'est salissant. Vaut mieux rester en vie. C'est important la vie! Regardez: si votre père était mort, on ne serait pas là, personne de nous autres. C'est très important, la vie! Et les lampadaires aussi.

Les enfants écoutaient, posaient des questions, même ramenaient grand-père quand il se perdait aux méandres du passé. Il enseignait les mystères de la nature, la beauté du blé, le chant des oiseaux, le respect des nids. Il apprivoisait les couleuvres, caressait les animaux, embrassait les petits lapins en pensant à Francis. Il pleurait parfois en refaisant sa vie...

— ... avec un enfant chaque côté de mon coeur, précisait-il parfois aux parents. Je radote un peu, les enfants ne s'en rendent pas compte: je les aime tellement! S'en souviendront longtemps.

En revenant, souvent les enfants racontaient les histoires de grand-père. Claudine souriait parfois; amusée, au souper, elle répétait le tout à Francis. Elle devinait. Francis, lui, regardait grand-père, ajoutait un mot, un commentaire. Répondait aux questions des enfants et approuvait tout le temps. Même quand les enfants déformaient le récit de grand-père parce qu'ils n'avaient rien compris ou parce que grand-père avait fait de grands détours dans le champ de la poésie. Quand Guy venait à la maison et que les adultes lui rappelaient les interprétations parfois comiques des enfants, il ne souriait pas. Même devenait tout triste lorsque les jeunes vérifiaient auprès de lui, les dires de grand-père, exhibaient leur savoir.

— C'est vrai, Guy, que tu as travaillé à notre cabane à sucre, que tu as fait brûler une grosse épinette avec grandpère?...

Les quelques fois où ces questions se sont posées, Guy a toujours sorti de la maison avec Francis pour aller aux bâtiments. Grand-père a essayé de ne plus provoquer ces interrogations.

Un soir, après le coucher des enfants, Claudine finit par demander:

— Grand-père, tu te fais pas mal en parlant si souvent de ton passé, certaines peines, des drames, tant de déceptions? On dirait que tu nous parles en informant les enfants. On sourit parfois, c'est tellement amusant; mais on devient songeur aussi, un peu triste à d'autres moments.

— Je rappelle aux enfants ces souvenirs à mots couverts pour qu'ils leur servent de leçon, de préparation. Leur servent de vaccin avant l'attaque des épreuves. Ça ne les empêchera pas de faire leurs expériences, de souffrir, mais quand viendra le temps, ils se rappelleront un vieux grand-père penché sur eux qui leur faisait comprendre qu'il faut souvent souffrir pour être heureux, que le grand bonheur d'avoir un ami se paye de plusieurs petits malheurs. Mais qu'au fond, seule compte la sérénité. Qu'ils ne gardent de moi que l'image de la sérénité, ce sera déjà beaucoup.

— Mais je ne pensais pas qu'au bien des enfants seulement, je pensais au tien.

— Ces souvenirs, Claudine, ne me font plus vraiment souffrir. Je me souviens de ma grand-mère aveugle qui buvait de l'eau chaude, très chaude, après ses repas et qu'elle touchait au poêle sans se brûler. On chauffait au bois dans ce temps-là. Elle disait que ça ne lui faisait pas mal. Ça m'impressionnait beaucoup. Aujourd'hui, je parle de certains « gros » souvenirs, parfois un peu tristes et je ne me brûle pas. Serais-je devenu aveugle émotivement?

Ce soir-là, grand-père écrivit:

*Si je retourne sur les chemins du passé, c'est pour mieux m'enligner, figurer mon chemin, retrouver la vieille barrière qui s'ouvrira bientôt. Sachant d'où je viens, je comprendrai mieux où je vais. J'ai connu le prix de la vie parce qu'un ami me l'a donnée. Le prix de l'amitié parce qu'un ami... le prix de la paternité... parce que Francis est là et m'a donné Jonathan et Mélodie. C'est par un ami que l'on connaît, par fidélité que l'on vit. Et que l'on meurt. Je sens que bientôt, tirerai ma révérence. Une impression d'inutilité, de pesanteur m'appelle ailleurs.*

*Je tire ma révérence. Je salue l'univers. Salut aux maisons et aux arbres, aux fleurs et aux saisons. Salut au ciel et à la terre, aux oiseaux et aux animaux. Salut à l'eau et au vent, aux chef-d'oeuvres de la nature et de l'art. Salut à l'amitié, à la joie qui fait mourir. Salut aux corps trop beaux qu' on ne peut étreindre et qu' on fera souffrir. Salut aux âmes crucifiées à des corps trop étroits. Salut au sommeil qui fait oublier l'ennui de son ami. Salut à l'oubli. Salut à l'ennui. Salut à la mort.*

Le lendemain, grand-père lut aux enfants le petit poème écrit la veille.

— Mourir, c'est prier les amis disparus, c'est prendre d'une main les passés et de l'autre les futurs, puis sauter. Mourir, c'est mener paître sa bête en son champ et revenir fatigué à la maison du repos. C'est passer le seuil après avoir bâti toute sa vie. C'est finir sa journée, sa journée ordinaire comme toutes les autres. C'est baiser la lune en revenant de son travail, c'est croquer les étoiles et paître l'azur. Mourir, c'est abandonner sa charrue au bout de son champ. C'est tourner le dos au soleil qui descend et regarder en face l'immense ombrage qu'il trace au pied du passant. Mourir, c'est moissonner le ciel et s'abreuver de vie, de l'eau d'éternité. Mourir, c'est partir avec et pour toi, François.

Jonathan toujours premier critique de grand-père statua:
— C'est beau, mais j'comprends pas beaucoup. Puis pourquoi tu m'appelles François?

Grand-père a figé en se rappelant jadis la même question de son père, Francis.

Pour ne pas répondre, grand-père s'est mis à sauter, Jonathan d'une main et Mélodie de l'autre.
— Mourir, c'est sauter.

Soudain Jonathan s'arrêta, se tourna et dit, intrigué:
— Grand-papa, t'es pas un peu gaga?...

Grand-père sourit.
— Jonathan, c'est pour s'amuser. On joue, c'est tout ce qui compte. La vie, c'est un jeu; la mort, c'est l'sérieux.

Grand-père cita une belle phrase apprise par coeur:

— « À la mort, celui qui a le plus de jouets, gagne. »

Les enfants semblant un peu satisfaits, et grand-père les tenant toujours par la main, il a relevé les bras dans les airs et recommencé à sauter, danser avec eux.

— Hop et hop! les enfants.

Jonathan qui avait toujours quelque chose à dire:

— Tu joues encore à ton âge, grand-papa?

Grand-père réfléchit un peu et...

— ... hop et hop!... mais je commence à jouer... sérieusement, par exemple. Je veux me ramasser tout plein de jouets.

Le premier beau samedi de ce printemps-là où les parents de Jonathan et Mélodie travaillaient aux champs, grand-père eut l'idée d'amener les enfants au cimetière. Il a laissé une note sur la table et s'est rendu à Saint-Valérien. Il s'est promené un peu, a attiré l'attention des enfants sur certaines particularités de monuments, noms ou dates afin de ne pas les laisser s'enliser dans la peur, le morbide. Les tenant toujours par la main, rapidement, les a attirés vers la pierre tombale de François. Comme toujours, il a ralenti son pas s'approchant de lui, une grande tendresse l'a encore envahi. Il voyait, sentait déjà de loin la pierre, le terrain... et une grande chaleur au coeur... et dans chaque main. Arrivé, sans dire un mot, s'est agenouillé. Les enfants comme toujours ont décelé l'essentiel, senti l'émotion. Se sont recueillis.

— François, je t'amène tes petits enfants.

— Il s'appelle François, le monsieur? Tu le connais?

— Oh oui!

— Papa aussi?

— Non. Voulez-vous, on va le prier? Il a été tellement bon pour nous!

Les enfants se sont agenouillés, ont joint leurs petites mains. Grand-père a placé les siennes sur leur épaule. « Ah s'ils pouvaient connaître leur vrai grand-père et l'aimer, lui qui fut si bon! » Après un silence recueilli:

— Vous savez, les enfants, il pourrait être votre grand-père, lui aussi.

— C'est qui ce monsieur? demanda Mélodie.

— François était beau, il était grand, si fort! Jamais tu ne connaîtras quelqu'un d'aussi bon que lui. Il ressemblait tellement à votre père!... Il est mort d'amour, une nuit d'hiver. Il faisait si froid!...

— Comment il est mort?

— Un accident. Un oiseau... Il avait si mal dans son coeur!

Les enfants ont senti sa voix se briser, sont devenus tout émus. Ils ont embrassé la pierre tombale comme grand-père l'avait fait et dit à leur tour:

— Au revoir, François!

— Papa dit que quand tu pleures, c'est parce que tu es heureux...

— Ce n'est rien, Jonathan, Mélodie. Des fois, c'est parce que j'ai un peu de peine: j'aimais beaucoup François.

Il s'est mis à genoux et les a embrassés à tour de rôle sur les deux joues. Les a serrés sur son coeur.

— Vous voyez, je n'ai plus de peine parce que je vous aime. Et François vous aurait tellement aimés, lui aussi!...

En revenant, Jonathan a demandé:

— Pourquoi enterrer les morts dans la terre?

— On enterre les personnes quand elles meurent. Tiens: tes parents font pareil quand ils sèment le grain, les fleurs. Il pousse encore plus de grains et de fleurs.

Grand-père très fier de sa réponse resta bouche bée quand Jonathan demanda après une longue réflexion:

— « Pourquoi quand on sème des hommes, il pousse des pierres?... »

Grand-père garda le silence. Il pleuvait beaucoup dans son coeur, et ses yeux soupirèrent tout le reste du trajet.

Au retour, ce fut tout un événement. Leurs parents étaient assis sur les chaises de parterre près du puits, se reposant un peu avant d'aller faire le train.

— Grand-père nous a amenés au cimetière. Il a pleuré. On a vu la tombe de François... celui qui est mort d'une maladie de coeur.

Et tant d'autres choses qu'ils avaient vues... pendant que Francis et grand-père se regardaient dans les yeux. Tendrement.

La maman attentive et dévouée, devant l'émotion de ses grands, a canalisé l'attention des enfants pour les questions et commentaires. Grand-père a précisé pour les parents:

— J'ai dit aux enfants que François était très bon et que je l'aimais beaucoup. Il était mort dans un accident. Le reste vous appartient. Peut-être après ma mort?...

Francis devenu livide s'est levé; immédiatement tourné vers le chemin, a fait quelques pas. Sa tête et ses épaules se sont penchées: Francis cachait son émotion. Grand-père s'est approché et ils ont étiré la distance des enfants.

— Francis, j'espère que je n'ai pas fait de bêtise en amenant les enfants au cimetière et en leur parlant un peu...

— Non, Michel. Il le fallait. Le respect des morts, la fidélité ne seront jamais de mauvais exemples. Mais pourquoi: « ... peut-être après ma mort » comme tu as dit?...

— Je ne sais pas trop. Chose certaine, c'est l'automne pour moi... Mais ce que je voulais surtout dire: c'est à vous autres de parler de ton père François à vos enfants, pas à moi. Quand vous le jugerez bon et de la façon que vous voudrez.

— Michel, tu m'as fait peur.

— Tant qu'on s'aime, tant qu'on a une famille, de beaux enfants en santé, une amie...: que peux-tu demander de plus à la vie?

— Ah Michel!... Ta santé?...

— Ça va très bien.

— Michel, j'ai eu un si mauvais pressentiment, tantôt. Je connais ta capacité d'intuition. Poreux comme tu es, tu ne vis pas seulement le présent, tu débordes autant sur le futur que le passé.

— Ce sont des choses qui arrivent. Regarde: moi, j'ai eu le pressentiment que tu désapprouvais ma visite au cimetière avec tes enfants... tu vois? Je me trompais. Francis, j'ai dit aux enfants que François était beau, grand, bon comme toi. C'est tellement rare que je peux dire que je t'admire! Que je t'aime!

Francis s'est placé devant grand-père et a collé ses deux mains chaque côté de son cou. Ses doigts caressaient l'arrière de sa tête, ses pouces, ses deux joues. Il le fixait du regard sondant son mystère. Grand-père sentait bien que Francis se posait beaucoup de questions, qu'il ne comprenait pas, qu'il se mêlait. Puis, semblant démissionner, Francis laissa tomber:

— Ah c'que tu peux être désarmant!...

Peu à peu, avec le temps, grand-père devenait moins important dans la vie de Jonathan. Il avait tout de même dix ans maintenant: c'était sérieux! Le sentant, grand-père s'était fait plus discret, mais se reprenait bien à l'occasion. Jonathan n'avait pas souvent le dernier mot, mais c'était « pour le plaisir » se lançaient-ils à tour de rôle. À son attitude, Jonathan avait semblé bien impressionné le jour où il minimisait l'importance des idées de grand-père quand celui-ci rappela une pensée de Félix Leclerc: « C'est pas parce que je suis un vieux pommier que je donne de vieilles pommes. » Jonathan était resté bouche bée, plongé dans ses réflexions. Il avait, à l'occasion, repris positivement la phrase pour bien montrer son impact sur lui et qu'il en reconnaissait la justesse.

Grand-père ne céda pas pour autant à stimuler, provoquer le jeune esprit curieux. Devant les amis du dimanche, il poussa l'audace jusqu'à demander à Jonathan si sa maîtresse, à l'école, souffrait de rapine dans l'holocauste. Le visage de Jonathan s'était étiré jusqu'à terre et toute la joyeuse troupe fut plongée dans l'expectative. Avec une telle question, la réponse ne pouvait qu'être drôle. Soupçonneux, Jonathan:

— Pourquoi tu me demandes ça?
— Tu m'as tellement posé de questions avec tes « pourquoi? » là, c'est à mon tour.

Encore plus soupçonneux, Jonathan voulut tâter encore une fois la question au cas où...

— À souffrirait de quoi, là, ma maîtresse?
— Est-ce qu'elle souffre de rapine dans l'holocauste?

Jonathan réfléchit très fort et, sérieusement opina:
— Oui, j'pense, parce que des fois à s'gratte.

Le rire fut général, sauf pour Jonathan qui douta de son diagnostic.

— Laisse faire, grand-papa, j'vas t'en poser des questions, moi aussi.

Plusieurs félicitèrent Jonathan pour sa bonne réaction et l'assurèrent de leur collaboration. Jonathan collectionna les blagues et devinettes, farces et attrapes colportées par la radio, télévision et l'école afin de les lancer sur le plancher du dimanche après-midi. Et grand-père écopait, payait pour ses facéties. Après avoir demandé le silence de tous, Jonathan piégeait triomphalement le grand-père parfois oiseux. Naturellement, grand-père ne connaissait jamais la réponse et tous appuyaient Jonathan dans ses commentaires un tantinet revenchards.

— ... Pis un professeur de français, à part ça!...

Jonathan prenait peu à peu sa place dans le groupe, se valorisait. Chacun lui donnant raison contre grand-père qui avait embarrassé si souvent, mais aussi, « si chaleureusement » l'enfant. Mélodie écoutait, semblait se préparer elle aussi.

# 25

Jonathan et Mélodie revenaient de l'école avec des idées, des connaissances... parfois particulières. « Jonathan est arrivé, cet après-midi en parlant de lucioles. Ça voulait dire des mouches à feu » se surprit Claudine. Grand-père riait dans sa barbe. Rêveur, ce soir-là, grand-père resta longtemps dehors, à l'obscurité devant le puits. Claudine vint le rejoindre. Main dans la main, se sont déplacés pour suivre quelques lucioles, les admirer. Grand-père, sur le ton de Jonathan, taquina Claudine:

— C'est-tu ça des lucioles?

Sur le même ton, elle répondit:

— Mouche à feu, toi-même!

Ils rirent tous les deux et rentrèrent bientôt. Claudine réveilla Francis qui ronflait devant le téléviseur et grand-père heureux, mais nostalgique, monta à sa chambre.

*Tout le monde en bas est couché. Il me semble que toute la maison ronfle doucement. Un grand calme, un grand*

*apaisement pénètre toute chose et les transforme de l'inté-*
*rieur. Ce calme, cette paix de la nuit– ou cette vision de*
*l'intérieur –fait toute la différence entre une mouche ordi-*
*naire le jour et une mouche à feu la nuit. Une lumière*
*intérieure comme la découverte d'un vrai système de valeurs.*
*On cesse de parler, de se distraire et on suit l'itinéraire de la*
*lumière. Dans la nuit, des grands bouts de silence sont unis*
*par une petite lueur qui brille comme un phare. On tente de*
*suivre son chemin de nuit entre deux messages de lumière et*
*on s'émerveille toujours. La luciole est un phare dans les*
*ténèbres et lui donne un sens. Sans la nuit, la luciole est*
*invisible, inutile, n'indique pas de direction, ne provoque pas*
*de réflexion, ne pique pas la nuit de perles transparentes,*
*n'unit pas les silences. Les ténèbres permettent à la lumière*
*de prendre tout son sens et toute sa présence. Les lucioles*
*piquent la nuit de fleurs mystérieuses. Les lucioles fleurissent*
*les ténèbres et leur donnent un sens, voire une fonction. Les*
*lucioles me font sourire, ce soir, devant ma page dans le*
*silence de cette maison si fébrile tout le jour. Merci à toutes*
*ces petites mouches à feu de ma vie qui m'ont tant fasciné,*
*jusqu'à celles de ce soir qui me rentrent à l'intérieur de*
*moi-même. Merci à toutes ces âmes illuminées que j'ai ren-*
*contrées et qui piquèrent ma vie de fleurs enflammées. Merci*
*François, –toujours toi!– . Merci Guy, Daniel, Robert,*
*Sylvain. Merci Francis, Claudine, Mélodie et Jonathan. Mer-*
*ci à toutes ces petites mouches à feu de mon coeur qui avez*
*su m'élever jusqu'aux cieux. Enseignez-moi l'art des piles et*
*la clé des songes habités. Initiez-moi à l'idéal de la lumière*
*et à la richesse de ses mystères.*

L'été avait vraiment revigoré le moral de grand-père.

Cet automne-là, à l'école, Jonathan continua à s'initier
aux ordinateurs. Grand-père lui parlait de les décrypter et
Jonathan s'impatientait parce que grand-père « disait encore
des affaires pas d'allure ». Jonathan rêvant de jeux électroniques, proposa même un ordinateur à grand-père.

— Pour tout ce que tu écris, ça serait mieux que ton gros stylo et tes vieilles feuilles « barbouillées ».

— Explique-moi ça, demanda grand-père.

Jonathan semblait être né avec l'ordinateur. Il ne concevait pas le monde autrement. L'univers venait de se couper en deux: le pré-ordinateur et le pro-ordinateur. L'Histoire divisée par l'avant et l'après Jésus-Christ, né d'une puce vierge, dans de mystérieux circuits électroniques que le grand-père-saint-Joseph-Nolin ne comprenait strictement pas. Il se perdait encore dans ses turbulences fantaisistes et autres « salmigon-rushdies » pas très cathodiques. Jonathan, et Samuel surtout, l'ami de Robert Vaillancourt, louangeaient les vertus de cet ultime instrument pour la gestion de la ferme. Les profanes éberlués, en visite chez Robert ce dimanche-là, écoutaient sans comprendre, souvent, la conversation d'un enfant de onze ans et d'un grand de vingt-cinq ans que Jonathan, d'ailleurs, appelait lui aussi « mon oncle ». Ils se sont amusés longtemps dans un langage d'initiés. Quand Jonathan a demandé à grand-père son avis au sujet des ordinateurs et qu'il a répondu en parlant d'hiéroglyphes modernes, Jonathan s'est momifié. Un peu impatienté:

— C'est quoi ça encore!?

Grand-père lui a expliqué qu'il considérait son ordinateur comme une pyramide du XX$^e$ siècle, aussi mystérieuse, mais aussi riche aussi

— C'est plein de corridors secrets, d'indications incompréhensibles, sans oublier sa chambre funéraire, défi à l'éternité. C'est de la kabbale électrique.

— Hein? de la ... électrique?... Grand-papa pour toi, c'est pas: Tout nouveau, tout beau; c'est plutôt: Tout nouveau, tout bobo.

Et Jonathan s'est mis à rire devant sa phrase notée et apprise par coeur à l'école, exprès pour la lancer dans les jambes de grand-père.

— Tu es une vraie Pythie.

— Veux-tu arrêter, grand-papa, c'est sérieux, ça! Tiens, regarde, j'vas te faire apparaître quelque chose sur l'écran.

Jonathan actionna une clé et ce que grand-père appela le « Deus ex machina » apparut. Tout un troupeau de vaches aseptisées, incolores, inodores et sans saveur s'accumula en petits carrés superposés, traversés par des clôtures montantes, descendantes, sous formes de côtes à pic ou paresseuses. Quelques indications ajoutées violaient littéralement la vie privée de ces pauvres bêtes parce qu'elles étalaient leur production intime pour chacune, leur moyenne individuelle, leur comparaison avec les autres, quotidiennement et annuellement, le tout sans crainte de les humilier dans leur plus stricte intimité bovine. Elles étaient même comparées avec la moyenne des vaches nationales! C'était vraiment la vache dans son sens le plus agricole du mot et réduite à son plus petit commun dénominateur: son capitaliste produit, le lait. Grand-père, toujours si compatissant, s'est aussitôt pris d'une profonde sympathie pour la vache dans son essence de bovidé et de son pis.

— Pis ça, grand-père!

Jonathan venait de faire apparaître la période de l'année où chacune produisait le plus, le moins ou pas du tout. Un signe écorné de toute malice apparente représentait le taureau de service ou le vétérinaire à l'insémination artificielle. Insémination que Francis qualifia tout de suite de prostitution de la nature ou de « scab » pour le taureau, réduisant ce dernier à son ultime et triste fonction de boeuf en cubes. Tout le monde pouvait voir, étalé impudiquement sur tout l'écran, quand chaque vache devait rencontrer le petit signe apparemment innocent ou la longue aiguille d'un artificier de la chose. Le jeune homme encore récidiva. Une ligne droite que Samuel, pour éclairer tout le monde appela courbe! commença à s'émouvoir nerveusement comme des personnages de vieux films dès qu'un bouton se sentait touché. Elle allait rencontrer, s'agripper, croiser d'autres lignes sur l'écran vert platement recouvert d'une grande science hautaine de silence. En surimpression, l'écran se subdivisa en quadrants sur fond montagneux et aussi savant. De pics en pics, de saillies en saillies, la ligne droite –toujours courbe– s'agrippait à la performance bovine en escaladant les sommets. De saillies en saillies, se multipliaient les signes plus-plus à la gloire d'un taureau reproducteur engrangeant les retombées de son oeuvre créatrice. La pyramide plafonna aux trois-quarts supérieur de l'écran, et le taureau voyant que cela était bon, se reposa. Après quelques passes clandestines, l'écran se remplit de nouveau de lignes montantes, descendantes, brisées, de sommets en creux, de tour Eiffel en abysses, agrémenté d'un signe de dollar capitaliste escaladant des montagnes russes. La performance du dollar semblait directement proportionnelle à la performance de la ligne ascencionnelle du toujours mystérieux reproducteur. Le tout divisé en plans quinquennaux dans toute la transparence d'une glasnost gorbachévique, pour sceller la nouvelle alliance de la faucille et du taureau.

Devant toutes ces performances, Samuel jubilait et Robert n'en était pas peu fier.

— Je peux même vous donner le nom de toutes les vaches qui ont avorté. Le pedigree de chaque vache avec le poids de chacun de ses veaux à la naissance et le nombre de livres de lait annuel pour chacune, et de chacune de leurs descendantes.

Samuel, fier comme le gardien du troupeau d'ânesses chargé de remplir de lait la baignoire de Cléopâtre, se vantait. Et ajoutant le geste impudent à la grossière parole, il actionna un simple bouton qui meubla l'écran d'un enchevêtrement aussi indescriptible qu'érotique. Les novices, les yeux écarquillés, imaginaient plus qu'ils ne comprenaient l'interaction de toutes ces lignes excitantes qui s'entrecroisaient de bysantine façon aux endroits les plus surprenants et souvent même, dans le petit coin. Chacun comprenait ce qu'il pouvait ou voulait. Francis saisissait surtout les lignes à double sens, et grand-père qui en avait oublié un, se rabattait sur l'autre sens, mais se ramassa en bas de l'écran. Il voulut jouer avec les commandes, mais Jonathan ordonna:

— Pas touche, grand-papa. Pas tout de suite. Regarde avant.

Jonathan s'amusa avec des clés, mais ne laissa pas le temps de vraiment comprendre les différents tableaux qui défilaient à la vitesse des trois messes basses d'Alphonse Daudet. Samuel, en expliquant chaque tableau, laissait juste assez de temps pour faire réaliser à chacun qu'il n'avait vraiment rien compris. Personne n'osa l'avouer et chacun refoula sa honte et sa déception. Quelques petits blasphèmes intérieurs contre le nouveau dieu de la communication à « pitons » en défoulèrent quelques-uns. Grand-père, surtout, ravala beaucoup de déception, lui qui croyait théoriquement dur comme fer en ce nouvel instrument, outil de l'avenir... etc., agrémenté de toutes les belles expressions dignes d'un Palais des Congrès résonnant. Mais cet après-midi-là, il refusait tout à fait de pérorer de façon positive sur cette nouvelle plaie d'Egypte, c'est-à-dire, l'invasion de puces piquant les emplois non spécialisés des pauvres Hébreux circoncis de leur travail.

— C'est le temps, grand-papa:veux-tu essayer?

Grand-père, déjà pris de vertiges, bafouilla:
— Oui, mais...

Jonathan expliqua, toucha, réexpliqua et retoucha. Il avait autant d'intuition pour cette machine infernale que grand-père en manquait.

— C'est bien hermétique, donc!... condamna le grand-père en regardant Samuel.
— Là, grand-papa, j'ai l'impression que t'es tombé derrière l'affaire, mais avec des explications et un peu de pratique...

— En tous cas, en attendant, je plains bien tes vaches!...

Au milieu des grands rires, Jonathan arriva à la res-cousse.

— J'vais te montrer autre chose, grand-papa.

Par quelques gestes incantatoires, il fit encore apparaître un mélange de toutes ces lignes au travers desquelles se promenait, soit le signe du taureau ou un autre du zodiaque, soit celui du vétérinaire ou du camion collecteur de lait: personne ne semblait vraiment savoir. Quand le petit signe commença à manger des lignes, Francis –très olé-olé!– opina que ça devait être le taureau...

— ... et dans une corrida, précisa-t-il.

— Mais non, papa, c'est un jeu électronique.

Samuel et Robert pouffèrent de rire et Jonathan commença à jouer. Mélodie le rejoignit bientôt et, au grand soulagement de la vieille garde non « formatée » la conversation reprit un cours un peu plus terre à terre.

Tous ces essoufflés de la science, sans les stéroïdes anabolisants de l'ordinateur, en ont profité pour quitter la piste où ils se sentaient dépassés par un enfant. Ils se sentaient tout à fait insécurisés par cette caverne d'Ali Baba qui ne répondait plus au magique « Sésame, ouvre-toi! » de leur enfance.

Ils devisèrent encore de « la beauté et de la complexité de l'instrument de Samuel » ce qui fit sourire sous cape le beau colosse Robert. Francis et grand-père surtout trouvèrent de multiples avantages, et encore plus de mais... L'instrument avait-il besoin d'être humanisé? ou plutôt, pouvait-il devenir déshumanisant?... Etc. Tout ce groupe de profanes qui n'arrivait vraiment pas à s'élever au niveau de l'ordinateur, au plancher des vaches resta collé. De peur de revenir à l'écran, Francis proposa d'aller à l'étable voir les vraies vaches et leur installation. Dans le vaste bâtiment, après plusieurs bonnes respirations profondes d'un oxygène plus dense et odorant le vécu bovin comparé à l'air raréfié dans l'éther du monde « ordiné » d'où il venait de suffoquer pendant près d'une heure, le groupe libéré retrouvait peu à peu son rythme intellectuel sécuritaire et plus serein. Mais le reproche qui faisait l'unanimité des visiteurs, demeurait toujours le refus, par les modernes fermiers, de la simple relation annuelle d'une vache avec son taureau... « D'ailleurs, habituellement prêté par le voisin, pensait Francis... ce qui en fait peut-être un charme supplémentaire. » C'est ainsi que dans l'étable, chacun devina que les vaches affligeaient d'un regard incertain leurs maîtres qui les privaient de la seule petite rencontre agréable de toute l'année avec leur hémistiche préféré dans le champ de la poésie bucolique. Elles le leur reprochaient de leur beau gros regard rond et profond accompagné d'un prosaïque et lancinant meuglement. Les pauvres bêtes n'en continuèrent pas moins à ruminer leur destin de simples vaches privées de taureau, et réduit à une seule ligne droite appelée courbe sur l'écran plat, vert et froid d'un moderne ordinateur.

Au retour de la leçon de choses dans l'étable du quotidien, Jonathan, triomphalement, questionna son grand-père sur un ton qui exigeait encore une réponse exaltée.

— Qu'est-ce t'en penses maintenant, grand-papa?

Grand-père appelé à trancher sur l'ordinateur, c'est-à-dire pour lui, sur des concepts refroidis, sur ce rétréci de la réalité, sur l'antithèse du romantisme et ce triste étal anonyme de la vache disséquée, n'arrivait pas à puiser une idée de réponse dans Homère, Châteaubriand ou Saint-Denys Garneau. Grand-père paniqua surtout devant l'ultime abandon, voire trahison de son premier maître à penser, saint Thomas d'Aquin. Grand-père avait beau l'interroger avec insistance mentalement:

— Mais l'aiguille, saint Thomas, l'aiguille?!...

Devant le silence obstiné, grand-père s'est même demandé si saint Thomas n'aurait pas été lui-même victime du traumatisme de l'aiguille?... Ça expliquerait son surnom reconnu de Boeuf Muet?... Grand-père fiévreusement cogitait. Tout à coup, il s'est senti répondre directement de l'Au-delà, d'une voix monocorde et robotisée:« Il n'y a plus de service au numéro que vous avez signalé. Dorénavant, veuillez consulter votre terminal préféré. » Pantois, à la fin, grand-père ne découvrit pas d'autre relation qu'entre le saint et le lait. Vraiment, devant l'ordinateur, grand-père se sentait un peu comme Menaud Maître Draveur devant une manufacture de bois synthétique appartenant aux Anglais, ou comme « la mère de Pasteur au petit déjeuner, devant un pot de confitures pasteurisées » (Jean Ferguson)... Grand-père, encore une fois, rêvait; en pleine apocalypse, nageait. Il risqua:

— Au moins, dans l'étable, on les sent!...

Personne ne l'ayant senti venir, tous pouffèrent de rire devant un Samuel un peu gêné et un Jonathan très déçu.

— Non, mais sérieusement, essaya de rectifier grand-père, mon cerveau n'est pas préparé à résumer tout un troupeau dans une droite qui devient courbe sur un microfilm des arpents verts. Là, je comprends le petit côté très concret de la description d'une vache par un étudiant qui avait écrit: « ... ses pattes descendent jusqu'à terre. »

Jonathan qui n'appréciait pas du tout les rires que suscitait grand-père au sujet de son nouveau dieu à « plug » désespéré de ce grand-papa qu'il avait déjà tellement admiré, conclut:

— Je pense, grand-papa, que tu vas continuer encore longtemps à barbouiller des vieilles feuilles avec ton gros stylo.

Le groupe venait de trébucher dans le fossé des générations. Sur le terre-plein, devant le tertre du progrès, le groupe des non initiés se sentait comme un troupeau de vaches

265

regardant passer le train. Claudine finit par retrouver son souffle et commenta:

— Ce n'est pas seulement une manière d'agir qui va nous séparer de nos enfants, c'est une manière de penser. C'est bien différent des générations précédentes.

Francis s'inquiéta:

— On ne peut deviner ce que nos enfants vont vivre.

Et grand-père qui ne manquait jamais une occasion de s'exprimer:

— Et nos enfants ne pourront deviner ce que nous avons vécu.

Grand-père venait de se découvrir la vocation de chroniqueur du passé. En écoutant distraitement une émission de télévision d'avant Ordinateur..., grand-père a décrété:« Jonathan veut savoir. » Et grand-père, quand l'occasion se présentait, essaya de faire imaginer aux enfants le monde d'avant l'électronique, la télévision, le téléphone, l'électricité, etc. L'imagination de Jonathan ne fournissait pas toujours, et parfois vérifiait auprès de ses parents. Amusés.

Un jour, Francis avec son petit sourire taquin qui fit toute de suite se renfrogner Jonathan attendant une petite moquerie:

— T'sais, Jonathan, t'es pas venu au monde avec un bol de toilette;... seulement avec un p'tit robinet.

Jonathan aimait qu'on s'occupe de lui, il se sentait apprécié, toujours présent. Mais détestait quand il ne comprenait pas ce qui était dit et que tout le monde riait. De lui? Il était bien porté à le croire... un peu. Par contre, il se savait tellement aimé. Cette fois-là, grand-père l'a amené dans le salon et lui a expliqué en cachette:

— Jonathan, je vais te dire un secret. Quand ton père te parle comme il vient de faire, retourne-lui ce qu'il t'a dit comme:« Toi, en as-tu un p'tit robinet? Ou bien: « P'tit robinet, toi-même! » Tu vas voir, souvent ça marche, puis tout le monde va rire.

Jonathan, tout heureux, trépignait d'expérimenter sa nouvelle arme secrète. Il réfléchit intensément et entra triomphalement dans la cuisine avec la formule du siècle, regarda son père:
— Bol de toilette, toi-même!

Francis figé, grand-père très gêné, Claudine s'étouffa de rire en regardant son mari et répétant:
— Bol de toilette...

Jonathan interrogea grand-père du regard qui reconnut son imprudence. Longtemps revint à tort et à travers dans les conversations le « bol de toilette toi-même! » et les grands rires de Claudine. Jonathan raffina peu à peu ses répliques et devint un jouteur primesautier avec qui il fallait désormais composer. Mélodie, comme sa mère, derrière la ligne de feu, se contentait de sourire, mais ses sorties furent d'autant plus drôles qu'inattendues.

« Les enfants arrivant dans un monde nouveau, ont besoin des chroniques du passé pour mieux apprécier ce qu'ils ont et tout ce qu'ils doivent à leurs parents, grands-parents et ancêtres en général. » Ainsi, s'était expliqué grand-père aux parents. Il appelait ses histoires aux enfants, « des contes de fées à l'envers. » Parfois, Jonathan, tombant en bas de son ordinateur, racontait à tort et à travers en classe que son grand-père n'avait pas de toilette et qu'il avait l'eau gelée le matin à la maison, etc.

Au fond, à cause de l'accélération de l'histoire, aucune génération ne vivra ce qu'auront vécu les grands-parents. Sans l'étude de l'histoire et l'écoute des histoires des grands-parents, la société aggrave sa maladie d'Alzheimer. Le « Je me souviens » agonise. Sans informations aux jeunes, les grands-parents sentiraient ce vide comme une absence de descendants. Et l'inverse pour les enfants: sans cette transmission grand-parentale, les jeunes se sentiraient sans ancêtres dans une société amnésique.

Entre les grands-parents et les petits-enfants se tisse un lien vital: les racines d'avant et les racines d'après. Les grands-parents réussissent à ranimer l'Histoire en unissant à leurs parents qui les ont faits, leurs petits enfants qui leur survivront. Ce lien vital dépasse les deux extrémités de la vie et c'est là l'essentiel. C'est l'essentiel qui précède le début de la vie et dépasse la fin... à cause du sens qu'il donne à la durée intermédiaire.

# 26

Un jour, Jonathan a amené pour jouer à la maison son petit ami Christian, probablement dix ans, lui aussi. L'ami fut renversé par la présence du grand-père
— Si vieux?... Il reste toujours chez vous?

Jonathan a compris que grand-père n'était pas le seul à poser des questions bizarres. Puis Christian s'est moqué de grand-père:
— Il tremble bien donc! Pis y tousse-tu toujours comme ça?... J'voudrais pas avoir ça chez nous!

Claudine expliqua:
— Michel est une personne âgée... c'est bien normal.

Jonathan tout de suite rectifia:
— C'est pas une personne âgée, c'est grand-papa.
— Il est tellement vieux! insista Christian.
— Il n'est pas vieux, c'est MON grand-papa!

Le petit Christian ne pouvait vraiment pas comprendre.

Christian était ballotté entre son ancienne et sa nouvelle mère. Son vrai père faisait ce qu'il pouvait, mais entre les trois, l'enfant s'égarait parfois. Quand grand-père a entendu Christian dire à Jonathan qu'il avait un père et deux mères, il est intervenu.

— Prêterais-tu une de tes mères à Francis? Lui, il a deux pères et pas de mère.

— Pas de mère?

— Te souviens-tu du Petit Jésus: il n'avait pas de père?

— Ah oui?

— Tu sais, quand on croit aux étoiles, tout est possible... Puis tes deux mamans?

— Il faudra leur en parler. Ton Francis, qu'est-ce qu'il a l'air? Est-ce qu'il aime jouer dans le sable, les trous d'eau? Le beurre d'arachides?...

— Bien sûr. En plus, il a une rivière et un puits.

Jonathan précisa devant les yeux démesurément agrandis de son ami pour qu'ils n'aient pas l'air, tous les deux, de faire une publicité télévisée sur le fromage:

— Francis, c'est mon papa.

— Mais il n'a pas besoin de mère: il est vieux, affirma Christian qui se sentit berné.

Grand-père corrigea son impression.

— Christian, on a toujours besoin d'une mère, même si on est vieux. Demande à Claudine.

Christian regarda Jonathan et n'osa dire ce qu'il pensait du grand-père. Encore une fois, Christian ne pouvait comprendre. Jonathan expliqua:

— Tu as beau avoir deux mères... mais tu n'as pas de grand-père.

Pour Christian, être vieux, c'était laid, malcommode. Embarrassant. Au contraire de Jonathan, il n'avait jamais senti l'affection, complicité de grands-parents. Christian n'avait jamais rien fait pour son grand-papa et grand-papa n'avait jamais rien fait pour lui: Christian ne pouvait vraiment pas comprendre. De plus, ayant vécu sa première enfance en garderie et encore souvent sous les soins d'une gardienne, Christian se sentait isolé au centre de lui-même à cause de parents trop pressés ou d'une absence de grands-parents. Habituellement, en garderie comme à l'école ou aux sports organisés, les rapports avec les enfants sont souvent pensés... au lieu d'être ressentis, et les enfants se sentent aimés pour ce qu'ils font et non pour ce qu'ils sont. Déjà, chez eux, se dessine le besoin social de performance et s'étouffe le sens du jeu et de la gratuité, de l'amour et de la spontanéité.

Christian avait au moins fait réfléchir Jonathan. Grand-père le devina aux questions posées à brûle-pourpoint.
— Grand-père, as-tu toujours été grand-père?
— Toi, as-tu toujours été enfant?

Après une réflexion embarrassée, Jonathan répondit tout heureux de sa découverte:
— Bien non, avant j'existais pas.
— Eh bien, avant toi, je n'existais pas comme grand-père. Quand tu es venu au monde comme enfant, c'est là que je suis venu au monde comme grand-père. C'est toi qui m'a fait grand-père. C'est un très beau cadeau et je t'en remercie.
— Vas-tu me donner un cadeau à ton tour?

Grand-père hésita, mais donna quand même la réponse que les enfants reçoivent avec autant de déception que de fréquence:
— Tu l'as déjà reçu: c'est le cadeau de la vie.

Le grand-père continua pour adoucir la déception de l'enfant:
— Les vrais cadeaux, ce sont les parents qui les donnent parce que les grands-parents, ce ne sont pas toujours des cadeaux...

Grand-père a laissé sa phrase en suspens et regardé Claudine. Avec un clin d'oeil, il a terminé:

— ... qu'ils donnent. Que penses-tu de ma restriction mentale? Claudine.

— Si je r'virais les mots à l'envers comme toi, je dirais plutôt: mental sans restriction.

Les deux ont ri, et Jonathan les voyant fonctionner au-dessus de sa tête, passa la porte. Grand-père a voulu se faire approuver par Claudine en reconnaissant que plusieurs grands-parents gâtent leurs petits-enfants, leur permettent des petits caprices, leur donnent des cadeaux qui ne vont pas toujours dans la ligne d'éducation que les parents ont tracée.

— Avec toi, grand-père, les enfants n'ont pas besoin de cadeaux pour jouer, tu leur apprends tellement à jouer avec les mots!

Le soir, quand grand-père est allé border Jonathan dans son lit, l'enfant l'a pris par le cou et serré bien fort.

— Tu es un beau cadeau pour moi, grand-papa.

L'enfant s'est fait serrer encore plus fort.

— Toi aussi, Jonathan, tu es un beau cadeau. L'important, ce n'est pas de savoir toutes sortes de choses sur nous autres: l'heure de ta naissance, mon âge, si je t'ai donné des bébelles qui coûtent cher ou si tu m'as aidé à ramasser les feuilles sur le gazon. L'important, c'est qu'on est bien ensemble, qu'on est heureux ensemble.

— L'important, c'est de se serrer par le cou.

Ce soir-là, grand-père est resté près de son lit beaucoup plus longtemps que d'habitude, assis près de lui à le regarder s'assoupir. À le boire des yeux. Grand-père s'enfonçait dans ses pensées. « C'est si beau regarder un enfant qui dort, qu'il faut se faire violence pour s'arracher à ses charmes. Et je me sens si jeune avec lui. Je me découvre à nouveau le goût de vivre, de faire de l'exercice, de m'impliquer pour que tout soit plus beau autour de la maison, dans sa vie. Je n'ai pas la même responsabilité que ses parents, ses professeurs. On n'a qu'à être bien ensemble, Jonathan et moi. Jonathan, tu me fais penser à l'enfant chanté par Nana Mouskouri: Prendre un enfant par la main, prendre un enfant comme il vient... puis lui laisser prendre une autre main. Peu importe l'âge, le sexe, la couleur, le Dieu de cette autre main. Prendre un enfant par la main et lui laisser vivre demain... En aurai-je le courage?...

En effet, que cet enfant était précieux dans la vie du grand-père, dans la survie de cette maison! Il semble que Jonathan pensait la même chose de son grand-papa, sans le lui dire avec des mots. Mais quand il le serrait si fort par le cou en l'embrassant, grand-père qui devinait les sentiments, restait un moment sans parler à ses parents. Ému?... Un grand-père a-t-il à répondre?... Avant de se coucher, il allait à tour de rôle au lit des enfants, les admirait un moment, puis les embrassait. C'était sa prière du soir, sa police d'assurance pour la nuit, son hommage à la vie. Désir de survie?...

Un matin, en compagnie de Mélodie comme toujours, Jonathan revint à la charge.

— Puis toi, vas-tu mourir quand tu vas être... quand tu vas être plus vieux?

— Bien oui. Toi aussi, tu sais.

— Vas-tu être remplacé par une pierre, comme François?

— Non. Je veux être incinéré. Je vais demander à ton père de faire brûler mon corps.

— Hein? Pourquoi?

— Parce que le feu purifie, embellit. Il éclaire, réchauffe. Le feu est si joli avant de s'éteindre.

— Mais ça fait mal! s'écria Jonathan.

— Ça fait mal si on est dedans; si on n'est pas dedans, c'est beau. Le soir, en été, on fait un petit feu dehors: tu aimes ça. C'est beau de voir la bûche qui brûle.

— Mais toi, grand-papa, tu vas être dedans! s'indigna l'enfant.

— Je vais seulement en avoir l'air. Je serai parti bien avant. Pas fou, grand-papa, hein?

— Mais il ne restera plus rien de toi. Même pas de pierre.

— Même pas de pierre. Mais il restera bien plus: un souvenir dans ton coeur, une image dans tes yeux. Tu te souviendras de moi parfois quand tu seras heureux. Ou malheureux. C'est souvent si près l'un de l'autre. Tu penseras peut-être à moi plus tard, quand tu auras des enfants et que tu essaieras de les rendre heureux. Je serai un peu comme ton petit éléphant porte-bonheur que ta mère t'a donné.

— Mais tu ne seras plus là!

— Je serai dans une étoile tout là-haut, je te sourirai parce que tu m'auras rendu plus heureux en même temps.

Un long silence de sa part l'a fait croire désarçonné. À preuve, Jonathan demanda:

— Les étoiles, pourquoi elle s'allument et s'éteignent?...

Comme le pilote du Petit Prince, grand-père ne répondit pas.

— Mais t'inquiète pas, Jonathan. Pour rester plus près de vous autres, je vais faire étendre mes cendres dans le grand champ derrière la maison.

Jonathan, les yeux agrandis, essayait de comprendre. De ses deux mains, lui serra l'avant-bras, sa petite tête bien relevée, et tout entier dans sa question:

— Tout toi, dans le champ là-bas?

— Je pousserai dans le grain, les épis. Quand tu mangeras du maïs du jardin, admireras les fleurs, goûteras les fraises des champs, je serai un peu là. Tu vas te rappeler ce que je t'ai dit et tu souriras. Moi aussi là-haut.

— J'aimerais mieux que tu meures pas.

— Ah ben là, je ne peux rien te promettre...

— Mais si tu te fais tout brûler, tu pourras pas revenir! Je n'aime pas bien ça.

274

— On doit tous mourir, Jonathan. Toi aussi, un jour. Plus tard.

Il a paru un peu triste. Grand-père a essayé de le distraire, de parler de sujets plus agréables, amusants pour lui. Il ne répondait plus, mijotant dans ses réflexions. Il pouvait bien être intrigué aussi, après avoir reçu une partie du testament de grand-père. En entrant dans la maison, Mélodie déboula à ses parents, tout d'un bloc, ce qu'elle avait compris.

— Grand-papa va s'brûler et veut s'pousser dans le champ.
— Hein! sursauta Claudine.

Jonathan reformula.

— Mais avant, grand-papa veut mourir, puis brûler, puis être semé dans le champ... Pour qu'on pense à lui quand on va manger des épis de blé-d'Inde.

Sous l'effet de surprise, tous intrigués, la mère a souri, le grand-père a éclaté de rire et le père l'a regardé, amusé, en se demandant bien ce qui venait de se passer. Grand-père a expliqué qu'il avait parlé de son testament à Jonathan. À la fin, tout le monde a souri, mais pas longtemps. Grand-père a serré Jonathan dans ses bras pour le rassurer devant les rires qu'il ne comprenait pas. Grand-père, pour ne rien arranger, s'est penché vers l'enfant:

— Jonathan, mes petits codicilles; Jonathan, mon nouveau testament.

Ses parents riaient, Jonathan s'impatientait.

— J'comprends jamais rien de c'que tu dis. Tu parles assez compliqué aussi!

Ses parents ont encore ri et l'enfant qui comprenait de moins en moins, sauf que tous s'amusaient un peu à ses dépens, démissionna:

— Viens Mélodie, on va aller se coucher d'abord.

Les bonsoirs rituels à tour de rôle et trois regards affectueux ont suivi deux enfants merveilleux. Ils se dirigeaient vers une nuit peuplée de rêves bien mystérieux, avec de grands brasiers, où éclataient en feux d'artifices des tonnes de maïs soufflé.

Quand grand-père monta se coucher, il s'arrêta au-dessus de la trop belle tête bouclée d'un irrésistible enfant. Au-dessus de l'abîme profond de son sommeil modulé par ses longues respirations, grand-père parla à l'enfant qui sembla d'abord arrêter de respirer pour mieux écouter. L'esprit de Jonathan, hors de son corps, buvait les paroles du grand-père compliqué.

— Quand je vais être parti, Jonathan, je vais être encore là. Dans le jardin, au bout de la maison, dans le grand champ, un peu dans la rivière. Puis un soir, quand ce sera le temps, tes parents vont faire un feu plus beau, plus gros que d'habitude, près du chemin et vous allez penser à moi en mangeant des guimauves grillées. Vous allez tous être collés les uns sur les autres et je vais y être quand même parce que mon esprit ne prend pas de place. Puis vous chanterez autour du feu comme quand je suis là. Puis, on va tous être heureux quand même. Peut-être plus heureux.

— Il y a bien des choses que je comprends pas, grand-papa. Des fois, j'pense comprendre, des fois, j'comprends rien.

— Tu es comme les étoiles qui s'allument et s'éteignent, Jonathan. Tu es mon étoile, mon petit Jonathan.

— Des fois, tu dis des choses bien trop compliquées, grand-papa.

— Est-il bien nécessaire de tout comprendre? Sentir, souvent ne suffirait-il pas?

— Grand-père, toi aussi, là, tu réponds par des questions, répondrait l'enfant de son regard aiguisé.

— C'est vrai.

— Quand je ne serai plus là, Jonathan, réserve-toi un temps pour marcher vers une source, une rivière. Pas pour les

276

remplir de larmes, mais pour t'y baigner. Pas pour te démolir de souvenirs, mais te rafraîchir.

Après son dialogue au-dessus du petit lit d'un enfant endormi, grand-père alla écrire son coeur, puis vint se relire à mi-voix auprès de Jonathan. Les paupières de l'enfant frissonnèrent et son coeur, son esprit caressèrent grand-père qui devint tout ému.

*Entre les grands-parents et l'enfant, c'est un échange de vieux hibou savant et un ange encore innocent. Les grands-parents sont une corne d'abondance chargée des fruits de l'automne qui se penche vers l'enfant ouvert, accueillant. Bientôt tombe une pomme, grappe de raisins, un autre fruit puis tout le pommier. Au loin, s'étire une vigne, s'étend, se multiplie, puis descend la colline en bon vin. Ses flots s'approchent et se goûtent, bientôt ruissellent et réjouissent. Le vieux céphage frissonne de satisfaction et trinque à toute la nouvelle saison. L'enfant qui voit tous ces hommes travaillant aux vendanges, voit disparaître le raisin pour ressortir bientôt en beau liquide rempli de promesses. Il ne sait pas encore jusqu'où le vin peut emporter, mais il tient une feuille en sa main et fait confiance à la sève, au labeur des papas attentifs et joyeux. Fait confiance à la vie qu'on prépare pour lui. S'ils font tant attention, s'ils en parlent si souvent, si les mamans, de connivence, leur préparent à manger, les encouragent, c'est que le raisin est important et nourrit l'espoir. Quand viendra le temps, ce bon bouillon de la colline coulera joyeusement dans les coupes de la joie en rasades de bons voeux au nouvel homme devenu. Jonathan, tous tes amis te préparent le terrain. Je te souhaite de devenir un Homme, pas un adulte. À tous les Jonathan que j'ai tant aimés.*

Grand-père embrassa bien tendrement Jonathan sur le front. Longtemps, ses lèvres burent les lentes respirations de cette merveille d'enfant... et s'en fut chercher le sommeil. Il rêva de vin, de vignes, lui aussi, et d'un grand feu de joie.

Ainsi, souvent le soir, grand-père mourait un peu plus, mais acceptait toujours davantage devant le lit d'un trop bel enfant.

Quelques mois plus tard, grand-père qui, décidément ne faisait jamais les choses comme tout le monde en ne donnant pas tellement de cadeaux à Noël ou aux anniversaires, se permit d'en comploter un avec Francis et Claudine. C'est ainsi qu'après une foule d'informations, comparaisons et discussions, il put réaliser un de ses rêves les plus exaltants. Puis vint Le Moment. Toute la journée, souriant, trépignant, parlant sans arrêt, « un peu fatigant » pensa Claudine, grand-père fit à Jonathan LA surprise de sa vie. Quand l'enfant revint de l'école, il trouva près de son lit, tout installé, tout étalé sur une nouvelle table, un splendide ordinateur avec imprimante et moniteur, surplombés d'un petit éléphant égratigné. Jonathan monté seul à sa chambre comme tous les jours sous l'oeil faussement habituel de Claudine et de grand-père, se mit à crier à tue-tête. Il redescendit l'escalier à la vitesse des petits talons d'autrefois et s'exalta, incrédule:

— C'est pas pour moi, ça?... Qui m'a apporté ça?... Vite! dites quelque chose!...

Devant le silence, Claudine suggéra:
— Demande à ton grand-papa.

Grand-papa, déjà les yeux pleins d'eau de plaisir et d'affection, se trahissait. Sans un mot, parce qu'absolument inutiles et impuissants, Jonathan se lança dans les bras déjà ouverts de grand-père. Il le serra comme jamais et si longtemps! Toute sa bruyante exaltation s'était réfugiée à l'intérieur et ressortait en fleurs, sourires, caresses. Il l'embrassa dans le cou, sur un côté, puis sur l'autre côté, puis... Grand-père pleurait. Très doucement, avec amour même, Jonathan finit par dire presque tout bas:
— Merci, grand-papa. Viens voir, s'il te plaît.

Il le prit par la main, l'aida dans l'escalier, lentement, et le fit asseoir devant le petit démon électronique.

— Pèse là, grand-papa.

— Non, Jonathan. C'est à toi à l'essayer, l'allumer pour la première fois, à l'apprivoiser pour en faire ton ami. Ton serviteur.

Grand-père se leva et regarda Jonathan dans les yeux en souriant:

— Je ne serai pas jaloux.

L'enfant heureux sourit, se mit en selle et harnacha ce Manic V. Grand-père ne comprenait rien, mais recevait comme douces caresses sur tout le corps, et surtout dans son coeur, toutes les exclamations enthousiastes de l'enfant exalté. Grand-père eut droit a tout le langage initiatique énuméré comme autant d'instruments de torture pour lui faire passer directement le troisième degré. Le disque dur, le disque mou, le logiciel, le clavier en français (le seul élément qu'il comprenait vraiment), le nombre de K et tout le reste de l'inventaire kabbalistique que découvrait lui-même l'enfant, importait peu à grand-père qui n'arrivait pas à bloquer les vannes de son barrage lacrymal. Jonathan vivait un tel bonheur! grand-père ne pouvait qu'en vivre autant. Jonathan finit par se lever. Enthousiaste, décidé, convaincu:

— Grand-père, j'vas te montrer! Tu vas voir, c'est facile, tu vas aimer ça!... Ah grand-père!... Ah grand-père!... J'sais pus quoi dire...

Il se jeta dans les bras de grand-père et le serra encore très fort et très longtemps sans dire un mot de plus. Ils descendirent en silence, main dans la main, puis Jonathan parla encore presque tout bas avec une profonde tendresse. Il se demandait comment faire plaisir à grand-père.

— Assis-toi là, grand-papa. Veux-tu un verre de liqueur? un café?... Comment t'as fait ça, grand-papa? Quand?...

Jonathan tenait toujours la main, le bras de grand-père, lui parlait comme à une sensitive. Grand-père était heureux à en pleurer.

Mélodie arriva et Jonathan la « transporta » presqu'à sa chambre devant le dieu clignotant, cette soucoupe volante offerte qui se soumettrait à tous leurs voeux. Puis Francis arriva enfin.

— J'aurais bien voulu être ici pour votre arrivée, les enfants. Qu'en pensez-vous?...

— C'est grand-papa! C'est grand-papa! répéta Jonathan plus bas, un peu ému.

Et il alla encore l'embrasser en silence.

— Mes petits enfants, c'est pour vous autres.

Après une pause, taquin:

— Je voudrais seulement avoir le droit de l'essayer.

Les deux enfants promirent tout en même temps et rirent de bon coeur. Francis, l'oeil malicieux, dit à Claudine:

— C'est toi, la femme, qui va mettre nos vaches sur écran comme font Samuel et ton frère Robert.

— Pourquoi moi?

— C'est à la femme de s'occuper des vaches: « Moi, j'donne pas d'lait!... comment veux-tu que je fasse ça?... »

Grand-père s'est étouffé de rire pendant que Claudine saisissait la nouvelles blague devenue célèbre dans toutes les laiteries québécoises. Sur un ton à la fois bourru et amusé, elle apostropha son mari:

— Ah ben, Francis Labrecque, si c'est Jean-Guy Tremblay ton nouveau héros!...

Grand-père commenta aussitôt:

— Nou-veau héros, oui, mais beaucoup plus veau que nou!...

Dans les grands rires de tous, Francis devina que, même s'il faisait la cour supérieure à sa femme et qu'il se faisait financer anonymement par des organismes comme Pro-Lait, son projet demeurait voué à l'avortement.

# 27

À treize ans, Jonathan a commencé à s'habiller sexé. « C'est beauté à voir, » avait commenté tout bas grand-père à Francis. Parfois, la nuit, grand-père entendait Jonathan se masturber discrètement. N'en parlaient ni l'un ni l'autre, se comprenaient, respectaient. L'adolescence était venue avriliser sa jeunesse. À l'école, Jonathan se tenait surtout en groupes avec des garçons de son âge: c'était sa période homosexuelle. La plupart des jeunes passent par là... vivent seuls ou entre personnes du même sexe leurs premiers contacts sexuels. Les jeunes qui n'ont pas été éduqués à la sexualité ou ont été victimes des préjugés primaires et paroles vulgaires de leurs parents contre les contacts homosexuels, se sentent souvent inquiets, honteux, voire coupables. Ces jeunes qui vivent presque tous ces tendances et gestes au début de leur adolescence, sentent d'avance le mépris de leurs parents ou entourage de pseudo adultes à leur sujet. À cet âge d'insécurité, les adolescents recherchent leur identité, l'identité de leur personnalité et de leur sexualité. À cet âge, ils se dévalorisent facilement, se sentent rejetés sans raison. » Même certains adolescents sont portés à se mépriser eux-mêmes à cause des enfants qu'ils ont comme parents, » condamnait parfois Francis.Un dimanche après-midi, tout le groupe d'amis discuta sexualité devant leurs grands adolescents et adolescentes dans le but d'éduquer, rassurer. On disait que les jeunes doivent faire leurs expériences, même sexuelles, quand ils se sentent prêts. C'est pour se connaître, pour découvrir leur propre orientation en pleine connaissance de cause. C'est grand-père qui a précisé que des peuples entiers ont permis et pratiqué systématiquement les expériences sexuelles adolescentes et même homosexuelles dans le passé et les pratiquent encore aujourd'hui et ce, même au Canada. Claudine qui semblait écouter distraitement s'est interrogée tout haut:

— Comment se fait-il qu'un adolescent qui couche avec un homme pédéraste, on en fait tout un drame et s'il couche avec une femme pédéraste, tout est correct?... Et on en connaît des femmes d'âge mûr qui baisent avec des jeunes de quatorze ans: le petit jeune qu'elles engagent pour tondre le gazon, corder du bois, qu'elles invitent avec ses parents, les petits livreurs, etc.

— Moi, ajouta grand-père, je connais Steve d'une autre polyvalente, treize ans, qui se fait régulièrement cueillir par une femme au bout de la rue Principale après sa classe.

Francis enchaîna:

— Ceci est monnaie courante et il n'y a pas de dénonciations, plaintes. Si jamais le père est au courant, il va étouffer l'incident, rassurer l'adolescent... et vogue la galère. Un mâle a fait son travail de mâle. Mais pour les tendances homosexuelles de l'adolescent, ça, il faut les refouler. Et on le fait par le mépris. Il faut culpabiliser l'adolescent. Si un adolescent de quinze ans a fait l'amour avec un homme, on organise tout un drame, pousse le jeune aux dénonciations, au mépris, à la haine, soulève des marées de préjugés, des tempêtes sociales. Stigmatiser. Et en stigmatisant l'adulte, on stigmatise l'adolescent. Pourquoi? Parce qu'un adolescent a voulu faire une expérience comme une autre. Tout ce qui compte, c'est qu'une société de mâles machos ne peut tolérer qu'un seul mâle trahisse la cause du pouvoir mâle qui passe d'abord et avant tout par la domination de la femme. Alors, se met en branle tout un système socio-politico-judiciaire qui remue mers et mondes pour Le Crime de haute trahison.

— Le Crime de baise-majesté, compléta Jean-Guy en faisant rire tout le monde.

Grand-père poursuivit l'idée de Francis.

— Toute sa vie, le jeune traînera ses frustrations et parfois transmettra le mépris contre les Gais à cause du comportement appris. Il aurait été si simple de lui laisser vivre ses expériences sans le culpabiliser, sans dramatiser, sans lever de grandes vagues d'injustices. Il aurait pu choisir ainsi sa propre orientation sexuelle, sereinement, sans arrière pensée.

— C'est vrai, continua Claudine. Pour faire découvrir son propre caractère et établir sa personnalité, on laisse bien au jeune le droit de s'essayer à la colère et à la douceur, au petit chantage affectif et au découchage chez des amis, même à l'alcool, etc. À l'usage, avec ses essais et erreurs, le jeune apprend qui il est, s'assume et se stabilise dans l'harmonie.

Jonathan et ses amis ne semblaient pas toujours attentifs à ces propos d'adultes, mais grand-père surveillait du coin de l'oeil et remarquait bien l'attention discrète qu'ils portaient quand même à ces conversations. Souvent, après le départ de la visite, Jonathan parlait avec plus de chaleur à son père. Reconnaissance de l'avoir respecté dans son vécu et déchargé du fardeau de ses interrogations et inquiétudes? Reconnaissance d'un nouveau respect? Jonathan avait tout retenu... surtout le soulagement à son coeur de jeune adolescent.

Il a été très blessé à l'école de voir d'autres jeunes se faire ridiculiser et traiter de tapettes. Il a supporté longtemps en silence puis, un soir, en a parlé à grand-père. D'abord, il parla de sexualité en général: plus facile pour établir le premier contact sur ce grand sujet.

— Toi, grand-père, tu ne trouves pas ça difficile, pas de femme, j'veux dire, pas d'homme dans ta vie intime?

— À mon âge, tu sais, c'est moins nécessaire. Mais, par exemple, j'ai toujours besoin et le goût de caresses, tendresse. Plus jeune, il me fallait quand même de la sexualité plus... active. Je ne haïrais pas ça encore aujourd'hui.

Les confidents jasèrent longtemps. Une fois Jonathan endormi, grand-père se leva et écrivit les surplus qui bouillonnaient en lui, les grandes vagues de souvenirs douloureux jadis vécus. Grand-père se relut, les yeux embués.

*In-différence, sans différence. Puis on laisse tomber le trait d'union: indifférence. Ce qui tue les ménages, l'amour, tue la créativité, la vie. Ce qui tue l'émerveillement chez l'enfant, le goût du futur chez l'adolescent. Avenir bouché, lendemain sans aurore. « À quoi ça sert la vie? » pourrais-tu me demander, Jonathan. Avec un tel mépris de société, il ne faut pas être surpris que la réponse, trop souvent, se trouve au milieu d'un pont, sur le pilier d'une autoroute, au bout d'une seringue... ou sur la grosse branche d'une épinette. Indifférence égale violence; indifférence égale mépris, mort. Qui sera la prochaine victime de l'indifférence?... Sûrement pas toi, Jonathan, qu'on aime tant!*

Le lendemain, grand-père écrivit un tout petit mot et le déposa sur le bureau de Jonathan qu'il lut avidement après son école.

*La sexualité n'est pas méchanceté, péché. Il est temps de la sortir de ses tabous, clandestinité. La sexualité est besoin, moyen. Moyen de dire au coeur: je te prends par la main, prolonge jusqu'à demain. Cherche, Jonathan, ausculte, caresse, tu trouveras ton chemin, un espace à remplir, un frisson à conquérir. Une émotion te pénétrera, une tendresse t'envahira comme chaleur dans un bon pain cuisant. Quel goût, quelle douceur! Le coeur rejoignant la main, tu seras déjà de l'Au-delà. Ce n'est pas le sommeil qui est l'image de l'éternité retrouvée, c'est la flamme dans les yeux de deux tendresses qui se sont données. De deux corps qui se sont offerts à leur âme. L'orgasme est du temps emprunté à l'éternité... Un bon orgasme est un prélèvement sur l'éternité.*

En se couchant, recommencèrent les pourquoi, les comment, « et toi?... » Puis la grande confidence:

— Grand-papa, tu connais le petit Beauregard?... Des fois, on aime bien ça ensemble. Mais on fait rien de mal!

Grand-père apaisa, dédramatisa:

— Tu as le droit de faire ce que tu veux avec ton corps, surtout d'en jouir. Respecte-toi, respecte les autres: c'est tout. Le reste t'appartient.

— Souvent, ça me tente la nuit, et le matin, donc!

— Vis ta vie, Jonathan, vis ton corps, vis tout ton toi au complet. Arrange-toi pour ne pas avoir le regret: j'aurais donc dû faire ceci ou cela quand l'occasion s'est présentée. Non, vis tes expériences. Ce n'est pas une fois marié qu'on doit commencer à faire ses expériences sexuelles. Vis, mon petit! Vis!

— Mais pourquoi tout ce qui est sexuel est si caché, a l'air d'être si honteux?

— L'intimité dérange plus qu'un livre sur la guerre, un film d'horreur. Une catastrophe qui fait des milliers de morts entre dans les statistiques; un amour gai, dans l'immoralité, le scandale et dans toutes les conversations où les mots prennent plus de place que l'esprit. Parce que quelqu'un vit une passion, on veut en faire un drame passionnel. Pourtant, saint Augustin a écrit: « Celui qui se perd dans sa passion a moins perdu que celui qui a perdu sa passion. » Comme au travail: quelqu'un que le patron n'aime pas parce qu'il n'entre pas dans ses cadres étroits, ses moules en béton armé, il l'écoeure, l'écoeure jusqu'à ce que l'employé fasse un drame où que quelqu'un d'autre en fasse un. Pour ces patronnes et patrons, il faut casser les personnes, non pas les moules. Et on n'est pourtant pas des toxines pour entrer dans leurs moules! Pour eux-autres, toujours priorité à l'uniformité. C'est plus facile à gouverner. À lessiver. Le gris est plus facile à laver. Les couleurs voyantes doivent être ternies pour ces obsédés du pouvoir qui corrompt. Tout l'univers doit devenir gris-patron.

— Où vas-tu chercher tout ça?

— L'expérience de la vie peut-être, la souffrance, l'amour, la mort?... Etudier aussi ne fait pas de tort. L'important, c'est que mon beau grand garçon soit heureux.

— Ah grand-papa.

Un autre soir, grand-père confia sa tristesse.

— Jonathan, aujourd'hui, je suis allé au Centre d'Accueil voir Pierre Lalumière, un bon ami, un ancien enseignant lui aussi. Ça m'a pas aidé à être très joyeux. Si des anciens enseignants sont ainsi traités, qu'est-ce que ça doit être de ceux, et surtout celles, qui ont tiré le diable par la queue toute leur vie?

— Je me souviens de lui: il venait te voir, hein?

— Oui, c'est lui qui m'avait aidé à retrouver ton père à quinze ans. Aujourd'hui, veuf, il est « parqué » dans un Centre d'Accueil qui ressemble plus à un mouroir qu'à autre chose.

Grand-père a rappelé un peu à Jonathan leur conversation de l'après-midi au Centre.

— Pourquoi naît-on si ce n'est pour mourir? m'a demandé Pierre.

— Entre les deux?... ai-je répondu en interrogation parce que je ne savais quoi dire.

— C'est là, le mystère.

Pierre sentait son inutilité. Tout ce qu'il faisait, c'était pour passer le temps, se désennuyer. Se sentait abandonné par sa famille. Les deux femmes de sa vie, décédées. Pas facile de se faire des amies... un peu intimes au Centre: c'est très mal vu. Encore pire... des amis du même sexe. Grand-père avait essayé de le consoler, rappeler de beaux souvenirs.

— Pierre, tu avais vingt-deux ans quand tu boxais à Châteauguay. On enseignait tous les deux à l'école Pie XII. Te souviens-tu comme tu étais beau? Comme je t'admirais?...

— Toi aussi, Michel, tu étais très beau, si serein. On s'éclatait de vie. Aujourd'hui, nous avons vieilli. La beauté peut-elle être vieille?

— Oui! la beauté peut être âgée, et nous sommes toujours beaux. De beaux vieux qui caressent des souvenirs comme des vases fragiles et précieux. Des génies en sortent et réalisent nos voeux à condition de continuer à caresser, aimer. Moi, j'ai Guy, Francis. Toi?...

Les yeux de Pierre se sont remplis d'eau.

— Jonathan, la société parque ses vieux devant un rétroviseur. Manière de dire: n'oubliez pas, votre avenir est derrière vous. J'ai quand même rappelé à Pierre que les personnes âgées commencent à s'organiser, devenir une force politique..., mais il pense malheureux. Lui et les autres pensionnaires me faisaient penser à un écureuil gris, l'hiver, qu'on nourrit sur la galerie seulement quand on y pense.

Grand-père, très lentement, comme se parlant à lui-même, confia son coeur, sa tristesse devant l'abandon des personnes âgées par la société. Jonathan, un peu attristé, écoutait son grand-papa qui souffrait encore de la souffrance des autres et semblait résumer un texte qu'il avait déjà écrit.

— Mon écureuil, les flancs haletants dans sa robe satinée aux reflets grisonnants, recherche nourriture. Il regarde, il attend. Peut-être une attention, une compréhension. Si je suis chanceux, une affection, se dit-il. Résigné, se soumet à son destin. L'hiver n'en finit plus, déjà mes provisions s'épuisent. Que me restera-t-il demain? De la part des autres, un regard, un geste selon une inspiration, un fruit du hasard? L'insécurité vécue, jour après jour, nuit après nuit, saison après saison. La société tue ses vieillards...

Un silence beaucoup plus long pesa lourd sur Jonathan qui le respecta quand même. Grand-père reprit sa lente réflexion.

— On peut faire beaucoup d'argent en parlant de pauvreté. Se faire beaucoup d'amis en écrivant sur les personnes âgées, les isolés. Mais que reste-t-il à ceux qui sont démunis de verbe et de plume? Ces vieux s'approchent d'une maison amie en risquant le refus, ils rêvent sous un arbre ou attendent sur un banc. Leur regard ne semble plus ajusté aux réalités d'ici. Ils fixent au loin; leur regard traverse les arbres, perce le mur des maisons. Que voient-ils là-bas?... Leur regard est d'ailleurs. Comme celui d'un enfant. Rêvent-ils aux anges? Alors, pourquoi les rejeter s'ils vivent eux aussi un rêve d'enfant?

— En tous cas, grand-papa, il n'y a pas de danger que ça t'arrive à toi.

— La majorité des personnes âgées vivent ce que je viens de te dire.

— Tu as raison d'être triste.

— Jonathan, je pense que le plus humiliant, le plus « tuant » pour les personnes âgées, c'est de les empêcher de vivre leur sexualité. « Pas de tendresse, pas de caresses: c'est péché. Ça s'fait pas! À votre âge? !... » se scandalise-t-on. Jonathan, « Un cache-sexe dérobe la vieillesse (Antoine Rioux) ». Dans notre société, sans le sexe-puissance-et-domination, un être n'existe pas. Le respect de la vie sexuelle de nos aînés montre tout simplement notre respect pour nos aînés. Notre respect pour la tendresse. Qu'ils soient Gais ou pas. C'est annuler nos grands-parents que d'annuler leur sexe, leurs relations intimes ou interpersonnelles avec amis, petits-enfants.

— « Un cache-sexe dérobe la vieillesse »... répéta attentivement et tristement Jonathan.

# 28

Daniel disparu ne rappelait son existence qu'à l'occasion de ses arrestations, et Sylvie ne s'améliorant pas, poussèrent leurs parents l'un en face de l'autre. La confrontation s'aggrava et la famille éclata. La ferme se vendit, le prix se partagea et Marie partit avec Sylvie. Daniel ne donna plus signe de vie: signe de mort?... Guy prit un petit logement à Granby. Non habitué à gérer un intérieur: linge, nourriture, entretien, il vivait misérable. Plus d'air, plus d'animaux, plus de campagne, se sentait malheureux. Se retrouvait le plus souvent chez ses amis Labrecque.

— Pour vous aider, me désennuyer.

— S'il te plaît, pas en boisson, avertit Francis, et ne prends pas d'alcool, ici. Tu sais que c'est un problème pour nous.

Guy comprit et respecta... presque toujours. Il passait le plus souvent ses soirées avec grand-père. En haut. Grand-père pouvait caresser un bras, serrer des épaules, il pouvait... Un puits d'affection. Et Guy en profitait aussi. Grand-père mangeait davantage, –comme avant, remarqua Claudine– et se promena à nouveau dehors. Même à ses yeux, brillait encore une petite taquinerie. Elle descendait moins souvent à la bouche comme avant, mais seulement à le voir retrouver un nouveau goût à la vie réjouissait.

Un de ces soirs, Francis suggéra à Guy et grand-père de prendre leur douche tous les trois ensemble. Quelques taquineries à Claudine lui montrèrent que tout n'était que jeux d'enfants et qu'elle n'était pas rejetée pour autant. Il fallait récupérer un Guy désemparé, le distraire, réaliser quelques-uns de ses phantasmes. Et grand-père qui manquait tellement de sexe depuis des années frissonna comme un violon sous l'archet de la suggestion. Sous la douche, se sont frottés, caressés, ils ont joué et ri. Surtout ri. Mais lavés quand même... presque trop. Claudine les avait bien avertis:

— Après, j'vas vérifier partout si vous êtes bien nets!...

Avant de sortir de la douche, sous l'eau, se sont serrés très fort. Grand-père leur a fait l'hommage d'une demi-érection; Francis et Guy, beaucoup plus qu'un hommage. Mais leurs jeux, tel qu'entendu, n'atteignirent pas les finales, seulement... championnat de saison, surtout pour Francis. Ses deux coéquipiers, au lieu d'être jaloux, s'en sont amusés. Une fois asséchés, assis au salon devant un café, Francis a demandé:

— Grand-père, c'est bien dans cette même douche que tu t'es lavé avec ton amant François?

— Et avec Guy!... compléta grand-père, le regard pétillant.

Guy, au rappel des souvenirs, a changé de registre. Beethoven jouait sa neuvième symphonie « fraternité humaine »; Francis aussi. Grand-père l'a pris au sérieux et apporta un petit texte écrit en l'honneur de son ami Guy, qu'il lut en ajoutant improvisations et digressions.

— Vous êtes maintenant sur la première plage de mes disques, c'est mon premier mouvement, sourit grand-père quand tous furent confortablement assis sur leur boîte à musique. Quelle différence entre un homme et une femme qui dirigent la neuvième symphonie de Beethoven?... La personne qui dirige cette symphonie n'est plus un corps, une masse de conformismes, ni même de chair et de sang, non. Ce n'est plus qu'une tension, une sortie du corps, une véhémence. Qu'importe la coutume ou l'absence de costume, qu'importe que la salle soit vide ou pleine, qu'importe...? C'est Noureïev qui danse, la Callas qui chante. Seuls comptent la musique, l'art, la poésie: cette tension vers l'infini.

Grand-père fit une pause et regarda Guy tendrement:
— Guy, je suis beaucoup moins capable qu'avant: si les gestes sont différents, le coeur n'a pas changé. Comme les violons: même si l'on a cessé de jouer, les cordes demeurent.

Puis s'adressant à ses trois amis, grand-père annonça:
— Je pense que je vais appeler ça: DO-RE-MI-CHEL, la symphonie inachevée.

Les quatre musicologues improvisés prirent une gorgée de café.
— Te souviens-tu, Guy, nos deux corps n'étaient plus que mots doux chuchotés à chacun de nos pores, tous nos désirs n'étaient plus que caresses inondant notre peau de langues mouillées et de lèvres brûlantes? Quel beau destin que le nôtre!...

Les quatre conjurés de la musique se regardèrent avec un petit sourire moqueur. Grand-père, s'amusant de lui-même:
— Une autre gorgée de café... Ne pas vivre ce don total, cette essence de la communication, ne jamais recevoir ce dieu qu'est l'autre dans sa totalité, c'est arriver dans l'Au-delà bien mal préparé. Comme l'enfant qui arrive à l'âge adulte sans avoir connu l'amour de ses parents.

Bien mal préparé. C'est l'autre qui nous fait prendre conscience de ce que nous sommes en nous renvoyant notre image. L'autre devient itinéraire. Itinéraire de la joie partagée, de l'espérance communiquée. L'autre ne devient pas objet de péché, mais vertu. L'autre n'est plus danger à fuir, mais salut. Sans l'autre, on s'évapore dans l'irréalité et se vide de soi-même. On devient une espèce de fantôme errant, une Belle au Bois dormant –ou un Beau au Bois Franc– attendant un simple mortel pour échapper à ses sortilèges. Une espèce de sous-produit du monde des esprits. Un simple d'esprit.

Claudine approuva et Francis songeait. Les enfants de onze et treize ans, eux, se demandaient ce que ces adultes pouvaient bien trouver d'intéressant à écouter sans jouets et sans musique rock. Grand-père continua.

— Deuxième mouvement, annonça-t-il avec un petit sourire en coin. Je vous avertis, c'est physique... l'exubérance physique. Les âmes sensibles sont priées de se retirer.

Claudine partit... mais revint sitôt après en souriant.

— Il n'y a pas que Beethoven capable de faire un scherzo (passage alerte et gai, définit le dictionnaire) et d'enregistrer deux mouvements sur la même plage d'un disque. Je vais le faire... et sans briser de record, dit grand-père modestement. Presto Claudine!...Mes mains peuvent toucher à ses hanches. Ses mains peuvent se placer sur mes épaules. Nos yeux, plonger dans notre coeur. Les rayons de nos regards jouent dans ce vase essentiel, réchauffent les sangs et les retournent. Electrolyse. Les scories sont brûlées, les déchets éliminés grâce à l'apport de ce nouvel oxygène et de ce métal nouveau. Sa respiration s'accélère, son feu s'active à la vue du mien. Ses mains descendent à mes hanches, les miennes admirent ses dorsaux. Nos gestes se sont échangés. Tendresse. Puis mes mains se déposent à plat sur ses pectoraux gonflés, les moulent doucement, les modulent en pressions résonnantes sur ces beaux petits tambours basques. Ses mains m'imitent et le feu coule entre ses doigts. C'est le même qui illumine nos yeux. Les deux grandes salles de concert de nos deux corps n'en formeront bientôt plus qu'une. Les mains maintenant, à bout de bras, s'emplissent des biceps, les serrent affectueusement à pleines paumes avec le pouce surtout qui en saisit toute la solidité et la présence excitante. Les quatre doigts, plus facilement posés sur les triceps, en explorent les contours, en admirent le relief, les savourent jusqu'au coeur de leur Y grec. Beauté, force, tendresse. C'est tout mon coeur qui se nourrit de son harmonie musclée à faire fondre n'importe quel coeur épris de beauté.

Et grand-père souriait tout bas, se trouvant meilleur dans ses trouvailles... littéraires, lui qui ne pouvait même plus tenir sa baguette.

— Le thème de l'hymne à la joie commence à vibrer au choeur de la neuvième symphonie. Et les mains descendent jusqu'au coude que le pouce va masser en y faisant pénétrer la beauté ramenée du biceps. Puis les avant-bras!... Mes mains peuvent à peine s'y accrocher tant ils sont actifs et superbes. Elles doivent donc glisser rapidement vers ses poignets offerts et ses mains données. Les pieds n'ayant pas changé de place, maintenant à bout de bras, nous formons les ailes d'un grand V prêt à s'envoler, un goéland, un vase à remplir. Don, liberté, confiance, mutualité. Homophonie. Dernière plage, annonça grand-père, quatrième mouvement: l'apothéose! Pour résumer, notre destin passe par l'exubérance physique avant de nous faire entonner l'hymne à la joie.

Joie, belle étincelle divine...
Tes charmes unissent de nouveau
Ce que séparait sévèrement le préjugé du monde.

Tous les hommes deviennent frères,
Là, où s'arrête ton aile si douce. *(Schiller)*

Nos coeurs battent la mesure, accélèrent le mouvement, réchauffent l'atmosphère. Les yeux mesurent l'étendue de la salle. Les sièges se rejoignent, les scènes se superposent, la mélodie en symphonie devient parfois solo. Nos poitrines, au même rythme, n'ont plus qu'un coeur. Ma joue collée sur sa joue, mes mains jouant serré sur son dos, caressant son masque musculaire, nos cuisses sur nos cuisses et nos sexes devenus une seule baguette d'orchestre frissonnent sous le molto vivace. La musique respire, les battements de son coeur emplissent toute la salle.

Les instruments à vent soupirent, parfois les fifres échappent à l'occasion un petit cri plus aigu, les violons de plus en plus souvent semblent filer l'émotion sous l'action du thème s'imposant. La ou le chef d'orchestre fait piquer le ciel par les archets de violon et ramper les archets de contrebasse qui impressionnent par leur ton si grave et si doux... de grand-papa. Et la symphonie va s'enfler à nouveau sous son élan, et chanter en le berçant, pendant que le ou la chef d'orchestre bat la mesure... mais si doucement, de peur de lui faire mal.

En se tournant vers Mélodie, grand-père lui dit:

— On ne doit pas faire de mal à une mélodie, n'est-ce pas?

La petite a relevé la tête, l'a regardé comme un casse-tête chinois et, indifférente, a repris son rythme intérieur.

— Plusieurs tons plus bas que le nôtre, a dit grand-père à Jonathan.

— Bien sûr, c'est rien qu'une fille, répliqua-t-il sur un ton très peu musical.

— Ce n'est pas parce qu'elle est une fille, c'est parce que la musique a une autre portée pour elle.

Complice, avec une moue supérieure entre deux demi-silences définitifs, grand-père dit au garçon qui n'en attendait rien de moins:

— Nous autres, on a des conversations haut de gamme.

Jonathan a bien senti tout l'intervalle entre la ligne de ses préoccupations et la ligne des poupées de sa soeur. Grand-père continua.

— La mélodie n'étant encore que suggérée dans ce final, il ne faut pas se surprendre de cette fausse note. Maintenant, le thème s'écoulera en harmonie pendant que les mains montent et descendent le long du grand dos de la partition. Les notes sont portées, puis soulevées, et enfin libérées d'un geste délicat comme l'oiseau perché sur le bout du doigt à qui on offre la liberté dans un petit élan de tout le corps. Elles s'envolent en farandoles, décrivant de grandes courbes sonores au son du violon souteneur. Les mains explorent tous les replis des dorsaux et des latéraux, et caressent l'omo-plate qui ne l'est déjà plus. Les mains descendent encore une fois, titillant les hanches si sensibles. Les clarinettes en frétillent. Enfin, les mains rejoignent les rondeurs des fesses qui se moulent en contrebasses au beau bois verni. Touchez du bois, c'est beau, c'est chaud, disait mon oncle Henri! Les contrebassistes penchés, tendus, caressent leur instrument pendant que l'autre main s'occupe ailleurs de legato parfois insistants. Et quand on voit les basses et les violoncelles dorés, ronds, si sensuels et remplis, aller chercher l'Hymne à la Joie, c'est à être jaloux de ces instruments, de leur chaleur, rondeurs et de la longueur de leur archet qui connaît tellement la musique!
Les mains tournent et retournent sur les sièges qu'elles voudraient aussitôt remplir. Les instruments à vent, se sentant impliqués, retiennent leur souffle... puis, bien senties, comme un doux zéphyr, laissent échapper quelques notes répétées. Les basses rouspettent avec leurs

grosses notes arrondies. Les fesses bien massées, les sièges matelassés, les grosses caisses bien tapotées, on passe au sexe impatienté. Des doigts d'artistes expérimentés, en délicates touches répétées, taquinent l'instrument qui se raidit pour rythmer en harmonie l'intention qui le soulève. En accélérant les taquineries manuelles, les doigts de la dextérité picorent en pizzicato sur le sexe comme les doigts d'une femme qui picorent sur sa corde en étendant son linge,... pour paraphraser Félix Leclerc. (S'il savait ce que j'ai fait de sa métaphore!...) Puis, suffisamment emballé, cet archet monte et descend sur les cordes de l'harmonie, pendant que l'autre main module toute la longueur des cordes de l'attraction mutuelle et que les bouches en choeur s'abreuvent de toutes ces ivresses libérées. Les piccolos chantent si haut que même les violons cessent parfois de jouer. La petite flûte traversière devient toute invitante et caressante sur les cors qui ne savent plus s'ils sont anglais ou français. Puis, ils finissent par s'accepter et reconnaissent être aux deux.

Grand-père jeta un petit regard taquin à Francis qui le rendit à Claudine. Grand-père, moqueur, ajouta en le regardant encore –espérant peut-être l'anglaiser– :
— Si tu es aux deux, toi aussi...: sur la harpe de ton corps, je soulèverai des arpèges capiteux, sur ta lyre, tirerai les accords savoureux.

Les yeux de Francis brillèrent d'amusement et Claudine osa, pour rire, d'un petit air de contralto supérieur capable d'éclipser n'importe quel ténor:
— Je suis capable d'en faire autant, Francis Labrecque!...

Grand-père, ne se laissant pas impressionner par les performances féministes, continua prestissimo sa ligne musicale.

doigts libèrent des notes enchantées. Souvent, des soupirs les séparent, parfois des silences émus. L'orchestre, peu à peu, accompagne le mouvement tout en douceur d'abord, puis s'accélère en harmonie, s'emballe et, en gonflements frénétiques et grandioses, remplit toute la salle en éclatements et jaillissements d'apothéose. De grosses gouttes de musique fleurissent le plancher en beaux gros points d'orgue multipliés. Ces longues tirades, ces affolements de la musique roulent et clapotent jusqu'au septième ciel de l'art divin où les dieux s'offrent pour partager le céleste festin...

— ... et ton café qui va être froid!..., dit Francis qui avait étalé son sourire sur toute la troisième plage de grand-père.

Guy, attendri, regardait grand-père; silencieux, réfléchissait. En partant, médusé:
— C'est pas croyable ce qu'on peut faire avec une symphonie de Beethoven!

Grand-père invita, taquin:
— Chaque fois que tu auras besoin de musique... et d'une bonne douche, viens donc nous voir!...
— Merci Maestro!... et partit en souriant.

Quelques jours plus tard, grand-père surprit Jonathan écoutant attentivement la neuvième symphonie de Beethoven.

# 29

*Pour les grands-parents, le temps est leur bien le plus précieux. Je crains de perdre mon temps avec des incompétents, c'est pourquoi, je m'occupe des enfants. Bien sûr, je sens m'éloigner des adultes et m'approcher des enfants. Je suis convaincu de quitter l'extérieur pour l'intérieur et de quitter la vie pour la Vie. C'est entre Jonathan et Mélodie que je le prévois. Quel verbeux, je suis!*

Grand-père repoussa ses feuilles et fixa son regard sur la belle grande photo de Jonathan en face de lui.

Jonathan grandisssait, prenait non seulement sa place, mais beaucoup de place. À quatorze ans, on est presqu'un homme, non?... Son idée était sûre d'elle-même, ne souffrait pas de contradictions. Même les bons arguments auxquels il n'avait pas pensé l'humiliaient. Il continuait à défendre son point, mais on sentait qu'il vacillait. Reconnaissait. L'adolescence n'est pas toujours facile. Qu'est-ce que ça devait être à l'école? Quelles trouvailles de génie pouvaient le faire fonctionner? Pourtant, jamais de problèmes réels de ce côté.

Enseignants satisfaits, quelques-uns indifférents, mais d'autres, en admiration devant l'adolescent. « C'est le genre d'enfant dont j'aimerais être le père. » Ses résultats scolaires s'élevaient toujours un peu au-dessus de la moyenne. Les autres élèves l'aimaient.

Jonathan, conscient de sa force physique, psychologique et intellectuelle ne craignait rien. Pas besoin de crise pour se faire remarquer, respecter. Pas besoin d'abaisser les autres pour se donner du prestige, se valoriser. Il s'était toujours senti aimé, c'était sa force. Pas besoin de dominer et d'humilier. Il respectait et il était respecté. De plus en plus.

Il n'avait pas encore touché à la drogue ou à l'alcool. Non, merci. Ou: Moi, j'prends pas ça. Il changeait aussitôt le sujet de conversation ou s'éloignait. Au Secondaire, il s'était fait un bon copain qu'il ne quittait presque plus, et plus tard, une fille avec qui on le voyait souvent. C'est là, qu'au milieu de sa troisième année secondaire, il essaya un peu l'alcool en cachette lors des petites fêtes à l'école. Ensuite, quelques drogues douces. Il a aimé, mais savait que c'était dangereux de rester accroché. Très prudent parce qu'informé par ses parents, leurs témoignages, l'amour de son grand-papi, il craignait leur faire de la peine. Il ne se voyait pas narcomane... surtout lorsqu'il pensait à Daniel Martel.

Jonathan aimait bien s'habiller à la mode dans certaines circonstances, comme les fêtes, par exemple. En temps ordinaire il se reconnaissait, sinon par l'ensemble du costume, du moins par quelques détails caractéristiques. Toujours simple, dégagé, jamais rien de trop, d'artificiel. Jamais neutre, non plus. Parfois, un mouchoir rouge dépassant de sa poche arrière, une autre fois, enroulé autour de son cou. À d'autres moments, un bracelet clouté en cuir, et un certain temps, il arbora un trou dans son jean usé. Mais c'était tellement lui! Il attirait partout le regard, un petit coup d'oeil le caressait toujours quelque part. Jusqu'à ses grosses bottines jaunes de travail délacées, en passant par son jean serré. Fuselé.

À l'école, Jonathan était aimé, admiré. Il était beau. Si beau! D'un bout à l'autre. Son sourire lui coulait sur tout le corps, l'embellissait. Jonathan passait dans le corridor rempli d'élèves. Chacun souhaitait coller sa joue sur son épaule, son bras, sa poitrine pour sentir sa caresse au passage; présenter sa bouche pour le goûter. Jonathan passait. Presque tous, alors, une seconde hésitaient. La conversation se coupait pour un regard, un désir... un beau secret inarticulé. Pour tous, il était le même, filles et garçons compris. Et le cours d'eau reprenait son cours, la grâce avait passé. Les plus intimes, plus tard, se disaient:  As-tu vu avec qui il était!?... Jonathan, toujours, se tenait avec les plus belles et les plus beaux de l'école. Jonathan s'offrait, était reçu. S'offrait pour le plaisir des autres; de tous était aimé. Une douceur se dégageait, flottait, atteignait. Son sourire caressait encore que Jonathan était déjà passé. Une chaleur avait caressé: il s'était donné. Ne s'en rendait même pas compte. Il devait pourtant sentir les regards sur lui restés accrochés, même de loin le reconduisant!... Ses gestes étaient de caresses, des ondes les prolongeaient. Son rire enjolivait tout l'espace au corridor de son passage. C'était le Jonathan dont le grand-père parlait souvent à ses parents.

À la maison, Jonathan était devenu un peu plus sec, cassant avec ses parents. Un peu plus fermé, secret. Mais toujours les bonjours, les mercis, très poli, le ton respectueux. Grand-père n'exigeait jamais rien; ses parents, oui. Parfois, Jonathan cédait de mauvaise grâce, mais savait ne pas blesser, insulter, se venger de ses parents. Il faut dire que Claudine et Francis étaient toujours conciliants, très tolérants. Ils pouvaient même céder par respect pour Jonathan, afin qu'il vive ses expériences, apprenne par ses propres erreurs. Mais la question de drogue et d'alcool a tellement souvent été abordée, expliquée que Jonathan en fut très tôt sensibilisé. D'ailleurs, comment aurait-il pu manquer de confiance en ses parents? Ils ne lui avaient jamais menti, lui avaient toujours prouvé un véritable amour. Jamais, ils ne l'auraient laissé tomber. Sa famille pour lui, c'était un acquis. Sûre, alliée inconditionnelle, sa famille protégerait toujours ses arrières. Un allié tellement sûr qu'il pouvait s'y opposer pour affirmer sa personnalité sans craindre de trahison de sa part. Il pensait dans sa tête de Jonathan: « En cas de coup dur, grave problème, papa, maman seront toujours là et d'mon bord. Grand-papa, m'lâchera jamais! » Jonathan était bien dans sa peau. Aussi aimé à l'école, dans son équipe de football qu'à la maison. Jonathan, un petit homme équilibré, libre, adoré.

Certains amis amenés à la maison semblaient si fiers de lui parler, l'admiraient. Ça se voyait dans leurs yeux, sourires, leurs attitudes. Jonathan présentait fièrement ses parents, sa soeur; avec coeur, son grand-père. Puis sortait de la maison: le gros tracteur impressionnant, les animaux, sa nouvelle mobylette. Il offrait un petit tour. Toujours des amis très beaux. Les plus beaux, surtout le petit Deslauriers. Et un jour, une fille. Seule. Pas de groupe avec elle. Mais toujours même fierté à lui présenter son milieu. Seulement, un peu plus secret: le milieu devait davantage deviner... pendant que les deux bouts d'adolescents frétillaient. Jonathan vieillissait, s'affirmait.

Mélodie revenait de l'école et parlait métrique; Jonathan, électronique. Une autre mentalité se frottait à celle des parents. Mélodie parlait de paix dans le monde, de respect; Jonathan, d'écologie. Il interrogeait son père sur les pesticides et la culture biologique.

— Le purin peut se répandre dans la rivière...

Francis, sans arguments, devenait mal à l'aise, impatient.

— Etudie donc au lieu de te mêler de c'que tu connais pas. La chaux, l'engrais chimique, c'est rien que de la pierre écrasée.

Un autre langage séparait les deux générations.

Jonathan avait reçu une autre culture à l'école, d'autres idées s'aventuraient dans sa tête; à son père s'opposait.

— Francis ne sait pas grand-chose de ce qui se passe dans le monde d'aujourd'hui, grand-papa. N'y pense même pas. Tout ce qui l'intéresse, on dirait, c'est le nombre de bêtes à cornes qu'on aura l'an prochain, la quantité de foin, moulée, notre quota de lait.

— Moi aussi, Jonathan, j'ai pensé ça de mon père à ton âge. Puis avec le temps, j'ai appris à mieux le connaître, l'admirer. Aujourd'hui, il me manque beaucoup.

— Mais la pollution, le nucléaire, l'industrie de guerre, l'envahissement de notre vie privée par le Gouvernement, le Service canadien de renseignements et de sécurité? Rien de tout ça ne l'intéresse. C'est avec ça qu'on va vivre, plus tard. À l'école, on a étudié le Choc du Futur d'Avin Toffer, Le Grand Frère, d'Orwell, même les religions orientales. Il n'y a pas moyen de parler d'ça avec Francis. Il ne pense pas à plus tard, on dirait.

— Ton père ne suit pas tes cours à l'école, n'écoute pas les mêmes émissions de télévision. Ses intérêts, même ses connaissances, sont passablement différents des tiens. Mais pas méchant pour autant. Il pense plutôt à survivre et à te faire survivre... pour tout de suite. C'est plutôt à toi d'y penser à ton plus tard, à l'organiser. C'est toi qui vas le vivre. Continue à en parler avec ton père, le sensibiliser. Même chose avec tes amis, leurs parents. Peu à peu, tu vas leur donner des cours comme tu en reçois à l'école. Mais plus intéressants, par exemple!

— Plus intéressants?... ça sera pas difficile!...

Après un instant d'amusement, grand-père promit:

— J'pense que j'ai déjà écrit quelque chose là-dessus, il y a bien longtemps. J'vais essayer de le trouver demain.

Le lendemain, grand-père avec le sourire de son mensonge joyeux, écrivit un petit texte et le déposa sur le bureau de son bel adolescent piaffant devant la vie.

*En vieillissant, dans la figure et tout le corps des grands-parents, les angles frais et précis de la jeunesse deviennent obtus et anguleux. Tout devient obtus. Les idées acérées, les catégorisations sévères de la jeunesse deviennent bonhommes. Plus enveloppantes qu'excluantes. Les excommunications faciles deviennent oecuméniques; les exclusions, accueils. De jeune, on est devenu vieux. Les deux âges ont leur beauté. Chez les grands-parents, elle s'est un peu plus réfugiée à l'intérieur, pendant que le corps devient bouffi et perd de son éclat. C'est le grand retour du temps, les retombées du temps; boursouflures, chutes et sillons. Fosse. Par la force des choses, on est obligé d'intérioriser. S'intérioriser. On écoutera plutôt et préférera donner. Car écouter, c'est donner. Au contraire de notre jeune temps, où nos jugements catégoriques tranchaient de haut, du revers de la lame de nos certitudes, toute situation et dans tous les cas, et dans tous les domaines. Dès qu'on avait compris deux ou trois choses, on les établissait en dogme pour souligner notre présence, prendre notre place. On n'avait pas le temps de laisser reposer nos principes, les laisser se bonifier, s'adoucir au contact de d'autres idées. Non. Enfin une idée, vite! je dois l'imposer pour dire: je suis là, j'existe! Moi aussi, je peux!... Un prestige seulement, une sécurité. Simple affirmation de soi.*

*Plus tard, à mesure que l'éclat perdu de la jeunesse force à rentrer à l'intérieur, là, dans le secret, on se souvient du mal qu'on a fait, de l'injustice de certains de nos jugements trop rapides, remarques sans nuances. Dans le secret, sans témoins, on déballe plus facilement certains vieux souvenirs peu glorieux. On prend quelques bonnes résolutions de tolé-rance et on écoutera longtemps à l'avenir avant de juger sans juger, on sourira souvent avant de condamner sans condam-ner. Par la tolérance, on aura appris le respect. Par le respect, on aura appris à aimer.*

*Si j'ai pu ou dû changer des attitudes et des comporte-ments, même changer un peu de culture, mes sentiments n'ont pas changé. Ils furent exprimés parfois par des mots cassants, cassés, mes sentiments ont parfois disparu derrière des tons de voix, des attitudes, voire des cadeaux, mais, même gauche-ment exprimés, ils furent toujours là.*

Le soir en se couchant, Jonathan remercia grand-père:
— C'est beau, ton texte. J'vas le relire: j'peux-tu le garder?
— Bien sûr.
— Grand-papa,... tu parlais pas seulement de toi, hein?...

Grand-père sourit dans le silence.
— Rien ne ressemble plus à un homme qu'un autre homme. Bonne nuit, mon petit!
— Bonne nuit, grand-papa!

Sans la relation d'autorité, Jonathan se sentait de nou-veau bien à l'aise avec son grand-père. Son petit désintéres-sement du grand-père, à peine perceptible, entre dix et douze ans, s'était complètement résorbé. Maintenant, quand il avait à discuter de sujets plus difficiles, c'était au « vieux prof » qu'il s'adressait, il a même déjà dit: « au vieux sage ». Cer-tains travaux scolaires s'élaboraient souvent avec lui dans la chambre-grenier.
— On jase, maman.
— T'as d'l'école demain! criaient parfois d'en-bas les pa-rents.

Grand-père, toujours un peu gâteau, préparait une ébauche de certains travaux demandés par l'école. Jonathan les réfléchissait, questionnait. Parfois, s'approfondissait le dialogue, même couché, même tard dans la nuit. Surtout les fins de semaine. Les deux confidents, tout bas, chacun de leur lit, s'échangeaient idées, questions, réflexions. Le passé de grand-père était important au début: Qu'est-ce que t'as fait? Pourquoi? Et avant ça?...

— Ta famille? On les voit jamais.

— Ils sont morts, maintenant.

— Pourquoi tout ce que tu as fait pour Francis?

— À cause de François, son père. C'était mon amant. Je me suis donc toujours senti responsable de ton père.

Toujours François qui revenait. Toujours nostalgie, parfois tristesse. Jonathan vieillissait, les vraies questions se posaient, l'école les provoquait. Pourquoi? Plus tard? La vie, grand-papa? L'amour?... Grand-père parlait, mais écrivait tout autant. Les questions le stimulaient. Presque tous les jours maintenant, un petit mot, une réflexion, même une simple citation, reposaient sur la petite table de Jonathan. Tous les jours, en arrivant de l'école, Jonathan montait à sa chambre pour lire le petit mot du jour et l'entrer dans la mémoire de son ordinateur. Redescendait sans rien dire. N'en parlait pas devant ses parents: pudeur de son intérieur. « Ça ne les intéresserait pas, » a-t-il déjà répondu à grand-père. Mais tous les soirs, au coucher, Jonathan réfléchissait tout haut, commentait, questionnait.

— La société, grand-papa?...

Le lendemain, cette fois, un long texte: « Société de Solitaires... sur chemin de fer. Jonathan, sois prudent: méfie-toi des conformismes. Eloigne-toi des rails, du tout fait, du tout cuit. Jonathan, vis!... » Et suivaient trois pages de conseils bien sentis. Grand-père offrait son coeur, résumait sa vie. Bilan?... Un autre soir, ce fut le snobisme.

— Ne te laisse jamais prendre: tu as assez de personnalité, sois toi-même.

— Tu veux dire: la mode?

— Oui, la mode en est un exemple de soumission béate. La mode, c'est la science des apparences. C'est une science molle. Par opposition aux sciences dures. Pour continuer à nous amuser, je concède que suivre la mode, suivre le temps, c'est nouveau, c'est différent. Une certaine société rampe à ce niveau. La mode s'attife de d'autres couleurs pour n'être pas reconnue de ses victimes de la saison précédente. Elle multiplie ses atours, accumule ses tape-à-l'oeil. Elle virevolte, s'ébouriffe, s'épivarde au nid de l'artificiel. Elle caquette, crie, chante... et pond une coquille vide. La couvée durera une saison, puis elle s'habillera d'une autre façon pour cacher sa trahison. Et le peuple des vieilles poules suivra son exemple, multipliant ses plumages pour camoufler le vide et la peur de la vérité. Plus on caquette, plus on fait du bruit, plus le coeur est vide et l'esprit absent. Si tu caquettes, mon enfant, tu t'oublieras et ne penseras plus au néant. Si tu caquettes, mon enfant, tu oublieras ces étoiles d'où tu viens, ces étoiles... où j'irai un jour.

Et tous les soirs, la complicité s'élargissait entre le grand-père et l'enfant. Non plus seulement pour coller, clouer des petits riens dans une vieille remise, mais maintenant pour ces grandes idées qui font et défont le monde.
— La violence, grand-papa. Pourquoi la révolte des jeunes, la drogue? Le suicide des jeunes...

La phrase en attente enfanta un silence très lourd –douloureux– qui sépara les deux lits et fit prendre conscience aux deux amis de la lourdeur des ténèbres. Grand-père s'enfonça dans le passé, Jonathan, dans son remords: « Je devrais jamais parler de suicide à grand-papa!... » Pour essayer de tout replacer, Jonathan continua:
— Je ne comprends pas ce qui se dit à l'école, là-dessus.
— Demain, je t'écrirai mon idée, promit le grand-père.

En revenant de l'école:

— As-tu fait ton devoir, grand-papa?

— Mission accomplie.

Jonathan resta très longtemps dans sa chambre.

*On ne meurt pas à vingt ans –on ne devrait pas–. À vingt ans, on s'empiffre de vie, virevolte, brûle ses nuits. À vingt ans, on exagère, escalade, gaspille son argent. À vingt ans, on défonce, provoque, s'enivre de bruit. À vingt ans, on oublie, craint l'anonymat, défie la vie. Que sera demain?... On se refuse à l'esclavage imminent, les compromis, les trahisons de soi-même. On se débat au seuil de l'engrenage, refuse; on sent qu'un seul doigt... et tout le corps y passera... toute la vie. Son âme. Qu'à trente ans, ne restera plus rien de ses rêves; on se sera déjà prostitué trois fois avant que ne chante le coq du pouvoir.Que sont nos idéaux devenus?... chanteront alors des poètes qu'on ne voudra plus entendre. Honnêteté, justice, rêves, nature, espace, planète. Le tourbillon de la vie les aura emportés. Resteront plutôt, avancements, plan de carrière, Réer. L'embouteillage aux échangeurs du pouvoir, le jeu des coudes pour aller poinçonner toujours plus haut à l'holodateur du système. J'ai dix ans maximum pour devenir patron, grand patron. Le Patron. Dix ans sans libération conditionnelle à m'intégrer au système carcéral de l'économie.*

*Alors, avant l'engrenage, avant d'être bouffé par le système, on crie, on fuit, on saute. On est prêt à devenir un Homme, une Femme, surtout pas un adulte. On est prêt à s'intégrer à une communauté, pas à devenir chair à ordinateur. On craint l'initiation au clan, les épreuves, l'excision... de la poésie et du rêve. On refuse de se soumettre, s'écraser en voyant les autres qui se répètent, fabriquent du passé, construisent des ruines. Psitacisme. Gaspillage de potentialités. Tuer des enfants n'est pas à la portée de toutes les consciences. Tuer en soi l'enfant fait perdre le goût de soi. On devient bientôt criminel, puis criminel d'habitude. Spon-*

*tanément, sans réfléchir, naturellement. On assassine spontanéité, fraîcheur, authenticité. Sans danger puisque nous sommes placés en protection. En protection du système. Le système ne protège que ceux-là. Les non assassins de rêves, eux, sont abandonnés aux vautours, aux rapaces. Aux éperviers. On assassine des colombes pour en tacher les murs de sang, on assassine les enfants...*

*Tant d'enfants refusent de naître à cette vie adulte, se mâtent, piaffent à l'entrée de cette stalle d'où ils ne sortiront plus. Gavés, s'engraisseront; blasés, s'épuiseront à faire rouler le tapis sous leurs pieds. Vieillis, inutiles, vidés de ce qu'ils auraient voulu demeurer, remplis du mépris de ce qu'ils sont devenus, iront grossir la cohorte grise de ceux... qui devraient bientôt s'en aller.*

*Alors, on se teint les cheveux en bleu, s'habille d'oripeaux, s'étourdit dans la vitesse, le bruit, « sniffe » tout ce qui est défendu. Non, votre système, je n'en veux pas! Je bouge, crie, m'excite, j'ai peur d'être pris. Je conteste, provoque, blasphème vos valeurs. Je vous rejette toutes les nuits. Comme un miroir, je vous montre ce que vous êtes. Si vous n'aimez pas, n'en prenez qu'à vous. Je reprends le chemin des lumières éclatées et refuse les rails de votre société.*

Au coucher,
— Grand-père, c'est ça qui m'attend? C'est comme ça que je vas devenir?
— Tout dépend de toi: ton coeur, ta réflexion, ta vie. Si tu es prévenu... J'ai confiance en toi.

Le lendemain, grand-père avait sorti pour la première fois sur l'imprimante de Jonathan un tout petit mot qui émut beaucoup l'adolescent. Il sentait bien que ce n'était pas pour l'école ou ses travaux. C'était message très personnel d'un grand-père vieillissant à SON Jonathan.
— Un testament?...

Jonathan relut.

*Si le ciel t'est fidèle, te retirera-t-il sa main?... Non, mon Jonathan. Si la terre m'est fidèle, que m'offrira-t-elle demain?... Rien. Sinon un peu d'espace en son sein pour le souvenir de ce que je fus. La terre n'offre rien, mais j'ai confiance en toi. La terre n'est qu'un tremplin. Sauteras-tu?... Si tu ne crains le vertige, tu iras très loin. Plus près de toi. De ton intérieur. Tu iras où ne chantent pas les sirènes, ne bruissent pas les vains appels du vide. Tu iras à l'essentiel en t'approchant de toi. C'est là que chante la Présence. La tienne, Jonathan. La mienne n'a plus d'importance.*

*Michel.*

Le bel adolescent colla cette page sur le mur au-dessus de son ordinateur. Il la relut souvent, et souvent fut vaguement ému sans trop savoir pourquoi. Après plusieurs jours, Jonathan finit par demander:

— Grand-père, quand tu m'as écrit ton dernier petit mot, tu devais être bien triste?

— Un grand-papa, c'est souvent triste, mais il ne faut pas que ça paraisse. Ça ferait de la peine pour rien.

Un silence surpris a figé la conversation.

— Je vois pas pourquoi, grand-papa, tu peux être triste. En tous cas, à moi, tu peux toujours me le dire pourquoi tu es triste.

— Tu es tellement bon, Jonathan!

— Toi aussi, grand-papa.

Et chaque soir, dans un silence affectueux, s'endormaient le grand-père et l'enfant.

# 30

Et la vie de grand-père cassa: Jonathan venait d'entrer pensionnaire en semaine pour son CEGEP à Montréal. Mais c'était déjà trop pour grand-père. Seize ans d'une présence nourrissante se terminait brusquement: maigre et jeûne, a pensé grand-père dans ses anciennes catégories. « Mais je dois accepter! se convainquait-il, c'est son avenir. Moi, je ne suis que son passé... Moi non plus, je ne peux regarder l'avenir dans un rétroviseur... » Mais c'était si difficile à accepter!... L'électronique, c'était la vie de Jonathan, non? Même s'il aimait la terre, les animaux, il en mangeait de l'électronique. Et c'était au CEGEP du Vieux Montréal que ça se passait. Les premières semaines d'absence, grand-père ne parlait que de Jonathan. S'attristait. À vue d'oeil, s'étiolait. Les premières fins de semaine, grand-père s'accapara « son p'tit enfant » s'attachant à ses pas, buvant ses paroles. Grand-père s'était tellement ennuyé! Même que, en rougissant, il avait demandé à Guy de ne pas venir le voir les fins de semaine.

— Jonathan, tu sais...

Grand-père n'a jamais fini sa phrase. Guy n'a jamais cessé d'admirer. Le beau Jonathan a dû doucement s'imposer, libérer. Grand-père a compris, mais s'est senti un peu frustré.

Peu à peu, la famille a senti vieillir grand-père. Il parlait moins, écrivait davantage. Il dormait. Même dans la cuisine. Le syndrome du glissement?... Une chance qu'il lui restait Mélodie. Mélodie, elle, avait parlé de devenir infirmière, « mais avec les conditions faites aux infirmières d'ici... je vais être obligée de m'exiler en Suisse ou aux Etats-Unis, faire des grèves illégales... » Elle penchait maintenant du côté de vétérinaire. Parfois, travailleuse sociale. Son choix n'était pas encore fixé, mais le don, l'aide, les autres... Claudine en était fière et le disait.

— Maman, avec tout ce que j'ai vu ici... Toi aussi, tu peux être fière, et papa, et grand-papa.

Mélodie venait encore une fois de dessiner son arc-en-ciel pour grand-père, l'accrocher au-dessus du ciel bas de ses soixante-quinze ans. Ses yeux ont brillé devant la couleur, grand-père a souri. « Ma petite Mélodie!... »

« J'sers à qui maintenant?... » semblait la principale inquiétude de grand-père. Il préparait des petits textes pour Jonathan, mais ne les remettait plus. Il les laissait sur son bureau dans sa chambre, au cas où Jonathan les verrait et peut-être... S'offrait pour certaines recherches, pour ses travaux scolaires... mais les sujets et l'aspect « recherches pratiques » exigés par le CEGEP désarmaient grand-père. Bref, il considérait ne plus servir à rien. Dépérissait. Il s'est essayé avec Mélodie... « mais c'est pas pareil... » s'est-il honteusement condamné. Pourtant, Mélodie appréciait beaucoup; c'était plutôt grand-père qui s'était buté. Il négociait mal la transition, se faisait souffrir. « Jonathan!... » priait-il parfois les yeux pleins d'eau.

Chaque fois que Claudine ou Francis allaient au village, ou à Granby, ils offraient à grand-père de les accompagner. Refusait la plupart du temps.

— Grand-papa, si tu allais passer quelques jours chez Jean-Guy?... C'est un peu bruyant, mais tu serais seul toute la journée. Tu aimes tellement la solitude. Et tu verrais Sylvain!... Tiens, pourquoi t'inviterais pas Pierre Lalumière?...

Il fallait s'ingénier pour faire accepter, bouger. Plus de Jonathan, on aurait dit que sa vie était finie. À seize ans, Jonathan s'était adapté à sa nouvelle vie. À soixante-quinze ans, grand-père bégayait au seuil de son absence. Il n'avait pas prévu que Jonathan partirait. N'avait pas pu. Jonathan avait laissé blanche la page de son absence. La tristesse de grand-père l'inspirait. Il avait beau le cacher, n'en jamais parler, Claudine... c'était une mère, non? Quelle mère ne devine pas?... Quand elle voyait descendre grand-père de son grenier, en fin d'avant-midi et fin d'après-midi, à son air, elle pouvait même dire s'il avait écrit amour ou nostalgie. Elle ne déplaçait pas ses feuillets empilés, mais... la page du dessus tout de même!... Elle s'en est confié à Francis. La page était si triste...

*J'essaie de dire un peu mon coeur, seulement communiquer, montrer que je ne suis pas toujours absent. Mais mes mots se mêlent en sortant, le ton ne rejoint pas l'intention, même ma voix s'écaille en passant... et je parais bougonner. Je me sens humilié; Claudine impatientée. Trop fier pour m'excuser, expliquer, je laisse agir le mal entendu. Orgueil mal placé, je me réfugie dans ma bonne intention. Pensée magique?...*

*De temps en temps, je me reprends. Désirant dire ma joie, ma reconnaissance, je prépare mes phrases, lisse mes mots, les réchauffe à mon coeur... et les lance, enthousiaste,*

*dans la conversation. Ils n'arrivent pas toujours au bon moment, semblent un peu déplacés. Avec paternalisme,*
— *Bien oui, grand-papa, on sait comme tu es bon, comme tu as bon cœur au fond... mais là...*

*Parfois, ils regardent la télévision; d'autres fois, parlent d'un sujet important.*
— *Oh pardon!...*

*Cela me blesse profondément, me retourne à mon isolement. Un autre petit pas vers le trépas.*

*Francis, revenant des champs, me dit parfois:*
— *Grand-papa, tu jongles trop souvent.*

*Je réponds quelques mots, bafouille, je ne sais plus trop, ajoute quelques pas à ma distance et m'enfonce dans le silence. Lui, continue à parler, moi, à m'éloigner. Je n'entends plus qu'un glissement de soie. Je reste parfois longtemps perdu, indifférent; je ne réponds plus, marmonnant quelques syllabes signes de mon monde imprécis, non du sien très défini.*

Francis et Claudine furent peinés. D'autant plus qu'ils reconnaissaient certaines de leurs indifférences, ces arrêts cardiaques de l'habitude. Se sont promis de faire plus attention tout en reconnaissant la différence d'âge et de préoccupations.
— Puis il va bien falloir qu'il s'y fasse au départ de Jonathan!...

Lors de ses jours plus ensoleillés, grand-père, après ses écritures, rêveries, descendait et venait jaser banalités avec Claudine, savourer un café. Souvent, il se sentait soulagé d'avoir écrit, satisfait:le compte y était. Revenait à la société, au quotidien, complément de sa pensée, réflexion. Encore à l'occasion, une petite pointe de malice dans ses yeux, une intrigue dans son sourire, toujours l'air de préparer un tour. Il venait d'écrire: « Qu'on me laisse savourer ma solitude! »

et après, mine de rien, jasait et riait en agréable compagnie lors de ses jours plus ensoleillés.

Un jour que grand-père était parti prendre une marche au doux soleil de septembre, Claudine sursauta.

*Hier, suis allé sur la tombe de François. Ce sera peut-être la dernière fois. L'automne est avancé, je dois rentrer.*
— Va-t-il se suicider? Quelle est cette idée de mort imminente?

Elle continua à lire sa page.

*L'écriture des trop courts moments de notre vie commune, François, a signé pour toujours ta présence dans ma vie. J'ai pleuré longtemps ton départ, la fin de notre relation. Oui, je le sais, j'ai pleuré peut-être plus sur moi que sur toi. J'ai surtout pleuré sur la cause de ta mort, et encore plus, la manière. Suicide. Insupportable suicide.*

*François, sur le rivage du temps, me suis aventuré. Ton image ai cherchée, ton souffle échappé. Un sourire, une effluve. Ne reste qu'un souvenir. Au-delà du voile, j'ose espérer. Comment voir, les yeux clos, la bouche muette? Qui me dira le message?... L'oiseau, une fleur? Le printemps ou toi?... Je t'attends de jasmin ou de lilas, enrubanné comme un printemps sur les ailes des hirondelles ou d'un pic-bois. Je t'attends. Je t'attends, souffle espéré, aux confins de l'humain. Prépare-moi: que je sois attentif afin de ne rien perdre de ta direction. Direction d'où tu viens, direction précise où tu vas, afin de savoir d'où je viens et qu'elle est ma fin.*

*T'ai suivi jusqu'au bord du chemin puis tenté te comprendre avec ton geste, ta main au loin, beau passant. Au bord de la mer, comment te suivre, petit oiseau?... Attendrai ton retour, un chant, quelques nuages. Au bord du temps, attendrai ton printemps, une fleur, un ruban. Chercherai au fond de mon coeur quelque message.*

*Tu sembleras très loin, mais peut-être seras-tu très près.*
*Si près que je ne te verrai pas. Les yeux fermés, concentré sur*
*mon front, m'offrirai comme page blanche, esprit serein. Puis*
*sentirai mon esprit s'élever au-delà des nuages, s'envoler sur*
*tes traces au pays des soleils levants toujours nouveaux.*
*Ennivrants. Mon merveilleux amant!*

Claudine est tout de suite allée rejoindre Francis aux
bâtiments.

— Je lui en parle dès ce soir, promit Francis.

Après le souper, les deux amis, assis près du puits,
— Grand-père, tu te sens bien, la santé?...

De loin, préparait le chemin.
— Es-tu allé à la tombe de François?
— Oui. Ça m'a ému plus qu'autrefois.
— Démoralisé, grand-père?
— Comme toute personne plus âgée, certains jours, la vie
    me pèse. J'ai envie de pleurer plus facilement.
— Michel, tu as vraiment envie de mourir?
— J'ai envie de vivre... autrement. Tu apprendras plus de
    moi une fois parti qu'en cette vieille présence ridée.
    Comme j'ai plus appris de François après son départ.
— Michel, tu ne vas pas me laisser? Je n'ai personne
    d'autre. Tu es toute ma parenté à toi tout seul; mon seul
    vrai grand ami pour moi tout seul. Michel!...
— Ne t'inquiète pas Francis, je n'ai aucune envie de me
    suicider. Seulement, j'ai vieilli, prématurément, je suis
    usé, mon coeur ne me suit plus. Je ne crains pas plus la
    mort que jadis.
— Tu m'inquiètes, Michel...
— Je suis vieux par en dedans, je me sens très vieux par en
    dehors.
— Dans le sens de sagesse?
— Je n'ose dire oui, mais... j'ai des idées de vieux, en tous
    cas. Je pense à la mort. Je me sens souvent comme la

feuille de l'arbre à l'automne. À chaque petit frisson du vent, elle se demande toujours si elle va tomber.

— Je suppose que tu as pensé au genre de mort que tu préférerais, vu que tu en parles.

— Oui. Pas trop longue, ni trop courte. Pas trop souffrir, même pas du tout, mais surtout, j'aimerais avoir un peu de temps pour voir venir. Je voudrais vérifier ce que j'ai écrit et dit sur la mort. C'est mon petit côté « rigueur intellectuelle ». Quand l'échéance sera fixée, je voudrais avoir le temps de voir venir la mort, la soupeser, tester.

— L'accueillir?...

— Je l'espère. C'est ce que j'ai écrit déjà. C'est le témoignage qui compte, le vécu, tout le reste n'est que littérature, théologie.

— Tout a l'air si simple avec toi.

— Veux-tu être mon exécuteur testamentaire? Aussi bien tout clarifier pour éviter les urgences. Mon testament est en haut.

— Testament... répéta Francis, ressentant toute la lourdeur du mot, l'inévitable importance de la réalité. Tout ému, suppliant: Michel!...

— Je l'ai appelé: testament de vie. Pas d'acharnement thérapeutique surtout rendu à mon âge. Je veux recevoir des médicaments assez forts pour contrôler la douleur, même s'ils doivent abréger ma vie. J'espère que vous autres, vous verrez à faire respecter ces demandes-là si jamais je deviens inconscient ou dans le coma. En tous cas, j'ai fait ce testament et je le signe de nouveau à chaque année avec la date. Cette année, tu l'auras contresigné avec Claudine pour la huitième fois. Pourquoi tu n'as jamais voulu le lire, Francis?

— Un testament, c'est trop personnel... et je le lirai bien assez tôt.

— En tous cas, Francis, je te demande d'être mon exécuteur testamentaire et de faire respecter ma qualité de vie, ma dignité d'être humain. Je te décharge, ainsi que les médecins, de toutes responsabilités au sujet de cette mort digne à laquelle je tiens. J'accepte qu'on prolonge ma vie –ma qualité de vie– pas mon agonie. Normalement, on ne doit pas parler de ça à la parenté, mais vous autres, vous êtes plus que de la parenté... vous êtes des amis. ...D'ailleurs, j'ai l'impression que je vais m'éteindre comme un tit poulet. Je suis tout vieux, j'ai vécu à fond le bonheur et le malheur, la vie et la mort... et maintenant, je suis heureux. Tiens, j'ai même vécu des p'tits-enfants!... Que peut-on demander de mieux? Il me semble que ma vie pourrait s'éteindre comme ça... comme une petite vague sur le bord de la mer.

Francis cherchait son souffle. « C'est vrai » disait sa tête. S'est exclamé:

— C'est pas vrai, grand-père!

— Viens te promener, Francis. Dans le champ derrière la maison. C'est mon préféré: planche, sans obstacle, la vue porte loin, le soleil s'y couche le soir venu. Le soleil et ce champ-là font bon ménage. Ce champ a toujours bien produit.

Francis, très triste, suivait. Le chemin, les mots, non la pensée.

— Ne sois pas triste, Francis. À quoi veux-tu que je serve maintenant? À qui?

— À toi-même! s'écria l'homme surpris. Tu n'as plus qu'à être heureux. Michel, laisse-toi aimer. Laisse-nous t'aimer.

Quelques petits rires ont coulé dans le cou de Francis où grand-père avait posé ses lèvres. Puis les deux hommes se sont éloignés un peu pour prendre leur position familière. Francis a posé ses mains sur les épaules de Michel et celles de Michel se sont refermées sur ses biceps. Elles ne pouvaient aller plus loin, et ils se sont regardés. En silence. Francis auscultait le mystère de grand-père et grand-père transmettait sa paix, sa sérénité au grand inquiet. Ils reprirent leur marche, et grand-père, sa consolation.

— Ne t'inquiète pas mon petit, l'amour de la vie est la meilleure préparation à la mort.

Ils marchèrent longtemps, parlant de choses et d'autres. Les petites digressions, ces paliers dans l'ascension de l'émotion, leur permettaient de retrouver un souffle nouveau que l'émoi parfois rendait plus court.

— Je te l'ai jamais dit, Francis, mais c'est dans cette maison que je suis né. Dans le temps, les enfants étaient faits à la maison comme le pain de ménage. Comme la mort. Aujourd'hui, les deux extrémités de la vie, la naissance et la mort, sont enlevées aux familles. Bien sûr, il y a moins de microbes à l'hôpital, mais il y a moins de vie aussi. Ça ne serait pas pour ça qu'on appelle l'hôpital un milieu stérile?

Puis encore le silence de Francis

— Ça fait plus de quinze ans que je note mes impressions de grand-père accompagnant tes jeunes enfants et mon apprivoisement de la mort accompagnant mes vieux jours. J'ai toujours gardé l'impression que c'est la peur de la mort qui m'a empêché de comprendre le dernier message de ton père François, quand il m'a dit qu'il allait se suicider. Je ressentais un malaise comme si je parlais à un revenant. Quand au contraire, François ne voulait pas en devenir un. Je l'ai tellement regretté, je me suis tellement puni. À tort, trois fois à tort.

Francis ne pouvait parler. Il sentait le moment essentiel, que jamais il ne reviendrait. Grand-père étira une longue pause avant de continuer.

— Je ne me suis plus jamais culpabilisé après, sur le suicide de mes amis, anciens élèves. J'ai suivi une thérapie comme doivent le faire beaucoup de proches d'un suicidé, et j'ai bien réfléchi sur la mort. C'est ce qui m'a permis de mieux réagir, Francis, quand je t'ai retrouvé à quinze ans et que j'ai cheminé avec toi. Enfant mal aimé, voyou, narcomane, tu m'as tellement bousculé. Surtout ta tentative de suicide sous mes yeux. Mais le souvenir de ton père, la présence de Guy Martel, le Merveilleux, m'ont toujours soutenu, permis d'espérer. Et que dire de ta femme Claudine et de vos deux beaux enfants, Jonathan et Mélodie!... C'est avec vous, pour vous que j'ai écrit et préparé ma confidence de ce soir.

Devant le silence de Francis, grand-père est allé le chercher.
— Parler de la mort ne fait pas mourir, Francis.
— Ce sont les plus belles années de ma vie qui disparaîtront avec toi; ne me restera qu'un souvenir.
— Mais tout n'est-il pas destiné à devenir souvenir?

Francis garda un silence un peu triste. Grand-père en profita pour revoir son passé, ses réflexions des derniers jours.
— Mon pas pesant a rebroussé le sentier du temps. J'ai revécu la petite colline de mon enfance qu'autrefois je voyais montagne. Sur le coup, on peut être surpris, mais tout se simplifie avec le temps. Francis, tout se purifie en vieillissant, les souvenirs se bonifient. Quand on a atteint de hauts sommets, la petite colline qui hanta nos rêves d'enfants devient une simple petite colline. Et fait sourire. Elle ne devient pas ridicule pour autant, mais nous avons grandi de quelques sommets, vieilli de quelques abîmes. Même rabaissée de quelques songes, la petite colline de notre enfance gardera toute sa poésie. D'autres enfants l'escaladeront, y chevaucheront des étalons magnifiques, pourchasseront des méchancetés dont ils ne connaîtront que plus tard la perfidie. Ils y vivront des rêves merveilleux et souriront en dormant. Bien assez tôt se creuseront les gouffres, s'élèveront les murs. Bien assez tôt, couleront les larmes, s'envoleront

324

les illusions, mourront les amours. Fini ce temps béni où les injustices disparaissaient par un seul coup d'épée de bois. Quand on vieillit, de vraies larmes coulent sur l'oreiller et plus de mère au réveil.

Le silence ému de Francis laissa à grand-père tout le champ libre. Francis se disait tout bas: c'est donc ça un homme qui regarde sa vie devant sa porte du soir?...

— Je pense avoir descendu ma colline pour la dernière fois. Le versant ouest, versant du soleil couchant. Je me dirige vers la vallée. Oh! je sens bien tous ces beaux oiseaux voleter tout autour de moi. Ils m'aiment bien, je les rassure. Solidité, durée, garantie de leur jeunesse, rempart. Tant que je serai là, ils ne pourront être vieux. Mais après mon départ, ils se sentiront vieillir parce qu'ils seront les plus vieux. Je me sens leur mangeoire. Ils vivent sans trop faire attention à moi, je les nourris en ne pensant qu'à eux. Ils sautillent à mon seuil, se bousculent, crient, mais c'est chansons à mes oreilles. Ils se chamaillent, bécotent: c'est la vie, je les aime. Je descends toujours vers la plaine, revois mes champs. La saison m'interroge: qu'attends-tu pour rentrer?...

— Pourquoi tant te presser, grand-père: tu es en santé, tout?

— Je ne me presse pas; je réfléchis seulement. Je me sens dans la grande cuvette de la nature où fermente déjà l'automne. Francis, je m'avance vers la fin de mon champ, me retourne derrière pour le souffle échappé, regarde encore ma vigne pour m'encourager. J'ai bien travaillé, je pense, je peux regarder devant. Mes yeux clignent aux lueurs du soleil couchant. Les choses peu à peu s'échappent au fond de leur néant. L'essentiel se rattrape au bout de son fil d'argent. Un peu plus haut, un peu plus loin. Toujours un peu moins. Ce n'est pas ce qui s'ajoute qui enrichit. C'est ce qui se coupe. Dans la coupe des choses simples, la lie est ce qui déborde; l'essentiel, ce qui se goûte. Francis, je me rends compte que j'ai faim et soif. Que j'ai toujours eu faim et soif, mais que mes pas ne m'ont pas toujours conduit aux étoiles ou aux fontaines. Maintenant, je me sens aimanté. Je me sens une impatience de boussole. L'enroulement du temps enserre, étouffe, momifie. La respiration au refuge de l'intérieur libère, desserre, vivifie. Je quitte lentement le champ de mes vignes, mesurant mes pas, les pensant, en en prenant toute la mesure. Grave, serein, soumis. Quelques mottes écrasées, dernier service de la pesanteur, une abeille évitée: elle est mouillée par terre, puis la dernière allée, les derniers ceps. M'arrête, retourne. La main appuyée sur le vieux piquet de cèdre raviné, tout mon corps fait une pause. La pause. Toute ma vie se recueille. Mes yeux, deux rayons, douces souvenances balaient le champ. Mon regard se lève, en caresse l'étendue, domine comme ne dominant pas, voit comme dans le crépuscule qui descend, la douce et tendre chaleur des moissons d'antan, les fatigues, la douleur aux reins, la bonne odeur du fruit, les gestes maintes fois répétés comme un refrain, mantras chrétiens, les moissons de grappes serrées, lourdes, juteuses, sucrées, puis cet automne... le dernier. Mon dernier champ... comme le cygne, ajouta grand-père avec un petit sourire en regardant Francis qui ne dit mot.

Son silence appelait une nouvelle confidence, mais grand-père attendit la parole de son ami.

— Mais tu désires mourir! se plaignit Francis incrédule, sur un ton de doux reproche.

— Je ne désire pas tellement mourir tout de suite, mais il faut bien qu'un jour, on quitte la parade. On laisse la place à d'autres, des plus jeunes, au pas plus régulier, aux gestes moins flous. Ce n'est pas la vie, non?...

Encore quelques pas lents vers le large, Francis, tête baissée, grand-père regardant au loin.

— J'espère... un jour... Tu es encore meilleur que je pensais.

— C'est la dernière fois, Francis, que je te parle de la sorte, c'est mon dernier bilan.

Et grand-père reprit sa marche et sa vie aux côtés d'un Francis de plus en plus ému. Puis d'autres arrêts dans le champ, d'autres pauses dans le bilan. Et encore un long silence de grand-père qui glissait sur un sous-entendu de Francis et qui, parfois même, caracolait un autre silence. Ces silences, pudeur de l'âme, montraient bien que ces deux hommes, dans le champ d'un soir de septembre, touchaient le noyau de la vie. Même dans les circonstances, avec un tel grand-père, parfois, un éclat de rire les éloignait du trop sensible, du vertige du trop profond. Puis s'enclencha la suite des réflexions.

— La jeunesse a l'impatience de la perfection, de SA perfection. Elle coupe, tranche parfois sans raison. Elle veut que ce soit son oeuvre: besoin de s'affirmer. Elle craint de ne pas être assez tôt reconnue. Ce n'est pas ce qu'elle a poursuivi qui compte, c'est ce qu'elle a entrepris. Pureté de son action. C'est mon oeuvre du début jusqu'à la fin. C'est mon vignoble, mes raisins. J'ai réussi, moi aussi. Au début de sa vie, on ressent ce besoin d'être reconnu. Comme lorsqu'on est petit. C'est parfois abusif, mais c'est ainsi qu'on prend racine. Oui, mon Francis, mon regard balaie la vie du champ. Revoit. Tout a été refait depuis le commencement. C'est là-bas, mes premiers plants. Maintenant noueux, solides, un peu hautains de silence, trop sûrs d'eux. Mon premier agrandissement. On développe toujours. Du toujours plus, du toujours mieux. C'est une loi de la vie. Toujours plus profond. Les plus vieilles parties que j'ai coupées: elles ne produisaient plus, m'étais-je dit en manière d'excuse. Quelle bonne chaleur dans la nuit. Me rappelle encore le petit malaise de détruire de si bons serviteurs de tant d'années, de tant de grappes... d'un si bon vin. Puis les nouveaux ceps, la nouvelle vie, agrandissements, enri-

327

chissements. Jusqu'au champ d'aujourd'hui, où coule la douce ivresse embuant mes yeux. Sur la grandeur du champ, s'étend ce soir mon regard, sur la longueur de ma vie, glissent mes souvenirs qui se bousculent drus, serrés, bien ronds, en grappes multipliées. Et c'est à toi, et toi seul, Francis, que j'offre ce regard.

— C'est tellement beau, grand-père! et c'est tellement triste!...

D'un commun accord, les deux hommes tournèrent le dos au champ et s'enlignèrent sur la maison. Après une longue pause, grand-père conclut.

— Je commence lentement à quitter le présent pour couler le futur. Comme on coule un vin nouveau. Rejetés peau, pulpe, noyaux. Seule se dégage, légère, veloutée, la forte saveur, la pleine odeur du ferment, levain de demain. L'essentiel demeure dans la lumière du jour qui descend. Au bord de l'ombre qui ne sera jamais plus ténèbres, tout devient si clair, limpide. D'une main, déjà, tâtant le mystère, les yeux fouillent l'ombre, le souffle se retient pour ne rien brusquer, le coeur se demande encore... mais il espère toujours.

Francis pleurait doucement. Les deux hommes se sont collés dans cette belle soirée de septembre où devenait frais le fond de l'air. Francis ne pouvait rien dire: grand-père avait tout dit. En silence sont rentrés en jetant un coup d'oeil derrière la maison, au vieil érable souffreteux qui commençait à perdre ses feuilles. « Déjà!... » disait l'automne. Au pied de l'escalier du salon, se sont donnés une chaude accolade qui n'en finissait plus. Sans un mot. Grand-père monta vers ses écritures et Francis descendit vers sa nuit. Il rêva. Très mal. Claudine s'est levée, a pris un café. Encore de la lumière en haut: grand-père veillait. Ecrivait-il?...

# 31

L e lendemain, Claudine surprit un tout petit texte nouveau.

*Je peux partir, mes oiseaux sont heureux. À ma vigne, viennent grapiller. Tout ce que j'ai eu, je l'ai donné. Maintenant, je n'ai plus rien, il est temps de rentrer. Francis aime ses enfants, comment pourrait-il en être autrement? Claudine est tellement maman, Francis en profite autant. Jonathan, Mélodie n'ont plus besoin de moi. Je n'oublierai jamais mon émotion quand Francis a placé Jonathan dans mes bras en me disant: « Serre-le sur ton coeur: je veux qu'il soit bon. » J'ai fermé les yeux, pris une longue respiration... aimé mon enfant. Mes paupières ne restèrent pas étanches bien longtemps et j'ai senti de grandes racines sortir de mon coeur, un grand arbre tout plein de feuilles vertes s'élever vers le ciel. Des nids d'oiseaux s'arrondissaient sur mes branches. À mes pieds, un enfant vagissait dans ses langes; au-delà des nuages, François jouait dans mon feuillage. Un grand courant de vie me parcourait. Francis me donnait le coeur de son fils, relayait en lui ce grand courant de tendresse qui seule reproduit la vie. Battrait pour la suite des siècles, en lui et ses petits enfants, l'amour de François cueilli par un simple enseignant sur les bancs d'une vieille école. Cet amour sera relayé, fécondé, grâce à cette longue chaîne de fidélités incessamment renouvelées, grâce aussi à ces maillons de tendresses soudés et tenus par des hommes fidèles, sous les yeux d'une mère qui leur a permis d'aimer les couleuvres, les petits lapins, les enfants des voisins, et qui, pour eux, le soir en les endormant, leur chantait ses plus beaux refrains.*

*Je crois que tout est dit. Je ralentis le pas, regarde plus profondément. Mon coeur aspire un ailleurs, mes yeux pénètrent l'intérieur.*

Quelques jours plus tard, au beau milieu de la semaine, Guy est arrivé. Francis a prétexté le besoin d'un conseil pour une vache malade et les deux sont sortis. Mais ils ne revenaient toujours pas. Inquiet, grand-père est allé les retrouver. Dans la tasserie où on gelait, assis sur un ballot de foin, Guy pleurait. En voyant grand-père, la voix déchirée:

— C'est pas vrai! C'est pas vrai!...

Grand-père s'est assis près de lui, Guy lui a pris la main et l'a serrée. Sa tête se penchait pour cacher les distorsions de la douleur. Il hoquetait:

— Pourquoi? Pourquoi tu veux mourir?...
— Ce n'est pas que je veux tellement mourir, mais j'y serai bien obligé un jour ou l'autre.
— Tu désires mourir.
— Je désire François.

Avec une pointe de reproche, voire d'impatience:

— Mais ça fait quarante ans qu'il est mort!
— Ça fait quarante ans que je l'aime... comme je t'ai aimé. Mais ne va pas croire que je vais me suicider, que je tiens absolument à mourir tout de suite. Non. Mais dans deux mois, deux ans, dix ans... je ne sais pas. Une intuition.

Je peux me tromper et je l'ai dit à mon Francis. C'est tout.

— Je ne veux pas que tu partes. Tu es le plus beau secret de ma jeunesse. L'homme qui m'a le plus marqué. Quand j'ai une décision à prendre, je me demande toujours qu'est-ce que tu ferais à ma place, qu'est-ce que tu dirais. Tu me conseilles de loin, même en silence. Tu devrais être le modèle de tout un pays, et tu restes caché entre deux amis.

— Je suis très favorisé par la vie et rends grâce à Dieu pour ces merveilleux amis.

— Et tu veux partir!

— Je ne veux pas partir, c'est que je suis trop vieux. Je n'ai plus le coeur solide. J'aimais mieux vous avertir parce que vous êtes mes amis. Je n'en parlerai à personne d'autre.

Après un moment de silence, Guy reprit:

— Tu ne peux pas partir, Michel:... mon fils est malheureux. Son père aussi.

— Si tu savais, Guy, comme je vais continuer à t'aimer. Ton fils aussi. Mais te reste toujours Francis: c'est lui le spécialiste.

— On s'était tellement habitué à toi, ta présence, tu ne peux pas partir... Et on a fait si peu pour toi!... Et tu n'as même jamais demandé une seule fois à Francis pour faire l'amour avec lui! C'est incroyable.

— Ce n'est pas aussi important de faire l'amour avec quelqu'un que d'être en amour avec lui. On se tient souvent la main, se serre dans les bras; on vit ensemble. Je le vois toujours, l'admire, je l'aime tellement! Je caresse souvent son bras, son épaule en passant. L'embrasse dans le cou.

— Arrête donc de penser aux autres, au moins une fois avant de mourir!

— Ah Guy, que tu me fais plaisir, je reconnais toujours ton grand coeur.

Et les deux hommes se sont soudés. Plus un seul mouvement, plus un mot, plus un geste, mais un seul battement de coeur emplissait toute l'atmosphère. Francis a dit qu'il retournait à la maison pour rassurer Claudine.

Quand ils sont revenus, un bon moment plus tard, les deux coeurs battaient à un autre niveau, leurs yeux pétillaient comme feux d'artifices. Personne ne pensait plus à mourir et... grand-père à confié à Francis:
— Je crois que Guy m'a fait un moment oublier François.

Le lendemain, après souper, grand-père remettait à Francis une belle feuille couverte d'une écriture bien appliquée en disant:
— Francis, pour te dire que je t'aime toujours, t'admire. Pour te dire merci de me garder sous ton aile. En beau souvenir, Francis.

*À tes quinze ans, ai pris la route de ceinture, voie panoramique. T'ai vu près de la chaussée. Tu t'amusais avec des riens. Pollution de la poussière, du bruit, de la laideur. Aliénation. Ai continué mon chemin et t'ai revu au bout de mon refrain. Tu chantais déjà quelques sons, me tenais la main. Ai allongé mes sons, parlé de mes saisons: printemps, été, bien oui, déjà l'automne. Puis notre conversation s'est remplie de l'or du temps. Tous ces paysages multicolores que j'ai tenus dans ma main, tu les reçus dans ta vie. Tous ces soupirs après l'effort, ces sueurs dégoulinantes, ces poussières soulevées pour féconder la terre, tous ces pas ralentis, pesants du jour donné, en revenant des champs. Tous ces souffles saccadés sous l'effort fourni, toute cette fatigue accumulée, cette lourdeur de terre travaillée, tous ces chants au ralenti, plutôt suggérés, suite de sons sans suite, incantation, en s'approchant de la maison. Puis près du puits, la poulie qui grince, le seau qui se remplit; dans de vieux gobelets, le plaisir qui trinque au travail offert, au repos qui fortifie.*

*Maintenant, c'est l'hiver: pensons à nous couvrir, protéger. Pour ces beaux souvenirs, merci Francis.*

Francis releva la tête et regarda son ami. En silence. Grand-père semblait heureux.

— Merci, Michel! Tu me fais très chaud au coeur. Je ne l'oublierai jamais.

Il passa la petite lettre à Claudine qui la lut à son tour.

Le soir, elle se demanda, devant Francis, ce que voulait bien dire grand-père avec son: « Maintenant, c'est l'hiver: pensons à nous couvrir, protéger. »

Moins d'une semaine plus tard, Guy recevait une longue lettre de grand-père.

*Guy, il faut accepter notre passé, notre vie. Nous adapter. Envisager notre avenir...: nous soumettre? Guy, ton fils est malheureux... mais il ne doit pas nous rendre tous malheureux. Pour moi, vieillir et même mourir, ne doit pas empêcher les autres de vivre. J'ai réfléchi, Guy: je te demande d'en faire autant...*

Guy continua sa lecture, relut la lettre et n'en parla point. Il refusa de toute son âme et se soûla.

Maintenant, grand-père dormait dans la chambre de Mélodie partie pour un mois dans un échange d'étudiants. Pendant le jour, il préférait rêvasser assis devant le puits, nourrir les oiseaux, se promener dans le champ avec le chien. Sur le chemin, c'était devenu trop dangereux, les autos roulaient beaucoup trop vite pour lui. Il y allait seulement pour se rappeler ses promenades avec François, Guy Martel et la famille Labrecque. Il se rappelait tout bas... parfois parlait tout seul. Je me souviens. Je me souviens... Francis, mon unique... Il continuait à se confier à Claudine avec un tel coeur!

— Et parce que je me souviens, encore aujourd'hui, je désire tomber dans ses bras. On a besoin de ce contact. Ressourcement. Mes lèvres aussitôt se fichent dans son cou. Chaud, si doux. S'abreuvent d'affection à saveur de terre, bran de scie, odeur d'effort, poussière de vie. J'y bois son coeur qui bat au-dessus du mien. Je ranime ma vie dans cette douce atmosphère de muscles. Il me serre si fort au doux langage de ses bras. Mon troisième âge coule heureux au pied de son rocher. Francis a pris ma relève, les rôles sont inversés. C'est lui maintenant qui me soutient, dirige. Délicatement. Francis a toujours l'argument, tient la clé de mes décisions. Il pense Michel, ignore les commandements. Claudine, si tu savais comme il est bon pour moi!... Je me laisse dorloter ne cherchant plus à décider. Lâcheté? vieillissement?... Je me pense parfois si fatigué. Heureux dans son sillage, me laisse emporter. Supporter. Francis, toi, vos enfants; Robert, Jean-Guy et leur amant; Guy:la vie bouge autour de moi, s'active. À un autre niveau, rythme différent du mien. Surtout! avec d'autres décibels. Je monte dans ma chambre-grenier, ma réserve d'écritures. Je prends mes écouteurs, me compromets avec Mozart. Je prends le chemin, fixe l'horizon, me compromets avec demain. Prends la clé des champs, me libère du quotidien devenu parfois trop gris.

Claudine, de plus en plus attentive, tous les jours vérifiait la nouvelle chambre de grand-père et montait à la chambre-grenier au cas où il aurait laissé quelques indices. Ce jour-là, une photo: grand-père à vingt ans. Une note. Claudine la lut à Francis pendant que grand-père dormait en bas comme la plupart du temps maintenant.

*J'ai revu, en photo, mes yeux d'antan, ai de nouveau ressenti la flamme de la paix, caressante sérénité. Une douce simplicité rayonnait sur ma figure. Je suis jaloux de ce que je fus et que je ne suis plus. L'enthousiasme s'est usé, les déceptions accumulées. Rancoeurs, déceptions, dépits ont remplacé la sérénité partie. Je voudrais retrouver mes dix-huit ans et bénir ceux qui avaient protégé ce regard d'enfant. C'est vrai, j'ai eu des maîtres superbes, des amis fidèles. J'ai tenu dans ma main l'odeur de l'encens, de la rose et du froment.*

*Aujourd'hui, ce regard a perdu sa flamme, reste seulement une chaleur qui couve en mon coeur. Aujourd'hui, reste seulement un souvenir ému et une tristesse amère sur les aléas de la vie. Ah! tout ce qui s'est passé entre cette photo et l'image d'aujourd'hui: est-ce la laideur? La tiédeur?... Ah tout ce qu'il faudrait abandonner pour se retrouver enfant!... Tout ce qu'il faudrait souffrir pour redevenir innocent!*

*Contrôle de soi, forte volonté, stricte discipline. Méditation, prière, pardon, libération. Liturgie solennelle au-dessus du quotidien, liturgie des petits gestes répétés, l'humilité des petits riens sans signification. État d'oraison pénétré de prière, régularité, discipline, ascèse. Pardon.*

*Ma photo m'a converti: je veux retrouver mes yeux d'antan. En aurai-je le courage?... et le temps?*

Claudine aussitôt constata:

— C'est curieux, Francis, la présence de grand-père dans la chambre des bébés me rappelle nos enfants. Au moindre bruit, je me réveille la nuit. Les premiers temps de la vie sont-ils si semblables aux derniers?

— Les deux bouts de la chaîne... les extrêmes se touchent...

— Francis, j'ai l'impression qu'il veut souvent parler. Il me regarde parfois et craint de me déranger. Demain, après souper, si tu lui donnais encore une heure?...

Et grand-père, bien préparé, parla. Beaucoup. Etait-ce son testament spirituel?...

— Je crois que c'est le temps, Francis. Je le sens, t'en rends complice. Tu n'as plus besoin de moi. Reconnais-le, je ne suis plus qu'un symbole ici-bas. Accepte comme moi j'accepte. C'est moins brutal quand on s'est préparé. C'est la raison de ma confidence.

— Michel, la vie c'est sacré!

— La mort aussi. La mort est un oiseau qui s'envole. La mouette qui plane et plonge pour nourrir la vie qui s'élève... Bien sûr, avec quelques cris rauques. Mais qu'est-ce que quelques cris rauques quand la vie s'éternise?... Et tout abandonner: le ciel vaut bien quelque vulgaire poisson.

— C'est toujours François qui t'attire?

— Oui, c'est mon petit démon préféré. C'est ainsi que j'appelle François depuis son départ précipité. Tu sais que je lui parle tout au long de mes chemins, lui confie mes peines, le prie en secret. C'est François, ma présence, ma parole, mon silence. Ma mort. C'est lui, mon petit évadé que j'appelle tous les soirs à venir coucher près de moi, diriger mes rêves, les habiter. Je vis parfois des réveils extraordinaires. L'aube, le soleil, un champ mûrissant, ce n'est rien à côté de mon voyage de retour vers le matin avec François, main dans la main. On dit: voyage astral; je dis extase. On demande: as-tu bien dormi? Je réponds: je suis en amour avec un esprit.

— Tu me parles et tu m'émeus tellement! Une présence t'habite, te dépasse: on dirait que tu n'es déjà plus d'ici. Et tu m'aimes tendrement. Quel est ce mystère d'amour d'un père pour son enfant, de deux pères amants qui vivent dans le temps et l'éternité en même temps. Sur terre le jour, au paradis la nuit, et pénètrent ma vie de tant de lumières?

— La vie de l'homme dépasse son corps, son temps, son apparence. L'essentiel est ailleurs mais illumine son présent. Ses aspirations dépassent ses racines, sautent une étape invisible aux yeux des passants et cheminent en des sentes oubliées. La mémoire du coeur ne donne pas toujours l'intelligence de ces réalités, mais le coeur a toujours eu des raisons que...

— ... la raison ne connaît pas, termina Francis.

Grand-père semblait recueilli, pénétré de tendresse; en contemplation de vérités qui le remuaient profondément. Tout un monde grouillait en son coeur et Francis se laissait envahir, pénétrer par cet état modifié de conscience qui ouvre sur de tels espaces! Il communiait à cet état du grand-père qui lui était de plus en plus familier depuis le départ de François. Une douce tendresse enveloppait les deux amis qui draguaient l'indicible. Une violente affection brûlait dans leurs attitudes. Ils restaient là, presqu'en silence, à goûter cet état de vie surréel, avant-goût de la grande libération que connaissait déjà François.

— François est avec nous; ce n'est pas un nuage qui l'en empêche, dit grand-père. Il est entre nous deux, je le sens dans ma main qui serre la tienne. C'est sa large paume qui m'aime.

— Mon père. Mon père. C'est merveilleux d'avoir un père! Surtout d'en avoir deux... même si l'un est aux cieux. Michel, je me sens comme après mon arrêt cardiaque. Je revois les lumières éblouissantes, mais ne blessant pas, chaudes, pénétrantes, accueillantes. Je ressens cette paix inaltérable au rythme ralenti de ma respiration. Cette détente apaisante qui abolit toute aspérité, alourdit les mouvements, respire plus haut. Ah ce qu'on peut être bien hors de son corps, dans la Lumière!

— Je m'en doute un peu, tu sais. Je suis tellement content pour toi!

Encore un long silence permit à chacun d'approfondir son état modifié de conscience.

— Qu'est-ce que je ferai quand tu ne seras plus là? Je m'étais tellement habitué à toi, appuyé sur toi: ta présence, ton coeur, ta fidélité. Tant de sécurité, solidité, tant de tendresse! Ton message.

— Tu as un père, une lignée; une famille, une destinée. Relis FRANÇOIS pour te rappeler d'où tu viens; donne-toi à ta famille, elle te dira où tu vas. Avec elle, tu t'inscriras dans le plus beau projet. La famille, comme l'amour, défie les siècles; c'est le meurtre du temps au profit de la pérennité.

— C'est ta présence qui me rappelle mes origines et ma fin, me fait penser, réfléchir, approfondir.

— Tu as ta terre, Francis. Tu apprends plus d'un champ têtu que d'une présence rassurante. Tu ne seras jamais complètement toi-même tant que tu ne seras pas seul devant l'obstacle. Autonome. Je t'empêche d'aller au bout de toi-même. Donne toi-même le coup de pioche, le coup de pic sur le roc; en jaillira peut-être une étincelle qui allumera le grand feu. Le feu de la vérité: tu auras produit la lumière. Ce n'est pas moi qui en donnera le goût à tes enfants. C'est de toi et de leur mère qu'ils apprendront à briller. Apprends la faim et la soif que la vie n'assouvit point, la faim et la soif qui poussent vers un mystérieux destin. L'un écrira des symphonies; l'autre, des poèmes. Certains bêcheront la terre; d'autres, la lumière. À toi de choisir, mais toujours en aimant ta femme, tes enfants, tes amis le long de ton chemin. Ainsi seront vaincues les ténèbres.

— Tout est si simple, tout est si beau avec toi.

— C'est ainsi quand on vieillit. Est précieuse cette décantation tout le long de sa vie, même si elle est souvent douloureuse.

— Tu auras réussi à me faire accepter jusqu'à ton départ!... Combien de siècles faudra-t-il pour te remplacer?

— Ah! tant que tu seras là... je ne crains pas pour l'avenir de la faim et de la soif d'essentiel, de support à la lumière.

— Michel!...

# 32

Grand-père allait voir le médecin un peu plus souvent. Ses rhumatismes parfois... La prostate, c'était réglé. Il vieillissait, quoi. S'usait.

— Grand-père, vous allez mourir en bonne santé, encourageait le médecin, souriant.

À Claudine venue le conduire à la clinique, le médecin avait confié:

— Il décline, mais ne souffre pas. Il va s'éteindre un jour ou l'autre comme une chandelle.

— Qu'est-ce que vous pourriez faire, Docteur?

— Grand-père n'a plus besoin de médecin; seulement d'amis.

Claudine avait compris, Francis dans le secret fut mis. Grand-père, poreux comme toujours, avait deviné, senti. Francis et Claudine en flagrant délit de secret?... Non, pas possible; pour grand-père, ce n'était jamais arrivé. Seulement les mots un peu plus chauds de ses amis...: grand-père avait

compris. De son écorce de plus en plus incertaine, son esprit
sortait. Les a rassurés:
— On peut vieillir et être heureux; on peut mourir... tranquillement... sans souffrir.
— Attends, grand-père, j'vas t'aider.
— Je voudrais seulement m'asseoir devant la fenêtre, au
  soleil. C'est l'après-midi: le soleil baigne ce champ
  derrière la maison... Ouais, je l'aime bien ce grand
  champ, finissait par dire grand-père en s'endormant.

Depuis quelque temps, grand-père ne montait plus à sa
chambre-grenier. Il prenait la chambre de Mélodie partie pour
quatre semaines dans un échange d'étudiants. Il sommnolait
déjà. Claudine qui butinait tout autour, dans la cuisine, y jetait
toujours un petit regard. La veille, grand-père avait laissé une
lettre à Francis.

*J'ai eu peur de ne pouvoir tout dire comme il faut, te l'ai
écrit.*

Claudine s'assit et la relut.

*Ai besoin d'un point de référence, ailleurs dans l'espace
et le temps (Renaud Santerre).*

Grand-père avait souligné deux fois: numéro du printemps. Avait noté: *L'année n'a pas d'importance, seule
compte la libération... La Lumière.*

*Francis, Claudine, je veux mourir chez moi, chez vous,
je veux présider à ma mort, la vivre totalement. Je ne veux
pas mourir dans un laboratoire sophistiqué, objet d'une
ultime expertise technique. Je ne suis pas un cobaye ou une
souris blanche. Je ne serai pas foudroyé par la mort, mais
pénétré progressivement. Il ne me reste qu'un souffle: n'aurai
pas besoin de foudre pour partir... un éclair seulement.
J'aime être éclairé. D'ailleurs, il y a si longtemps que j'ai
commencé à mourir et que le rythme de la mort s'accélère.
Dans l'isolement des chambres de mourants, malgré le lieu*

public qu'est l'hôpital, à l'abri des familles souvent, et surtout des enfants, se perdent de belles agonies. Dans les
vapeurs stériles des calmants, se perdent pour toujours des
regards de mourants. Ils seraient pourtant si précieux pour
la suite des ans, la transmission de la vie. De l'esprit. Si
précieux malgré le petit vertige –ou à cause de lui– qu'est
cette nouvelle naissance. Je voudrais mourir entre mes petits
enfants. Ils ont donné le sens, la direction à ma vie depuis
leur naissance. Ils ont donné le sens à ces petites douleurs
répétées, physiques et morales qui finissent par nous soumettre. Petites et grandes douleurs qui finissent par nous étendre
sur la couche de la relativité du temporaire et nous font
regarder les choses avec un certain détachement. Les événements reprennent peu à peu leurs vraies proportions, les
épreuves se dégonflent, les valeurs prennent davantage de
place, les personnes deviennent présence. Les derniers regards voudraient dire toutes ces découvertes, lancer tous ces
messages. Par quelques mots aussi, quelques gestes. (Je me
souviens tellement celui de mon père qui s'est accroché à moi
lors de notre dernière rencontre!...)Regards, mots, gestes qui
se voudraient tant prières, redressements, pardons à offrir...
et à recevoir. Messages d'essentiel. Le petit vertige de la
naissance, tête en bas, tape sur les fesses et le premier
commandement de la vie:respire! n'est que physique. Le petit
vertige, ici, où l'être plonge dans la mort est spirituel. Surtout
son message. C'est là tout le cheminement de sa vie: passer
du physique au spirituel.

Voilà l'ultime vertige de la vie. Il se prépare, pratique,
s'approfondit toute la vie. Même souventes fois expérimenté,
ce vertige, ce passage du physique au spirituel, ne laisse pas,
n'empêche pas une petite douleur renouvelée, insidieuse. On
ressent un petit déracinement, des petits coups répétés au
coeur qui finissent par déchirer. Non, l'essentiel n'est pas
dans la crise à gérer, les affaires à expédier, les personnes à
contrôler. L'essentiel est dans un certain détachement, « un

*certain sourire »* à réhabiliter; c' est la relativité qui doit être gérée. L'essentiel est continuellement à redécouvrir. Et c'est l'échéance qui nous oblige à réfléchir. Sans l'échéance, l'essentiel deviendrait-il évidence?...

Claudine a regardé grand-père. Baigné dans le soleil d'automne, assoupi dans « sa chaise de l'après-midi » devant son champ –aussi de l'après-midi, songea Claudine,– les paupières baissées, c'est comme si grand-père voyait tout. Endormi, comme s'il lisait dans les pensées. Claudine est venue toucher ses mains pour vérifier s'il n'avait pas froid.

Peu de temps après la lettre de grand-père, Guy a recommencé à venir le voir plus souvent. De nouveau, le moral de grand-père a monté en flèche; peu à peu d'abord, puis très rapidement. À chaque visite, les deux s'enfermaient dans la chambre-grenier. Pour monter l'escalier, Guy compensait pour les rhumatismes.

— As-tu l'impression de monter au paradis, grand-papa?
— Ah oui, Guy, s'éclairait grand-père. Avec toi, j'monterais même aux enfers.

La porte fermée, le silence s'établissait bientôt pour laisser la parole aux caresses, tendresses, gentillesses. Ils se rappelaient toutes sortes de beaux souvenirs: les joyeux, les douloureux, les glorieux. Les yeux comme les mains de grand-père s'émerveillaient toujours. Brillaient sur la présence de Guy, s'attendrissaient sur ses souvenirs.

— Guy, mes mains commençaient à perdre la mémoire des gestes. Des caresses. De vraies mains d'Alzheimer!
— Un jour, grand-père, j'vais venir faire l'amour avec toi.

Grand-père eut un geste impuissant, contrastant avec la flamme du désir et de reconnaissance qui brilla dans ses yeux incrédules. Avec son éternel petit sourire moqueur, il regarda Guy:

— Je me sens comme la vierge Marie devant son si bel archange Gabriel qui lui annonçait qu'elle aurait un enfant. Comme à l'ange, à mon tour, je te le demande à toi aussi:Comment cela se peut-il, je ne connais point d'homme?

En riant, se sont longtemps serrés dans les bras, embrassés dans le cou. Guy demanda:
— Est-ce que c'est bien Joseph qui devait faire « la job »?

Faussement offusqué:
— Voyons donc: « la job »!... Guy, à ton âge!... Ben non, c'était une colombe. Mais de méchants Rushdies ont dit malicieusement que ce fut l'archange Gabriel lui-même.

Guy, en veine de malice:
— Moi, je pencherais « vers ces sataniques » interprétations.

Ils redescendirent en riant aux éclats. Les jours suivants, grand-père dans « sa chaise de l'après-midi » répétait à demi endormi: Rushdie... versets... Guy, le satanique. Il riait tout son rêve et se réveillait tout rhumatismes. Il téléphonait à Guy, se parlaient mystères... « joyeux, là, mélange-toi pas: c'est l'Annonciation! »
— Qu'est-ce tu dirais de commencer, demain, par une petite flagellation? outragea le loustic oiseux. Toi, tu me donnes bien tous les jours un coup de téléphone!

Les malotrus inoffensifs des mystères du Rosaire, « les sacrilèges » a même condamné grand-père, s'en donnaient à coeur joie. Grand-père insistait pour savoir à l'avance le jour de sa visite... la visite à la cousine Elisabeth.
— C'est toi, Elisabeth, précisa Guy. Quelque chose doit tressaillir en ton sein, d'après les Mystères.

Grand-père riait à s'étouffer.
— Ah! que j'ai hâte que tu viennes tressaillir en mon sein. Faut que je me prépare d'esprit et de corps. Oublie pas que pour moi, ça va être la résurrection.

343

Les innocents conjurés riaient et riaient encore. Claudine s'attendrissait devant cette nouvelle « ascension » de grand-père, sa nouvelle verdeur. Les bras lui tombèrent du corps quand elle informa grand-père qu'elle allait chercher Jonathan au terminus d'autobus à Granby et qu'elle se fit répondre:

— Je vous salue Claudine, pleine de grâces, « le fruit de votre entaille est béni. »

— Grand-papa!... accusa Claudine, faussement scandalisée et secouée d'un fou rire incontrôlable.

Elle raconta les nouvelles « petites folies » de grand-père à Jonathan qui, fou de joie, lui sauta dans les bras en arrivant. Ils se serraient, riaient, tournaient sur eux-mêmes. Deux beaux enfants qui dansaient de plaisir.

— Comme quand tu avais dix ans, Jonathan.

— Tu as toujours vingt ans, grand-papa. Tu as tellement l'air forme!... Je suis tellement heureux pour toi!... Je t'aime ben gros, grand-papa!

Les lèvres et les yeux de Jonathan étaient devenus une ovation à son vieux coeur. Grand-père se recueillit pour goûter son hommage et essuyer une ride qui s'égouttait doucement.

Le lendemain, grand-père téléphonait encore à Guy et, Claudine stupéfaite entendit:

— Pour me préparer, je vais regarder des revues... qui amèneraient tout de suite un décret de mort subite dans tout pays où la religion est au pouvoir. C'est Francis qui me les a apportées.

Guy commenta:

— Je pense qu'on est en avant de notre temps, toi pis moi.

Francis mis au courant, tout heureux, comprit que probablement les deux compères se préparaient à passer « de bons, de très bons moments » ensemble. De connivence avec

Guy, le couple Labrecque décida de s'absenter ce vendredi soir. Jonathan, lui, comme d'habitude, allait coucher chez son amie. En attendant, les Labrecque firent le jeu du grand-père, l'émoustillèrent encore davantage avec des sous-entendus et surtout par la location d'une cassette vidéo érotique. Avant leur départ, au bord des larmes de plaisir et de reconnaissance, grand-père les remercia avec des trémolo dans la voix.

— Je ne sais plus quoi dire, se plaignit-il.

— Pour continuer ton chapelet de toute la semaine, tu vis la confusion des langues lors de la descente du Saint-Esprit sur les Apôtres, dogmatisa Francis.

Grand-père embrassa les parents et regarda avec une telle flamme d'admiration, d'un bout à l'autre, le très beau Jonathan et l'embrassa très fort et très longtemps dans le cou.

— Jonathan, amuse-toi bien. Sois heureux... mais je pense que jamais personne ne te méritera vraiment, mon beau petit garçon!

Grand-père les vit partir au-travers d'un rideau détrempé. Claudine restait un peu intriguée, même triste. Jonathan, silencieux, se demandait: « Pourquoi, tellement cette fois? » Francis, tout fier, heureux:

— Grand-père le mérite tellement! Si Guy pouvait venir plus souvent aussi!

Claudine résuma sa réflexion:

— Je pense que ce qui le rend si en vie, si heureux depuis quelque temps, c'est qu'il retrouve un peu de sa vie intime. On l'en avait privé trop longtemps. C'est un peu de notre faute. C'est à nous de favoriser des occasions: lui, il demandera rien.

— Tu as bien raison, confessa Francis. On en mène une vie sexuelle, nous autres. Il en a le droit lui aussi.

Quand le couple revint, grand-père s'est levé, des fleurs plein le regard, leur a offert de préparer du café. Il tournait autour du pot, n'arrivait pas à tout se dire. Francis et Claudine s'amusaient à le voir venir de si loin avec ses gros sabots et bloquer si près du but. Avec un sourire entendu, ils lui posaient toutes sortes de petites questions insidieuses. Grand-père bafouillait, s'enfargeait dans ses phrases. Il a fini par baisser les yeux, et, rougissant:

— J'ai tellement aimé!... Merci pour tout ce que vous avez organisé pour moi.

Grand-père redevenait petit enfant, après avoir passé la soirée comme un grand. La joie se lisait sur sa figure et glissa même sur les jours suivants. Grand-père rajeunissait, retrouvait ses petites farces à double sens. Francis lui rappelait à l'occasion le Village gai, lui rapporta d'autres revues et une vidéo cassette érotique la fin de semaine suivante. Pire, le toujours beau Francis par sa carrure, sa forme, émoustillait grand-père avec quelques gestes plus osés, attitudes provocantes, comme il ne l'avait jamais fait avec lui depuis ses quinze ans. Il se promenait plus souvent le torse nu devant lui et:

— Touche à ces biceps, grand-père: c'est encore pas mal, hein! pour un gars de trente-huit ans?...

Claudine était heureuse du plaisir de grand-père, de ses exclamations, parfois même de sa petite gêne en disant tout bas à Francis:

— Pas devant Claudine...

Et Francis mûrit son projet. « Jamais personne ne m'a donné et ne me donnera autant que grand-papa et je ne lui ai réellement jamais rien partagé de mon intimité: c'est le temps. Ça me coûtera rien, et pour lui, ça vaudra une éternité. Grand-père, prépare-toi à « tripper »!... » sourit en lui-même Francis.

D'accord avec Claudine, en paroles et en gestes, Francis exacerba les désirs érotiques du grand-père qui salivait de plaisir. « Pas devant Claudine!... » : ça le gênait vraiment. Puis un jour, tout chaleureux, tout bas, un peu lascif, Francis s'est approché dans son jean très sexé et demanda à grand-père:

— Qu'est-ce tu dirais, grand-papa, si on faisait l'amour?

Grand-père a baissé la tête, a ravalé sa salive cinq ou six fois, a cherché sa respiration toute désynchronisée. Grands soupirs, petits soupirs, pas de soupirs du tout...:grand-père cherchait son souffle, essayait de rattraper la réalité. Grand-père assis dans son fauteuil, le galbe irrésistible de son beau Francis au bout du nez, il a perdu le peu de souffle qui lui restait encore. Il a posé ses lèvres sur le beau gros sexe de son Francis et s'y est fortement appuyé en caressant les fesses de ses deux mains. Un moment, Francis a pensé que grand-père ne respirait plus. Mais son coeur, par exemple, battait pour les poumons et tout ce qui avait tendance à demeurer au repos.

— Respire, grand-père! C'est pas tout de suite, sourit l'ineffable athlète.

— Merci Francis. Mais tu m'as un peu provoqué... se justifia grand-père avec une petite timidité contrefaite.

— C'est ce que je voulais: te faire plaisir.

— Merci... c'est comme si... c'est comme... avec François... dit-il dans une petite incontinence lacrymale.

— Grand-papa, je t'offre de faire l'amour avec toi... mais pas souvent, là: une fois. OK?

— C'est plus que je peux demander. Mais Claudine?

— Elle est d'accord. D'ailleurs, tu connais mon entente avec elle. Quand aimerais-tu?

Grand-père réfléchit et proposa le 28 octobre.

— Ça te dit quelque chose?... C'est l'anniversaire de ta libération de prison.

— Ah ben! tu parles! Tu te souviens d'ça!...Justement, Claudine doit aller chez ses parents, ce soir-là, mentit joyeusement Francis.

Grand-père se leva, se trémoussa, exécuta quelques pas de danse (dans le vrai sens d'exécuter) et se jeta dans les bras de Francis. Se rappelant l'attaque au couteau par Francis à quinze ans, grand-père pria tout bas:« François, je t'aime. Par ton fils, Francis, je te reviens. » Il ne croyait pas si bien dire. Et grand-père partit, pompant d'émotion comme une grosse pompe aspirante-foulante.

Michel qui allait vivre un des plus beaux rêves de sa vie, s'est préparé comme à « une onction sacerdotale, des voeux solennels » s'est-t-il dit; Francis, lui, comme à une fête de reconnaissance pour un ami très cher. Pour leur souper aux chandelles, en tête-à-tête, ce soir du 28 octobre, Francis était beau comme un dieu, sobre comme un ami sûr. Michel l'a d'abord embrassé sur les deux joues et serré dans ses bras. Un bâton d'encens brûlait et grand-père, par exception, avait pris un petit verre de cognac.

— Selon ton voeu, c'est François que je reçois, dit grand-père.
— Au-delà de François, au fond, c'est à toi que je veux faire plaisir. Pour te remercier. Qui d'autre le mérite plus que toi?

Francis avait revêtu un pantalon légèrement sexé, une chemise transparente largement ouverte. Michel y devinait, sinon voyait le gonflement de ses toujours superbes pectoraux et de ses bras d'athlète. Ses manches délicatement repliées, montraient ses avant-bras veineux, boursouflés. Ses mains toujours larges, ses poignets énormes. Grand-père a serré son avant-bras musculeux, senti ses veines, aimé François. Des larmes ont rempli ses yeux. Francis qui sentait fondre grand-père l'a saisi au collet de sa fuite et ramené dans le temps.
— Michel, c'est notre fête à nous! ce soir. C'est plus qu'une réparation du suicide de mon père. Nous fêterons, mais pas en pleurant. Les beaux souvenirs ne se pleurent pas, ils se goûtent.

Francis a penché la tête et, de sa joue, a séché les larmes de grand-père. Puis, il l'a serré très fort dans ses deux bras

puissants et, de son autre joue, sécha les larmes de l'autre côté.
Ses deux joues étaient maintenant mouillées des larmes de
grand-père comme s'il l'avait pleuré. Déjà. Les deux hommes
se sont regardés et, remarquant que leurs joues à tous deux
étaient maintenant humides, grand-père finit par sourire. Puis
Francis aussi. Grand-père a éclaté de rire, Francis en a fait
autant. Du soleil sous la pluie.

— Francis, mon arc-en-ciel... comme Mélodie.

Ils s'assirent côté à côte, se caressèrent affectueusement.

— Michel, ça fait des années que je t'ai pas dit mon coeur.
Ce soir, je veux que ce soit ta fête. J'ai tellement appris
à t'aimer, même si je ne suis pas tout à fait de ta lignée,
je voudrais t'offrir mon corps, depuis le temps que tu as
mon coeur. Non par pitié, condescendance, mais peut-
être par secret désir, reconnaissance. Tu as toujours été
trop présent pour moi, tu m'as vaincu. Je t'offre ce que
tu n'aurais jamais osé demander. Ce soir, avec ma reconnaissance, c'est mon père que je veux te rappeler.
C'est le coeur de mon père que je t'offre, sa tendresse,
sa force, sa jeunesse. Je veux te remercier pour l'amour
que tu lui as accordé, la vie que tu lui as sacrifiée. Par
toi, j'ai appris à aimer mon père; pour lui, je veux te dire
merci. Par toi, j'ai appris à aimer mes enfants. J'ai appris
à aimer tout court. Ce soir, je veux te montrer nus, toutes
mes pensées, tout mon coeur. Je t'offre surtout le souvenir de celui qui nous a unis. Aucun mot, aucune attitude
ne pourra jamais dire le fond de ma pensée, la profondeur
de ma reconnaissance. Je te dois plus que tu ne pourras
jamais imaginer. Je te dois trop. En prenant des mots que
tu as si bien écrits sur moi, sur François, je te dis:ce soir,
c'est le trop plein qui déborde. Je t'offre ma rosée,
l'abondance de mes pluies. Michel, je veux être ton puits
de tendresse, ta margelle pour la nuit.

Grand-père, tellement ému par les si belles paroles de
son Francis, en est resté bouche bée. Ils se sont caressés,

amusés, ont joué le jeu. Grand-père n'en finissait plus de s'exclamer, s'émerveiller, remercier. Grand-père qui avait rêvé toute sa vie faire la tendresse avec lui, exultait. Homosensualité.

# 33

L e lendemain, Claudine téléphona à Jonathan.

— Jonathan... ton grand-père est mort.

Pas un mot ne reprit la nouvelle, le coeur emplissant la bouche de Jonathan. Pas de crise, révolte, non. Tout simplement parce qu'il n'y avait pas de mots. Rien à dire. Seulement à ressentir.. Longtemps s'étira la ligne du silence.

— Papa?... interrogea-t-il, comme son grand-père lui avait appris: les amis, d'abord.

— Pas moyen de rien lui faire dire. C'est pire que d'habitude, cette fois, avec ses sentiments.

Après une hésitation, elle enchaîna:

— Peut-être qu'il aurait besoin de toi?

La mère venait de recueillir le fils pour l'offrir au père.

— J'arrive, maman.

Claudine alla le chercher au terminus. Les questions se multiplièrent, les réponses se raréfièrent. Claudine, ignorant ce qui s'était passé, laissait à Francis le soin de tout expliquer.

— Comment c'est arrivé, quand?... Voyons, maman!...

— Ton père travaille presque toujours dehors depuis le matin. Je l'ai à peu près pas vu. Il va t'expliquer ça.

— Où est grand-père?

— Dans son lit.

En entrant à la maison, Jonathan fut envahi par un grand calme. Il se souvenait tellement, il avait tant appris de lui! « La fin de la vie est encore la vie, peut-être encore plus la vie. » Un grand respect l'a envahi, un respect à rendre muet. Jonathan s'est d'abord recueilli: tout l'instant devait être vécu intensément, pénétré, goûté. Claudine s'est livrée à ses occupations habituelles, laissant à Jonathan tout l'espace et le silence auxquels il semblait aspirer. Il a calmement déposé sa petite valise et passé à la salle de bain pour se rafraîchir la figure et les mains: de la bonne eau froide. Dans le miroir, il s'est regardé. « Jonathan Labrecque... Quelque chose est-il changé? Suis-je encore seulement moi-même?... » Après chaque idée, s'arrêta pour percevoir une possible réponse. Il ressentait une chaude et douce caresse d'une main de grand-papa: « Mon cher p'tit Jonathan!... ». « Grand-papa, je reviens te voir. Je me laisse pénétrer par ta présence, je m'ouvre à tout toi. » En traversant lentement le salon, il s'est rappelé toutes les taquineries au sujet de ses petits talons qui traversaient la maison comme un train, la campagne. Au pied de l'escalier, une légère pause. Grand-père craquait tout au long de l'escalier; l'escalier craqua tout au long de sa montée vers lui. Les yeux baissés, Jonathan s'est placé dans la porte, face au lit et s'est arrêté. Il ne voulait pas le voir en marchant: aucune distraction pour ce premier regard. Bien arrêté, il a lentement relevé sa vision afin de ne rien perdre de tout ce qu'il devait ressentir, percevoir comme message. Un vieil homme pâle, serein marquait un drap. Les lèvres légèrement espacées, les paupières à peine décollées, grand-père reposait si paisiblement. « Tu nous as pas laissés, grand-papa, tu l'as dit assez souvent. Tu n'as plus mal à tes vieux os, comme tu les appelais. Oui, l'autre rive. Une étoile. François. Tous tes messages, grand-papa, je les laisse remonter en moi. »

Jonathan, recueilli, se laissait envahir. Toute son enfance avec un grand-papa, tous ces souvenirs qu'il croyait oubliés. Ce flot de tendresse, cette douce chaleur... « Tu ne méritais pas de souffrir, avec toute ta bonté. » Jonathan approché, s'est assis sur le côté du lit. A posé sa main sur les mains roides du grand-père croisées sur sa poitrine. « Aide-moi, grand-papa. Continue encore à tellement m'aimer. C'est si facile maintenant pour toi. Je sais que tu es ici, que tu me baignes de ta présence. Merci pour tout. » De son regard affectueux, Jonathan ne se lassait pas de caresser le visage de son grand-papi. « Tu m'as tant appris! D'autant plus précieux, sans doute, que personne d'autre n'aurait pu en faire autant. La bonté, grand-papa! Grand-papa-la-bonté!... »

Jonathan redescendit vers sa mère toujours plus prête à écouter qu'à parler. Devant le silence, elle dut quêter les impressions de son fils qu'elle devinait très ému.

— Puis, mon Jonathan?
— On peut avoir de la peine, maman, mais dans son cas, le plus nécessaire, c'est de la reconnaissance.
— Il ne souffrira plus, en tous cas.
— Bien sûr. Où est papa?

L'enfant diagnostiquait déjà la plaie qu'il devait soigner. Bien habillé, collet relevé, frileux, parti, Francis était assis devant la rivière. Au centre, il fixait une roche plate, à fleur d'eau qui remuait le courant. À peine perceptible, mais un petit dérangement trahissait la dureté de l'obstacle. Francis s'était refermé sur son refus, ses questions. « Pourquoi ce récif à fleur de vie, cet arrêt fleurant la mort? Pourquoi?... » Jonathan s'assit près de lui.

— Papa, je viens d'arriver. Je sais.

Dans le silence, la tête de l'homme pencha sous le poids de la dure réalité. De grandes vagues d'émotions le firent trembler, un grand courant sembla l'emporter. Jonathan, essayant de contourner le récif, s'approcha.

— Papa, la vie nous a fait un beau cadeau. À toi et à moi.

Une longue pause avant de continuer. Appel au père à se dire à son fils. Inutile appel.

— On devrait toujours essayer de penser au cadeau. Grand-père est trop bon pour qu'il veuille qu'on ait de la peine. Trop de peine.

Les silences de Jonathan offerts au père n'arrivaient pas à aller chercher sa parole. Jonathan qui avait lu et souvent relu l'histoire de son père et de François, son grand-père biologique, passa son bras autour de son cou:

— Avec le beau souvenir que nous laisse grand-papa, tu vas voir, toi et moi, on va faire une bonne paire d'amis.

Là, Francis éclata en sanglots. Il pleura comme Jonathan n'aurait jamais cru. Il recueillait en silence les aveux de son père. Parfois, Jonathan disait doucement:

— Ça va te faire du bien, papa.

Parfois:

— Arrête, papa, c'est assez.

Francis revivait ce qu'il devait à Michel. Francis se délestait des tensions de ses responsabilités de père et les écoulait au cou de son enfant. Jonathan, ému, impressionné, se sentait dépositaire de son père. Jonathan se sentait investi, envahi par des responsabilités d'homme qu'il n'avait pas recherchées. Elles venaient de se présenter sans avoir été sollicitées. Il ressentit un grand respect pour son père, surtout en se sentant son égal, son confident. Comme jamais auparavant. Que sait-il l'enfant qui n'a jamais vu pleurer son père?... De peine ou de bonheur, peu importe. A-t-il un père ou un mur de pierres?... Jonathan savait maintenant. Un fils devient réellement fils quand son père lui demande service ou pardon, démuni, devient complice.

— Papa, ne pleure pas sur grand-père.

Francis s'est peu à peu calmé.

— Je ne pleure pas sur lui, il est tellement au-dessus de ça. Je pleure... j'ai peur... je pleure sur moi. Maintenant, je suis sur la ligne de feu. Il m'oblige à être comme lui...

— Ne crains rien, tu es si bien parti.

— Accepter de vieillir... Apprendre à bien vieillir...Tout abandonner, sereinement, après avoir tant travaillé. Me reconnaître comme un enfant entre tes mains, Jonathan: tout remettre. C'est trop à la fois. Être comme lui...: c'est vraiment trop!... Et je n'ai même pas quarante ans!... J'ai peur, Jonathan.

— Mais on va être ensemble, papa!... Si on rentrait, maman s'inquiète.

En revenant à la maison, Francis a expliqué à son fils que personne ne doit priver les grands-parents de tendresse, caresses, de sexe. Pas plus que lui ou Jonathan s'en privaient. « Ce sont des êtres humains, eux-aussi. » Il a raconté le plaisir fou de grand-père avant et après les quelques visites personnelles de Guy. Une fois arrivés, devant sa femme et leur éternel café, Francis a expliqué à Jonathan le plan qu'ils avaient prévu pour faire plaisir à grand-père.

— Au moins une fois. On lui devait tellement!

Jonathan approuva tout de suite en voyant que son père cherchait son accord.

— Jonathan, tu as assez lu mon histoire pour deviner l'importance que j'avais dans la vie de grand-père. Ta mère et moi, on devait...

Francis, encore une fois, étirait, cherchait ses mots, au moins, cherchait à gagner du temps. Claudine vint à son secours:

— On s'est entendu pour que ton père fasse l'amour avec...
  du moins se laisse caresser, aimer. Quelques jeux, quelques tendresses. Grand-père l'aimait tellement, l'avait
  toujours tellement désiré. Tu ne penses pas qu'il méritait
  bien ça?
— Bien oui, maman. N'essayez pas de vous justifier, de me
  convaincre: vous auriez même dû le faire avant.

Francis, rassuré et libéré du trop grand secret, continua:
— On s'est caressé. Grand-papa était tellement heureux! Il
  m'appelait François, sans arrêt parlait de lui. Je faisais
  un peu comme François, l'encourageais. Si vous aviez
  vu son bonheur de petit enfant... et ses efforts pour...
  jouir, peut-être la dernière fois de sa vie!...

Francis s'était de plus en plus recueilli à l'intérieur,
concentré. Posément, comme se parlant à lui-même, continua.
— Quand il m'a préparé à lui lancer sur la poitrine, à sa
  demande, ce qu'il désirait le plus, j'ai senti que François
  par moi, se donnait à lui. Qu'ils revivaient tous deux
  l'apothéose de leur première relation. Je me suis senti
  indigne d'être le lien d'un si grand amour, si fidèle, si
  généreux, d'être ce trait d'union entre le temps et l'éternité. Pour lui, c'était François qui se donnait. Michel n'a
  pas pu résister à cette éjaculation de son amant. Son
  coeur de chair a cédé le pas. Il l'avait d'ailleurs tant
  désiré: mourir en faisant l'amour en pensant à François.
  « C'est la même chose. » Il l'avait dit souvent, hein?

Ne recevant pas de réponse parce que tous étaient d'accord, Francis compléta.
— Grand-père s'est éteint comme une chandelle. Sur le
  coup, je ne m'en suis même pas aperçu. Mettez-vous à
  ma place: Michel était mort!... Mais je ne m'en rendais
  pas compte encore, on dirait. J'étais si calme! Je ne
  pensais qu'à François et à lui. J'étais entre les deux. Je
  les rendais heureux...: les deux. Je ne réalisais pas le

départ de grand-père, seulement son plaisir, son amour avec son François. Quand j'ai regardé plus attentivement, j'ai vu sa tête penchée, en extase, un peu d'écume à ses lèvres et les grosses gouttes de mon plaisir baignant sa figure et se mêlant à ses cheveux gris. Non pas ma rosée, mais le serein du soir. Je me disais: « Michel vient de tomber dans les bras de François. Il vient de faire l'amour avec lui pour la dernière fois. Maintenant, il ne fera plus l'amour, il sera l'amour. » Pour moi, toujours aucune peur, surprise, panique. Ah! la paix! Depuis le temps qu'il me parlait de vie et de mort, de son amour pour François, je fus très heureux, très fier d'avoir été l'occasion de leur réunion, l'instrument de sa libération. Je l'ai admiré. Trop d'amour l'avait emporté.

Francis s'est tu, très ému. Dans le silence a demandé:
— Est-ce que je connaîtrai jamais une parcelle de ce qu'il a vécu d'espérance dans son amour, de fidélité dans sa foi?... J'ai gardé mes genoux de chaque côté de sa poitrine maintenant au repos. Je me suis penché pour caresser chaque côté de sa figure maintenant détendue. Mes pouces qui avaient touché un peu par hasard la semence l'ont étendue en caresses sur ses tempes et la cicatrice au milieu de son front. « Michel, tu m'as ouvert à ma réalité. Voici sur ton front, en affectueuse caresse, quelques gouttes de ma reconnaissance. Aujourd'hui, je te marque du signe de François. Tu es à lui pour toujours. » Je me rappelais ses enseignements: son esprit sortirait lentement de son corps, et ses amis –François surtout– seraient présents pour l'accueillir. Je revivais ma propre expérience de mort à vingt ans, quand Michel, de désespoir, s'était blessé au front. Je les sentais tous les deux se retrouver après tant d'années de souffrances, d'espérance. Je n'étais qu'un humble instrument de leurs retrouvailles. Je communiais à toute leur joie, je ressentais une telle paix, un tel bonheur avec eux!... J'ai reculé

et me suis assis sur les cuisses de Michel. Je tenais ses mains dans les miennes, puis les ai embrassées et déposées en croix sur sa poitrine. J'ai essayé de rester concentré le plus longtemps possible. Je ne leur parlais pas pour ne pas les distraire dans ce moment peut-être le plus merveilleux de toute leur éternité. Mon père venait de mourir pour une deuxième fois. J'ai soigneusement lavé sa figure et tout son corps en pensant à la grande fête qui se vivait si près de moi. Me suis assis sur le bord du lit et j'ai prié. J'ai senti une telle chaleur, une telle joie que j'ai été tout saisi. C'est comme s'ils me caressaient à l'intérieur tous les deux à la fois. Surtout François. Ah quelle paix, j'ai sentie! Je crois que je n'aurai plus jamais peur de mourir, surtout si pendant ma vie, je réussis à aimer ne serait-ce qu'un tout petit peu comme eux.

Francis se tut, Claudine l'admira. Jonathan pensait à ce qu'il pourrait organiser pour grand-père. Sa mère, après un silence, compléta le récit.

— Quand je suis revenue vers vingt-trois heures, on s'entendit sur une version: on avait retrouvé mort grand-père, ce matin. Rien d'autre. Son médecin est déjà venu et a reconnu le décès. On sait que grand-père ne veut aucune exposition ou cérémonie officielle autour de son corps. Notre parenté, ses amis ont tous été avertis. Mélodie arrivera demain avant-midi. On lui a dit de prendre l'avion. Quelques amis sont déjà venus, on attend les derniers ce soir. Tel que demandé, l'incinération au plus tôt. Que penses-tu de demain après l'arrivée de Mélodie?

Jonathan a demandé de lui laisser le temps de fouiller les papiers de grand-père au cas où il trouverait d'autres désirs plus précis que certaines de ses paroles.

— D'autant plus que vous n'avez même pas cherché son testament.

— On t'attendait, Jonathan. Tu étais son principal confident. C'est toi maintenant, le savant...

Jonathan sourit.

# 34

Les amis furent très discrets, contenus. Intérieurs. Surtout du respect, seulement du respect. Et du silence. Parce qu'on n'avait pas de mots. Seul, Guy s'est écroulé; dépassé, a fait une crise. Les autres qui se trouvaient au corps sont descendus au rez-de-chaussée et Francis a monté. C'était lui maintenant qui devait remplacer grand-père dans ces situations trop chargées d'émotion. Francis a reçu cette espèce de désespoir qui déchire l'être à son plus profond, son plus sensible. Guy venait de perdre sa dernière raison de vivre. Dans la cuisine, on parlait bas autour d'un café. Très peu de mort. Surtout de grand-père, de vie, des enfants qui continuaient... toujours sérénité. C'est ce que Michel aurait souhaité.

Quand toute la visite fut partie, Jonathan monta à la chambre-grenier devenue « rampe de lancement » se dit-il. Son regard balayant toute la chambre, Jonathan revit chaque objet auréolé maintenant d'une nouvelle perspective. Jonathan relisait son enfance. Un petit frisson, une grande

361

émotion. Sa dernière nuit dans le lit de son passé, sa dernière nuit près de son grand-père. Il passa la nuit au bureau de Michel et lut. Toute la nuit. Des boîtes pleines de feuilles manuscrites avaient été poussées sous le lit, plusieurs autres dans sa penderie. Dans le fauteuil de grand-père, sous le scintillement des étoiles à travers le puits de lumière, sous le halo de sa lampe qui éclairait doucement le profil funèbre, Jonathan surprit grand-père dans ses retranchements les plus secrets. De surprise en surprise, dévora les notes de son vieil ami. Il frissonna, il pleura. Jonathan fondit de tendresse.

À FRANÇOIS.

*Toi qui as su trouver les chemins de mon coeur, toi qui as su emprunter les grandes avenues où circule ma vie, toi qui as su vivre ma vie, je t'offre mon souffle pour dire la tienne, tout mon corps pour la transplanter, mon coeur pour la rythmer, tout mon amour pour t'éterniser.*

*Quand t'ai vu sur le bord du chemin, mon coeur fut ému. Quand t'ai pris par la main, un frisson m'a rejoint et nous avons continué. Je ne regrette rien. Surtout de nos ébats dans l'herbe mouillée, de nos étreintes dans les blés. Dis, tu te souviens dans quel état nous revenions parfois, à pied, parce que le cheval était retourné, impatienté? Tu te souviens de ces grands pans de la nuit que nous piquions d'étoiles? De ces pleines lunes que nous avons narguées sous les caresses de la brise, près de l'églantier, ou sous l'ormeau scandalisé? Et près du puits, tout en face de la maison, si près du chemin?... Te souviens-tu?... Oui, tu te souviens. Mon coeur me le dit et mes yeux mouillés aussi. Hier après-midi, me suis assis par terre près du puits. Ai revécu le souvenir de ces nuits où nous nous roulions sur le gazon dans ces odeurs de terre familière. Aujourd'hui, y pousse du muguet. Il sent si bon les effluves du passé. J'en ai cueilli une tige, religieusement, l'ai humée et embrassée, ému. Très lentement, avec tout mon coeur, l'ai portée à ma bouche, caressée de ma langue, imbibée de salive et j'ai retrouvé le goût divin de tes dons.*

Jonathan regarda le vieux cadre où grand-père avait fait peindre l'image de François. Tellement vieux pour Jonathan, tellement passé de mode. Jonathan l'aima. « Je le garderai toute ma vie. Ce sera mon autre porte-bonheur. »

Puis une page d'un seul alinéa.

*C'est après la mort qu'on parle en bien des gens. C'est souvent seulement après leur mort qu'on découvre qu'ils furent vivants. On ne parle donc des gens qu'au passé, au passé de leur temps. La mort fait usage d'imparfait. Serait-elle l'imparfait?...*

Jonathan lisait toujours. Tout à coup, s'est arrêté, s'est retourné, a regardé grand-père... Comme s'il avait été appelé.
— Oui, grand-papa.

S'est senti caressé, puis a continué sa lecture. Plus tard, trop bouleversé par le texte, Jonathan s'est arrêté et approché de grand-père. Dans la demi-obscurité, s'est recueilli. Revenu au bureau, lentement, à mi-voix, Jonathan a commencé à lire le testament de grand-père.

*Humble écolier mal noté –qui ne terminera pas son cours– j'ai relu mes notes, revu mon devoir. Je remets aujourd'hui mon vieux cahier écorné, ma page aux traits toujours malhabiles. Si j'ai parfois divisé, j'espère parfois avoir uni. Je me suis battu, j'ai perdu, j'ai gagné. J'ausculte ma vie, additionne peu, divise par beaucoup, rapporte un humble bilan.*

*Vivre, quand on n'a plus de projet, d'objectif, c'est se faire mettre en boîte avec l'étiquette: Meilleur après....: date qui sera inscrite sur une plaque de granit.*

*C'est l'accouchement de la Vie. Le travail est commencé et les forceps de la mort s'affairent pour le grand tiraillement.*

363

*Apprendre à ne plus respirer... À la mort, on s'enfante soi-même. On a toute la vie pour se préparer. Cours pré-nataux, exercices, psychologie transitive. On ne s'improvise pas mourant, donnant, confiant son nom et ses racines à d'autres, parfois indifférents.*

*La mort, ce n'est pas qu'une clôture à traverser; c'est une manière de penser, voir, transcender. Bien avant la clôture, on voit autrement, tellement autrement les êtres, les choses, la lumière; les fleurs, les oiseaux, la vie; les champs, l'espace, le temps. Tout. Bien avant. Sereinement. Nous trempons déjà, certains depuis longtemps, dans le liquide amniotique en préparation de la grande naissance de la mort. La pensée est la matrice de la mort. À la frontière, il faut présenter sa carte d'assurance santé morale. Etre prêt à tout abandonner pour l'étroit sentier des initiés. Comme pour entreprendre un tour du monde sur le pouce: qu'est-ce que j'emporte? Rien. À plus forte raison pour entreprendre un tour d'éternité!...*

Jonathan retrouvait copie de lettres envoyées, toutes celles reçues. Grand-père ne jetait rien, semblait tout relire à l'occasion. À ses textes, avait ajouté un mot, corrigé une expression. Grand-père-la-perfection. Puis une belle page bien propre, appliquée. Importante, aimée.

À JONATHAN.

Le jeune homme frémit

*Jonathan, mon temps est composé de toi et de moi. Pas d'impératif, à peine un subjonctif: que tu sois heureux à même mon bonheur! Que tu sois plus vivant à même ma mort! L'important n'est pas ce que tu auras donné, mais ce que tu auras donné de toi. Jonathan, racole le futur, reste toujours de connivence avec la lumière. La vérité n'a peut-être pas besoin d'être dite tout d'un coup, brutalement, mais a peut-*

*être davantage besoin d'être distillée dans une relation à saveur de quotidien. D'être d'abord vécue.*

Appelée par la tension, l'intuition, Claudine monta.
— Jonathan, tu te fais pas un peu mal à lire tout ça?
— Il a écrit une page pour moi! maman...

Il la garda, ainsi que l'émotion qui le bouleversait. Pour éluder, remettre à plus tard:
— Voici son testament, maman.

Claudine y jeta un coup d'oeil et alla chercher Francis. Jonathan résuma.
— Il vous donne sa terre, tout l'argent que vous lui avez déjà payé, plus les intérêts. Il n'a touché à rien. Je pense que sa seule vraie dépense, ça été l'ordinateur... et il me l'a donné!

Un silence ému accula chacun à son intérieur. Francis s'approcha de grand-père, s'assit à côté de lui et posa longuement sa main sur son front. Sans un mot.
— Des milliers de pages, papa, maman: il a écrit toute sa vie. J'en ai pour des mois. Tiens, regardez ce que j'ai trouvé.

Jonathan a montré tout ce qu'il avait découvert, reconnu, lu.
— Tiens, voyez cette page qui prouve que vous avez réalisé un de ses plus grands désirs. Ce semble un brouillon de testament. Jonathan laissa sa place sous la lampe à Francis qui lut.

*Toutes ces notes ne sont que des réflexions sur ma vie, celle de mes amis, la vie de mes petits enfants par adoption. Deux livres dans la vie d'un homme, c'est beaucoup. Surtout qu'une seule phrases peut habituellement résumer sa vie, et peut-être mieux encore, un seul moment de silence. Je serai donc resté verbeux jusqu'à la fin. On naît enseignant et on en meurt.*

*Je laisse donc ces pages à mon cher fils Francis. Je sais qu'il sera le premier à les lire. Peut-être à les pleurer comme quand il a lu son père, FRANÇOIS le rêve suicidé. De même avec le livre FRANCIS, quand il a relu sa vie dans mon regard.*

*Francis, tu disposeras de ce testament comme tu l'entendras. C'est la dernière tranche de ma vie avec tes enfants sous l'aile de leurs parents. C'est le journal de bord d'un vieux capitaine au si petit navire qui s'acharne encore à voguer dans ton sillage. Francis, j'espère penser à toi, à tes enfants, à ta femme, jusqu'à la dernière seconde, et pourquoi pas, mourir dans tes bras? Expectase!*

*Toujours si fier de toi, Michel.*

Francis, ému et tout heureux à la fois de son geste, regarda sa femme et s'approcha de grand-père pendant que Claudine lisait à haute voix une autre page de réflexions. Ensuite Jonathan remit une enveloppe à son père:

— Regarde, papa. Ça, c'est pour toi. « À mon cher fils, Francis, à ma chère fille, Claudine. »

Francis jeta un coup d'oeil à l'enveloppe, la tourna et retourna... ne semblant pas du tout vouloir la décacheter.

— S'il te plaît, lis-la, papa. C'est toujours bien pas ici, en ce moment, devant grand-père, qu'on va avoir des secrets.

Jonathan releva l'abat-jour pour que la lumière rejoigne son père maintenant debout près du lit. Son ombrage, en sens inverse du corps, traversait grand-père en formant une croix. Francis lut d'abord posément, mais à mesure qu'avançait la lettre, sa voix se brisait.

*Michel, à Francis et Claudine.*

*Vous ne vieillirez pas, vous serez toujours heureux parce que vous saurez vous élever au-dessus des sillons, dépasser*

*les nuages de poussière, ne pas vous acharner aux contre-
temps. Vous vous raccrocherez à une solidité, un roc, une
finalité au coeur de vous-mêmes. Vous dépasserez les contin-
gences, départagerez les vétilles de l'essentiel. Une force
vous gardera sereins. Au centre, au coeur, à l'intérieur. Rien
n'altérera votre paix. Votre coeur imitera la nature, battra à
l'unisson au rythme des saisons. Vous serez sereins au-dessus
des qu'en dira-t-on, jusqu'au jour de demain, où François et
moi vous tendrons la main. Restez bons. Vaut mieux être trop
bons que pas assez. Restez ce que vous êtes.*

*Francis, je t'ai pris dans ma main et porté au-delà de
mon chagrin. Aujourd'hui, dans la paix retrouvée, te dépose
au pied du courant et te confie au souffle du vent. Des oiseaux,
à grands coups d'ailes, te montreront l'horizon. Le soir, les
étoiles t'appelleront. Une d'elles sera habitée. Ce sera la plus
belle. Tu le devineras facilement: elle chantera plus fort que
les autres. Elle te montrera toujours une source, un puits, le
milieu de la rivière, une fontaine. Elle t'enseignera le regard
relevé, la vision dans la nuit, que jamais rien n'est fini. Elle
t'enseignera les hommes, leurs origines et leur fin; les enfants, leur innocence et fragilité; l'au-delà... Elle te dira... et
tu seras le seul à comprendre parce que tu connaîtras son
mystère et seras le seul à sourire, les yeux mouillés en
regardant le ciel. Parce que tu seras le seul à te sentir
interpellé par deux pères, sur une étoile, la nuit. Travaille ta
terre, prie, nous t'y préparerons un nid.*

*Michel, François.*

À la fin, Francis serra la lettre sur son coeur, regarda
grand-père et répéta: Michel - François, Michel - François. Il
étouffait. Claudine ordonna:
— Venez prendre un café, les enfants!

Ils descendirent, sauf Francis, qui demeura encore un
bon moment. Puis l'escalier craqua et Francis sanglota dans
son lit. Claudine le rejoignit bientôt et Jonathan, avec son

café, remonta à son poste d'observation de toute une vie. Jonathan trouva aussi des petits poèmes, conseils, petites conversations imaginaires avec Mélodie. Il classa les textes à partir d'un nom qui s'y trouvait. Tous y passaient: Guy, Sylvain, Jean-Guy, etc. Jonathan alla fixer grand-père du regard et pria. Revint et continua ses lectures.

*J'aimerais tellement que tu lises entre les lignes. Que tu lises avec des sourires pleins les yeux, des mélodies plein le coeur. Que tu lises mes lignes comme des portées de musique. Que des accords seulement enchantent ton coeur. Que des harmonies seulement pénètrent toutes tes relations.*

*Qui m'a inspiré, marqué?... Félix Leclerc, St-Exupéry, Félix-Antoine Savard?... Et sûrement une colombe qui vient se poser tous les soirs au rebord de ma fenêtre. Son roucoulement m'enchante et me rend heureux. Par à-coups, elle pique sa tête dans ma chambre, sonde ma solitude, m'interroge de son oeil rond et sans arrière-pensée. Elle me répond comme dans un lent monologue.*

*Mon amour de François, même serein, a besoin d'air, de lumière. La mystique nourrit, mais n'est pas un but en elle-même. La mystique aspire, soupire, comme la biche assoiffée après l'eau vive. Mais qu'enfin un jour, on rencontre la source!... et les mots demeurent muets, le coeur est parti plus haut. Ne demeure plus qu'un silence respectueux.*

*Je me sens très vieux, j'ai épuisé mon chemin. Je me sens comme vague de la mer sur le bord de la grève, je m'éteins. Finis les grands espaces, le surplomb des abysses, les grandes tempêtes au large, les assauts aux bateaux, au rocher; finis le balancement des vagues de beau temps, la douce tranquillité des gestes moult fois répétés. Maintenant, l'appel de l'horizon est plus fort. Je m'élance vers la berge, j'aspire à la grève. Par petits coups de langue répétés, je m'accroche aux petites roches, pénètre le bois d'épave, mouille les grains de sable. Je viens lentement étaler ma vie, me couler, mince et sans défense, sur plage de sable accueillante. Devenu fragile sans l'oxygène des abysses, sans la poussée du vent qui donne du panache, sans la majesté de l'immensité, je viens maintenant, énoué des grands courants, vidé des grandes tempêtes, me livrer sans défense au port de l'humble grève. Mon chemin est parcouru. Désintoxiqué de la vie, après l'ivresse des grands espaces et des mystères de la mer, je viens me soumettre aux lois des berges.*

*Je serai toujours du côté de l'humain, de l'humain très profond. L'humain restera ma patrie. C'est lui, plus beau, sublimé que je veux retrouver au-delà du temps. Sera-t-il au rendez-vous?*

*Je fouille encore la cendre espérant une braise.*

Maintenant, Jonathan avait assez lu. Il s'installa à l'ordinateur et écrivit. Très tard dans la nuit. « Grand-papa, c'est à mon tour maintenant: voici l'hommage de ton petit-fils préféré... et pas avec un stylo et des vieilles feuilles barbouillées... » Claudine revint en doux reproche:
— Jonathan!...
— Regarde, maman.

Il offrit à sa mère une pile de feuilles contenant des petits textes, pensées d'auteurs, réflexions. Claudine en lut quelques-uns.

*La vie n'a d'autre fonction que d'être donnée. Seule compte la mort. C'est elle qui donne sens et valeur à la vie. La vie n'a d'autre sens et valeur que par la manière de la donner. Tôt ou tard, il faudra tendre le bras, ouvrir la main, offrir. Quoi et à qui?...*

*Quelques larmes en parlant de mort, en parlant de mes amis. Bien normal, naturel. C'est un surplus, rien de plus. Un petit surplus que connaissent ceux qui aiment. Aimer, c'est avoir toujours un petit surplus. Ceux-là sont en surplus. Ceux qui n'ont jamais aimé sont égaux. Tout leur est égal. Ceux*

*qui aiment vacillent toujours un peu sur terrain inégal. Tou-*
*jours un plus quelque part qui déséquilibre. Avec un sourire.*
*Décontracté. Un sourire toujours si près d'une larme. Natu-*
*rellement.*

Claudine insista encore:

— Tu dois dormir, Jonathan!

— Grand-père doit être incinéré. Il ne refuse pas un service
à l'église: il nous laisse libres. Ses cendres, il les désire
étendues dans le champ derrière la maison. Il a suggéré
la Coopérative funéraire de l'Estrie. J'ai tout trouvé.

— C'est bien, mais ça doit pas nous empêcher de dormir.

— Je me couche, maman.

Jonathan relut le long texte d'hommage à son
grand-papa et se coucha.

# 35

Tout le monde se leva très tard, surtout Jonathan. Jamais la maison ne fut aussi silencieuse. La paix en débordait. Seul Francis demeurait taciturne. Quand Mélodie téléphona de Granby, Jonathan saisit l'occasion pour suggérer à son père d'aller la chercher pendant que...

— ... je téléphone à la Coop funéraire et que j'arrange tout, si tu veux?

Grâce à l'influence de Claudine, Francis accepta. Un seul désir: le choix du célébrant. L'abbé Réal Milliard, curé de Valcourt.

— Dans le clergé, c'est notre seul ami commun, à grand-père et moi.

L'après-midi suffit à Jonathan. Tout était prévu. Quelques amis vinrent encore et tous furent convoqués pour le lendemain, onze heures, à l'église de l'Ange-Gardien. Cet après-midi-là, Marie et Sylvie ne restèrent qu'un moment pour parler avec Claudine surtout. Nerveuse, elle craignait de rencontrer Guy, avec qui elle demeurait en très mauvais termes. Marie expliqua qu'elle ne pourrait assister aux funérailles et déguerpit aussitôt.

Après le souper, toute la famille fit la dernière toilette de grand-père pour la grande cérémonie. Tous les gestes posés furent davantage des caresses –reconnaissance– que travail imposé, rémunéré. Le contact de la mort éclaire tellement la vie! L'industrie funéraire déchire souvent une des plus belles pages de la vie: la dernière. Grand-père dormait encore comme dans son lit, dans sa chambre-grenier, entre sa fenêtre qui donnait loin sur le chemin et son puits de lumière qui donnait encore plus loin sur les étoiles. Vers vingt heures, la Coop funéraire emporta un cercueil et le plaça dans le salon. Alors, toute la famille participa à la descente du corps pour l'y placer sous la supervision du spécialiste. Spontanément, Mélodie passa sa main sur les cheveux de grand-père pour les replacer. Ses petites peurs, hésitations du début l'avaient maintenant quittée. Aucun étranger ne toucha grand-père, seulement des mains amies. Respecté. « Je laisse maintenant à d'autres le soin de la vie et le soin de ma mort, » se rappelait Jonathan silencieux. Que ses yeux se soient un tout petit peu entr'ouverts, au moins les paupières ne furent pas bourrées de ouate, collées. Que les lèvres se soient légèrement espacées, au moins les gencives ne furent pas brochées. Si ses doigts ne s'entrelaçaient pas parfaitement, au moins ne furent pas brisés pour mieux paraître. Ses mains, simplement superposées l'une sur l'autre, ne se boursouflaient pas d'un chapelet sans signification et pour grand-père et pour son entourage. Sa mort ne fut pas maquillée. La mort garda pour lui la beauté dépouillée qu'elle ne devrait jamais perdre. Grand-père mourut franchement comme il avait vécu: sans artifice, sans hypocrisie. S'en allait comme il était venu. Dans la même maison: celle de sa naissance. Ses deux naissances. Ses derniers moments visibles de trépassé furent à l'image de sa vie: simplicité, naturel. Toujours entre amis. Oui, il était âgé, ridé, n'avait pas vingt ans. Il n'a pas voulu en paraître quarante. Comme il avait vécu, il n'aurait supporté aucun maquillage, une mort censurée. La société narcissique ne peut supporter qu'on la quitte. Il faut camoufler ces départs, preuve de sa faiblesse. Grand-père avait préféré la nudité à la mode; des amis, au conformisme. La vérité est peut-être matériellement moins organisée que le snobisme, mais tellement plus riche et spontanée intérieurement! « Un cercueil loué, précisait le testament, ... pour les cérémonies que désireront mes amis. Pour l'incinération, une boîte en carton, simple planche en bois. Niche funéraire, plaque commémorative, etc.: non. La société m'a rejeté, je la rejette à mon tour. Mes cendres? Le champ derrière la maison. La terre, fertilité, vie. Dans les épis de grain, les fleurs, les fruits. N'espère rien d'autre qu'une moisson de souvenirs au coeur de mes amis. Et pour la suite du monde, un peu plus de justice et vérité. » Grand-père avait signé. Jonathan avait tout appris, retenu. Emu, avait tout appliqué.

Ce soir-là, quand toute la petite famille se retrouva seule, Jonathan suggéra une rencontre intime autour du corps. Il avait prévu, à même les écrits de grand-père, une toute petite lecture choisie pour chacun. Mais surtout du silence. À tour de rôle, les quatre amis remercièrent grand-père. Ensuite, Jonathan lui demanda de parler à son tour. Un long silence permit à chacun d'entendre son message personnel. Et Jonathan conclut posément:

— Grand-papa aura eu encore une fois... et pour toujours, le dernier mot. Le silence aussi.

La famille jasa longtemps dans la cuisine, n'arrivant pas à se séparer de la présence qui la soudait. En secret, Jonathan fit approuver et compléter par Mélodie le petit texte d'hommages préparé pour le service funéraire.

Tôt, le lendemain, arriva le célébrant demandé pour ritualiser avec la famille et amis les derniers moments visibles de Michel en sa maison. Michel, sans sa propre famille, fut entouré d'amis qui la remplacèrent fidèlement. Tout le groupe du dimanche après-midi, Jean-Guy, Sylvain, des amis émus que personne ne connaissait, quelques anciens élèves, mais surtout, toute la parenté de Claudine. Du côté des Martel, seul Guy, écrasé, désespéré, menaçait à tout moment de trébucher. Avant de fermer le cercueil, Francis décrocha du mur la pensée de Yves Navarre, depuis longtemps transcrite et encadrée par grand-père peu après la mort de François, et la lut lentement au milieu des sanglots déchirants de Guy.

*François, « je t'embrasse partout où je ne t'ai pas encore embrassé. Je regarde partout où nous aurions pu diriger nos regards ensemble. » François, je t'aime!*

Francis embrassa le texte et le déposa sur la poitrine de grand-père et ferma le cercueil avec l'aide de Claudine. Le cortège d'autos se forma. En passant vis-à-vis le champ où François se suicida, Guy, assis en arrière près de Francis, sans un mot, leva la main pour annoncer l'endroit et le montra encore longtemps même une fois dépassé. La direction seule déchirait le regard de Francis. Il prit affectueusement la main de Guy, la serra tout le reste du chemin. En descendant des automobiles, un petit groupe fidèle s'est agglutiné, frileux, triste, toujours aux accents des gros sanglots de Guy devenus obsédants. Francis et Guy, main dans la main, suivirent immédiatement le cercueil, imités ensuite par Claudine entre ses deux enfants. Jonathan, très digne, les traits tirés, d'un coup d'oeil discret, veillait à tout, sachant son père dépassé par les événements et démissionnaire entre ses mains. Il se répétait les paroles douloureuses de Francis, la veille:« C'est le départ du père qui rend l'enfant adulte. » Et se forma le court cortège.

L'émotion barattait tous les coeurs, trépignait, se cherchant un moyen d'expression. Puis un immense son lourd, glaçant, s'abattit sur le petit groupe de fidèles, ramenant à fleur de peau, un profond émoi. Le glas martelait, modulait le souffle prêt à s'envoler. Chaque coup rond, régulier, rendait le tout tragique, rentrait dans tout le corps comme un immense frisson. Instinctivement, chacun se rapprocha de l'autre, s'agglomérait: le glas collait chacun à la douleur de l'autre. Instinctivement, chaque participant suivait son rythme qui le rentrait en lui-même et ressortait en petits pas frileux. Ce son sourd et régulier qui avait formé le cortège, maintenant le retenait en court chapelet, modulant sa prière. Recueillie et silencieuse, la petite troupe se résignait au son funèbre. Elle ne formait plus qu'un groupe avançant en aveugle soumis à la baguette de la fatalité... pendant qu'un glas lourd et tragique martelait l'enclume du destin. Pour Guy, ce glas marquait le pas de l'échec absolu, de l'abandon suprême. Il hoquetait, faisait tellement pitié. À lui tout seul, il transformait en cauchemar ce que grand-père aurait tellement voulu fête.

En entrant à l'église, le célébrant accueillit le cortège.

— Voici le dernier chapitre du livre de Michel Nolin, du livre d'une vie donnée. Nous lirons à son chevet quelques pages de ce livre parfumé de tendresse. La sienne. Pour vous inviter à cette relecture, voici quelques idées cueillies à même ses écrits. « Il est, au-delà des apparences, un lien d'attraction comme un lieu si doux, où nous nous sentons au-delà des sens et qui nous fait désirer demain. C'est à ce rendez-vous que je vous convie. C'est à cette escale le long du chemin où nous parlerons d'hier, ses lourdeurs, ses accrocs; d'aujourd'hui et de ses petits bonheurs au-dessus du temps; et de demain qui nous sourira après avoir consommé notre destin. » Avec ces propres mots de Michel Nolin, je vous invite à vous approcher. La table est mise pour le dernier festin.

Après l'installation du cercueil en avant de l'église et les premières prières d'usage, le célébrant annonça la prise de parole de Jonathan.

— Jonathan Labrecque, petit fils de Michel, avec l'accord de ses parents et le nôtre, monsieur le curé de l'Ange-Gardien et moi-même, veut donner le ton à cette cérémonie et à toute cette journée. Si c'est un peu long, n'oublions pas que grand-père n'a jamais compté son temps. Ce jour est le sien; cet adieu est le nôtre. Le temps ne compte plus.

Jonathan s'avança et lut d'une voix sincère et ferme ce qu'il avait intitulé:« Hommage à mon grand-père. »

Je ne suis qu'un enfant devant la vie. Je ne suis rien devant la bonté, sagesse de mon grand-père, et j'avoue craindre encore d'emprunter les chemins qui le menèrent aux sommets où je l'ai connu, où il m'a aimé... et tout donné. Avec Mélodie, je tiens aujourd'hui à lui rendre devant tous l'hommage de ses petits-enfants.

D'aussi loin que je me souvienne, grand-père riait de toutes ses rides. La joie plissait son visage. Ses yeux devenaient deux puits profonds de lumière. La bonté coulait tout le long de ces légers canaux, empruntant tous ces petits replis burinés par la vie. Elle dégoulinait comme gouttes de pluie au carreau transparent de l'intérieur. La bonté suintait de toute sa figure;de tout son corps, transpirait. La joie frémissait à son regard; le bonheur, dans ses paroles.

Enfants, on le regardait, l'écoutait. On buvait toutes ces cloches qui tintaient dans son petit rire sonore au vieux campanile de son corps fidèle. D'une peau encore très douce, un peu rosée, les rides parcheminaient son visage. Elles s'enlignaient toutes, se coordonnaient pour laisser jaillir un petit rire clair et saccadé. Elles lui formaient une toile de fond, un décor mouvant. Dans ce tissu, deux yeux. Deux yeux noirs, perçants, relayant toujours la bonté. Rieurs, parfois malicieux, souvent véhéments, brillaient. Deux yeux. Dans l'action du rire, ils rappetissaient, et toute sa figure devenait sourire sonore. Tout d'un coeur, il riait; tout son coeur, il offrait. Notre grand-père se nimbait des couleurs de l'enfance.

On l'avait toujours connu là, planté devant notre maison. Comment aurait-il pu ne pas y être? Du plus loin qu'on se souvienne, son ombre se déplaçait au gré du soleil. Encore hier, sa présence respirait toujours sereine, tranquille, apaisante comme un témoignage d'essentiel au coeur d'une famille. Sa seule existence devenait un appel. Grand-père fut toujours le beffroi, cette tour familière plantée dans nos champs pour sonner l'alarme au besoin. Grand-père fut notre qui-vive, le contre-poids de la véhémence de la jeunesse. Des grands-parents sont essentiels dans la vie des enfants; dans la vie tout court.

On le regardait, l'écoutait, se sentait bien. Il était là, ici en face de nous, mais il nous transportait. En sa présence, on se sentait ailleurs. À son contact, on partait. C'était subtil, normal, tellement naturel. Ne se rendait pas compte lui-même. Une simple vieille écorce ravinée par les ans, cette grosse écale de noix travaillée par les intempéries de toute la saison pouvait sembler rugueuse, mais elle avait réussi à garder intact son secret, savoureuse son amande. Fidélité. L'essentiel d'abord. Après l'essentiel?... Qu'est-ce qui aurait pu lui importer?... C'est plutôt lui qui importait d'ailleurs. Un ailleurs à faire rêver dont on n'est pas digne. Peut-être parce qu'on n'a pas assez duré?...

Près de lui, le paysage était très beau. Exotique. On sentait que son coeur battait au loin et nous emportait sur son roulis rythmé, nous pénétrait de soleil, chaleur, douceur, d'un mystérieux ailleurs. Des mouettes volaient dans son ciel, on en voyait souvent au fond de ses yeux. Un nuage parfois, mais après, le ciel était plus bleu. Si un souffle s'agitait, se rappelant aussitôt ses origines, il ne devenait jamais vent, ni tempête. D'instinct, on levait la tête et on le voyait toujours très haut s'élever. Et un petit rire amusé tintait encore et toujours au vieux clocher vermoulu.

— Où allons-nous aujourd'hui?

— Où le vent nous pousse, mes petits.

Il levait un peu la tête, humait l'atmosphère, vivait un aujourd'hui de fête. Dans son regard perçant, se piquait je crois, une petite malice, comme on pique une fleur à sa boutonnière ou derrière son oreille. Il fixait un oiseau. Accroché à son mouvement, suivait son sillage. On le sentait déjà parti, car des étoiles brillaient à ses yeux. Son coeur battait, mais de moins en moins pour ici. Son souffle suivait les courbes gracieuses de l'oiseau, planait régulier, presqu'effacé, puis tombait en prenant une grande inspiration et reprenait son rythme de croisière.

— Demain... annonçait-il, sans préciser davantage.

Et l'aujourd'hui brillait à sa paupière feutrée. Il posait sa main sur notre épaule et nous invitait au loin.

De l'autre côté du chemin, il inventa pour nous une petite colline, « celle de mon enfance » nous a-t-il dit, et sur ses pentes, notre regard embrassait le paysage.

— C'est le tout, l'ensemble qui compte. L'harmonie.

Grand-père nous instruisait toujours. Des rangées d'arbres, ici et là, séparaient des champs, découpaient, les empêchaient de se mêler. Ordre, propreté. Des touffes de branchages parfois s'entêtaient au milieu d'un espace cultivé. Têtues, refusaient à la culture leurs petits privilèges, droits acquis. Les rangs d'orge, d'avoine en faisaient le tour et se refermaient calmement passé l'obstacle. Quelque grosse roche, voire un rocher, à l'occasion, appesantissaient le paysage; comme un cabochon, le retenaient au sol, le sédentarisaient. Pour une meilleure production.

— La mort est comme ce rocher, disait-il. La semeuse le contourne et reprend tout de suite après, bien droit, son sillon fertile.

Convient tellement à grand-père cette chanson de Jacques Brel:

> Ils parlent de la mort
> Comme tu parles d'un fruit.
> Ils regardent la mer
> Comme tu regardes un puits.

Grand-père continuait:
— Discipline, effort, travail ouvrent sur l'horizon, préparent demain, débouchent sur les étoiles.

Les couleurs se répartissaient les champs. Le jaune mûrissait aux épis du grain, le vert bruissait aux têtes du foin. Un grand carré de tomates rougissait. Des carottes, des pommes de terre, de grandes étendues de betteraves se vantaient de leur fière chlorophylle. Un petit orme commençait déjà à perdre ses feuilles.
— Peut-être malade. L'arroserais-tu parfois afin qu'il me survive? Lui aussi, a-t-il ajouté, en me regardant tendrement.

Il nous apprit la rivière comme il l'avait fait auparavant pour notre père.

Jonathan le regarda. Francis, les yeux devenus brûlants, baissa la tête.

La rivière tranchait l'espace, mais nourrissait. Elle apportait son lot de nouvelles, le bonjour des autres régions, voguait vers l'avenir. Elle babillait sans cesse, répandant à tout vent ses nouvelles, chuchotant aux rives des secrets de fécondité. Des grandes herbes excitées y trépignaient de plaisir et répandaient le message en grands gestes de la tête. Oui, oui, répondaient les autres plus loin, la tige excitée. Le vent complice, s'agrémentait de papillons, les déposait, reprenait, s'en vantait. Il les approchait de nous pour bien nous les montrer, puis repartait butiner plus loin.

Jonathan releva la tête et regarda un moment le petit groupe.

C'est la fraîcheur, poésie dont grand-père a parfumé notre enfance. C'est le même coeur qu'il a donné aux autres autour de lui. Même ici, en ce moment, pour chacun qui se fait attentif, sa cloche tinte aussi joliment qu'aux jours anciens. Son son si doux s'étire partout, s'infiltre, parfume le silence accueillant. Sa fragrance appelle comme le doigt de la main d'un ami. Viens, viens!... nous invite-t-il, tous et toutes, nous nous tiendrons par la main. Grand-père nous invite à retrouver l'authenticité de notre jeunesse en nous rappelant la sienne. Aujourd'hui, ce n'est pas la fête d'un vieillard, mais d'un grand-papa; pas la célébration de la mort, mais celle de la vie.

Ensemble, remontons la colline de notre première enfance. Nous l'avons si souventes fois escaladée, envahie de nos rires et de nos cris. Nous nous y sommes cachés, retrouvés, poursuivis, attrapés, aimés. Souvenez-vous: la colline nous fascinait, stimulait notre imagination. Dans ses taillis, chausses-trappes, derrière ses rochers, dans sa petite caverne, nous avons organisé le monde à notre façon. Le plaisir, la joie courait dans les sentiers de la vie. Les broussailles découvraient des surprises, les illusions, en douces avalanches, dévalaient ses pentes. Nous les buvions tout le jour mêlées aux rayons du soleil, nous les chantions doucement le soir, auprès du petit feu allumé au coeur de la clairière. Souvent, nous nous enroulions dans le sac de la nuit où, entre un feu et un ami, nous voguions bientôt vers une autre dimension. Au matin, le réveil était dur, mais les oiseaux chantaient; courbaturés, mais le soleil brillait. Un peu de cendre fumait au nid du feu. Un regard, quelques pas, deux sourires et, complices, nous étions prêts à recommencer à jouer, courir, crier de joie, nous soumettre à la crainte. Les mêmes recoins, les mêmes pentes, les mêmes cachettes, mais dans un ordre différent, suffisaient à rallumer notre feu. Ne s'use pas l'émerveillement attisé aux yeux des enfants. Et l'immense marmite de notre petite colline bouillait de nouveau des joies insouciantes de l'enfance. Sur notre petite colline, certains trouveront de l'or, des arbres à couper. Ils feront du commerce, de l'argent. Mais ils seront arrivés trop tard. Nous y aurons vécu le rêve, la poésie. Nous leur aurons tout pris. La mort ne peut que nous ramener à l'enfance:ce sont les deux extrémités de la chaîne, la proximité des deux naissances. La personne âgée transmet sagesse, savoir, authenticité aux enfants; les enfants, en empêchant les personnes âgées d'être vieillards, en font des grands-parents.

Par ses écrits, c'est ce que grand-père m'a dit de vous rappeler aujourd'hui. Je comprends François de l'avoir aimé, Guy de l'avoir sauvé. Je remercie mes parents de m'avoir appris à le respecter.

En regardant le cercueil, Jonathan ralentit ses mots:

Grand-papa, tu n'es jamais parti, et tu ne partiras jamais! Merci pour tout, grand-papa!

Jonathan, digne et triste, retourna s'asseoir. Francis, les yeux pleins d'eau, regardait toujours fixement son fils calme devant tous, vrai, sincère. Il l'admirait. Jonathan disait son coeur de fils et Francis y reconnaissait le coeur de grand-père. « Je ne mérite pas un tel enfant; c'est grand-père qui l'a fait. » Et une douce chaleur apaisante, une tendresse totalement envahissante pénétrèrent Francis en pensant à Michel:« Je resterai avec vous autres: je m'en vais pas si loin!... » Francis venait de reconnaître, clair comme le jour, que le grand-père était dans son Jonathan. Grand-père l'avait informé tout au long de sa vie, l'avait peu à peu pénétré, s'y était coulé. Grand-père vivait dans son enfant. Son Jonathan! « Serre-le sur ton coeur, grand-père, je veux qu'il soit bon. » Francis le lui avait donné:« C'est ton enfant, Michel. » Francis se rappelait. Jour après jour, minute après minute, grand-père s'était donné, vidé dans le coeur de son fils. Jonathan parlait comme

Michel. Jonathan sera bon comme Michel: Francis en était maintenant absolument convaincu. « Michel, tu m'auras toujours devancé. Encore aujourd'hui, tu m'auras pris sur le pouce, fait monter dans ta main. Tu vis maintenant en Jonathan et tu bats dans son grand coeur, parce que c'est toi qui l'as formé. Encore merci, Michel! » Guy, dès le début de la lecture de Jonathan s'était calmé. De tous ses yeux, écoutait, de toutes ses oreilles, se convainquait que c'était Michel qui parlait. Guy était récupéré.

Après l'évangile, monsieur le curé de Valcourt aborda son homélie.

— « L'homosexualité constitue un grave danger pour l'État parce qu'elle supprime les barrières sociales » écrivait Bismark. La suppression des barrières sociales qui est un mal pour l'État de Bismark, est considéré comme un bien par l'Église.

Un silence profond figea tout le groupe. Pour tous, un ange venait de passer. Bouche bée, chacun désirait la suite.

— Être un engagé socio-politique et être gai, c'est deux formes de contestation que le Pouvoir ne supporte pas. Mais être les deux à fois –et le paraître– c'est de la fatalité ou de la naïveté à l'état pur. Que dire, si s'ajoute à ces deux réalités une écriture politique et intimiste, une écriture qui touche le nerf social?... « Écrire, c'est éveiller de vieilles démangeaisons et gratter, notait grand-père, c'est s'engager sans s'occuper du prix à payer. J'ai écrit avec mon sang sur la peau de mon vieux parchemin. Ai contourné les cicatrices, évité les précipices. Ai monté et descendu si souvent des pentes dangereuses en semant aux sillons de mes rides multipliées. Ecrire, c'est dévorant. » Et Michel fut dévoré.

D'après ses écrits, grand-père se sentait comme le prophète Jérémie qui se battait contre le Seigneur pour refuser les missions qu'Il finissait toujours par lui imposer. Et comme le prophète Osée qui, sous l'ordre du même Seigneur, a dû épouser une prostituée et élever des enfants de prostituée, afin que le Peuple comprenne que le Seigneur pouvait épouser et aimer des personnes qui vivent en dehors des normes, même sexuelles. « Il faut que j'accepte des missions sociales, des engagements politiques et qu'en même temps, je marie des symboles sexuels rejetés, s'est plaint grand-père. Comme le prophète Osée, chapitre I et III, avec sa prostituée, je mets au monde des enfants qui s'appellent Yizréel (champ de bataille), Non-Aimée et Pas-Mon-Peuple. Mon action donne naissance à d'autres combats et j'enfante des absences. Quand verrai-je la victoire, le résultat de mes actions? La justice sociale, l'écologie, la liberté et l'égalité chez tous les humains, est-ce trop demander? Je voudrais tellement enfanter des succès et des enfants qui s'appelleraient Aimée et Mon-Peuple!... »

Aujourd'hui, Michel Nolin reçoit réponse à ses questions, réalité à ses espérances. Les enfants que le prophète Osée appelait Aimée et Mon-Peuple, ne seraient-ils pas Jonathan et Mélodie? Ne seraient-ils pas François?... Quand l'amour et la fidélité ont-ils été condamnés par l'Église? Et l'engagement?... Je souhaite à tous les enfants du monde, d'avoir un père aussi aimant que Michel le fut pour Francis. D'avoir un père aussi aimé que son père, François. Je souhaite à tous les enfants du monde, de vivre ce qu'ont vécu avec lui ses petits enfants. Beaucoup auraient aimé avoir un père tel que lui qui resta sans enfant. Il fut d'ailleurs plus père que beaucoup d'autres ne le furent jamais avec leurs propres enfants.

Son ami François sur son étoile ancrée dans l'azur, et Michel, son souvenir ancré dans sa fidélité, ils nous donnent un exemple que certains cautionnent, mais que d'autres ne peuvent qu'admirer. La fidélité, le don, la bonté, l'authenticité, l'engagement ont fait de Michel, un Donné. Etre un obsédé de justice sociale enveloppé dans une peau de Gai, c'est vivre comme une brûlure. Lutter, c'est se dire vivant et le dire aux autres au-delà de la marginalisation. Et montrer sa lutte, c'est témoigner doublement. Peut-être qu'aujourd'hui, Michel se montre encore plus vivant que jamais à cause de ses luttes de libération malgré qu'il ait écrit humblement:« J'ai toujours eu très peu de surface sociale. » Michel a brûlé toute sa vie, mais comme le buisson ardent de Moïse au désert qui ne se consumait pas, il demeurait toujours là pour éclairer, réchauffer. Et aujourd'hui, plus que jamais. Heureux furent ses amis, sa parenté... et ses chers petits enfants! Un tel raffinement de tendresse dégage un parfum d'éternité. Un tel engagement de vie, convertit. Une telle présence, simplifie. Dégage l'essentiel, libère, déifie. Comme saint Sébastien, Capitaine de la garde romaine, soldat, Gai, chrétien et martyr –et canonisé par l'Église– Michel et François: étoiles pour l'éternité.

Monsieur le curé osait, monsieur le curé respectait. Francis se sentait caressé jusqu'au fond de l'âme, et Guy avait envie de se lever et crier de joie. Un vrai curé, dans une vraie fonction officielle, non seulement respectait un Gai, mais en parlait comme d'un être humain, se surprenaient les amis de grand-père!... Mélodie se pencha vers Jonathan:
— C'est qui ça?
— C'est le curé de Valcourt.
— C'est où ça, Valcourt?

Quelques gestes embarrassés... un peu impatient:
— C'est entre... et entre... Ah! j'le sais pas. Pis c'est plein de poulaillers par là.
— Pis des motoneiges?
— Je suis allergique aux motoneiges. Ecoute donc, c'est bon ce qu'il dit.

Une paix issue du respect se répandait sur la petite communauté attentive. Un silence chaleureux continuait à boire toutes les paroles d'un homme d'Eglise qui reconnaissait officiellement la priorité des personnes sur les structures. La priorité de la vérité sur des erreurs passées. Humilité. Claudine s'est penchée vers Francis et lui dit tout bas:

— Ton monsieur le curé a choisi de sauter vers les hommes sans parachute de secours. Il n'a pas besoin de petit radio, du ciel ou de la terre, pour lui dire quoi penser, ni où atterrir. Il a choisi la réalité de l'humain, le respect de la vie... et les exigences de l'incarnation, pour parler comme grand-père.

Le curé Milliard continuait:

— Il est parti, il est si bien. Il flotte sur les nuages, pénètre la vérité. Pourquoi le déranger? Laissons-lui un peu de liberté. Ses chemins sont si doux, ses pieds si légers. Le vent dans ses sabots, au-delà de lui l'appelle. Laissons-le hors de lui: enfin, il vit! Son visage est si transparent, le bonheur s'y épanouit, le ciel s'y répand. Désormais, vous ne verrez plus ses traces aux sables de la route, ses sabots se sont dérobés aux pièges de la pesanteur. Légers, vogueront plus haut, toujours plus haut, au-delà d'ici. Mais au-dessus de l'horizon, n'est-ce pas lui là-bas? S'il te dit: Viens, suis-moi, que répondras-tu tout bas?... Vous tous qui l'avez connu, aimé, suivez son exemple. Aujourd'hui, malgré les interdits, je le dis: Michel et François, à eux seuls, furent tout un plaidoyer pour l'éternité.

Le groupe d'amis qui avait tout écouté dans un silence et une attention absolus se leva et applaudit délicatement. Monsieur le curé, rendu à l'autel, n'osa pas continuer la cérémonie sans avoir demandé et obtenu le silence. La messe se continua et pour une fois, un seul coeur battait dans le choeur et la nef... autour d'un mort. À la toute fin de la messe, au dernier adieu, le célébrant conclut:

— Aujourd'hui, Michel Nolin s'est envolé. Une étoile est née. Il a rejoint François. S'ils se sont échappés un certain 24 décembre, aujourd'hui se sont repris. Ça n'aura pas été le premier rendez-vous manqué de l'Histoire. Ils viennent enfin de se rejoindre! Devant l'éternité, qu'importe un peu de retard? Ils brillent maintenant tous les deux à l'apogée du firmament et demandent un peu d'amour pour les enfants.

Le corbillard partit pour le Colombarium et tout le groupe de fidèles fut invité chez Francis pour un goûter en famille. Monsieur le curé fut le héros qui, humblement, retournait les hommages à Jonathan pour l'avoir si bien conseillé et documenté. Jonathan, si sobre, discret, ne se sentait pas atteint. Ailleurs était son coeur. Servait quand même tout le monde, s'intéressait à tous; quand même semblait vivre à l'intérieur. Son père qui n'avait plus d'yeux que pour lui, finit par demander le silence. Il s'approcha de Jonathan, mit sa main sur son épaule et chercha ses mots. Dans le silence, et devant la trop grande pression de son émotion, il ne put que dire, la voix brisée en regardant Jonathan:

— Grand-père, c'est lui.

Et il l'embrassa. Jonathan le serra affectueusement sur son coeur et quelques personnes applaudirent.

En fin d'après-midi, la Coopérative funéraire téléphona pour dire que tout était prêt. Jonathan et Mélodie allèrent ensemble chercher les cendres pendant que Claudine et Francis vécurent des silences très intenses. Robert et Samuel firent le train chez Francis avant de partir discrètement. Guy, dépassé, se réfugia à la Taverne des Copains. La figure complètement défaite, il pleurait seul, sans honte et sans cachette, se démolissait en parlant d'un corbillard « rempli de vide, d'un camion à vidanges seulement ». Et il but, et but... et pleura. Ses voisins de table l'ont entendu se plaindre:

— Toi, tu as vécu ta nature, ta vie. Moi, j'ai vécu celles de ma femme. Toi, tu as vécu en liberté; moi, en cage.

Plus tard:

— Ma vie n'a plus de sens. J'ai deux enfants perdus, une femme qui devrait l'être: j'ai raté ma vie...

Il s'est alors péniblement levé, a frappé sa bouteille de bière qui s'est presque vidée sur la table et cria:

— Mais je ne raterai pas ma mort!

Il partit en titubant. Vers son destin. Quelqu'un téléphona à Francis pour l'avertir du drame possible que Guy préparait. Quand Francis arriva, Guy demeura introuvable. Encore plus écrasé, Francis retourna chez lui embrasser sa femme et ses enfants revenus. Sans un mot. Il retrouvait difficilement son souffle sous la chape de plomb qui l'écrasait. Il se sentait terriblement seul, épouvantablement vieux. Où était Guy? Que faisait-il? Avant, c'était Michel qui s'occupait des cas les plus dramatiques. C'était lui maintenant, Francis, qui devrait tout porter à bout de bras. Plus de Michel comme rempart.

Jonathan, discrètement, observait son père, partageait son désarroi. « C'est donc ça, perdre son père?... souffrait-il tout bas. C'est donc ça être sur la brèche, au seuil de toute souffrance de ses amis. »Jonathan aurait voulu aider, compatir, mais que certaines peines sont donc étanches!... Palpitant, demeurait à la porte de son père; le bras tendu, se sentait dans une autre dimension. Un peu comme les fois où grand-père lui racontait des choses très importantes pour lui-même et que lui, Jonathan enfant, n'y comprenait rien. Il sentait seulement que l'émotion bouleversait Francis qui n'arrivait vraiment pas à se dire. Claudine, les traits tirés, s'affairait autour de son homme. Elle aussi cherchait une entrée... mais se sentait aussi impuissante.

— J'vas sortir, j'ai du travail.

— Je peux t'aider, papa? offrit chaleureusement Jonathan.

— Non, merci, mon garçon. J'ai une peine à mettre au monde. Comme une mère qui enfante, ça se fait seul.

Il sortit.

Francis se dirigea vers le puits, fit grincer la pompe et couler rageusement des dizaines de litres d'eau. « Comme Michel en m'attendant, il y a vingt ans. » Il se remplit un gobelet, « celui de Michel ou de François? se demanda-t-il. On ne le saura plus jamais maintenant. » Et sur la margelle s'assit. Il s'y revit à quinze ans avec Michel qui se torturait pour le sauver. À sa manière, Michel lui disait:« S'il te plaît, demande-moi à boire. » Il revit son père François qui buvait au même puits, à la même eau dans le même gobelet écaillé. « Ce sont eux qui m'ont fait, qui m'ont tout donné. Je n'ai eu qu'à recevoir, tendre la main et tout prendre. Ils sont partis. » Tout haut, Francis s'était plaint:

— Michel, tu me laisses bien seul.

Une main d'homme nouveau s'est alors posée sur l'épaule d'un père désemparé:

— Tu n'es pas si seul, papa.

Francis, comme assommé par la bonté de son enfant, a prestement baissé la tête. Violemment secoué d'émotion, il n'arrivait plus à se contenir. Jonathan s'est assis près de lui. L'a regardé. Francis a relevé une tête vieillie, méconnaissable.

— Papa... soupira le jeune homme en lui tendant les bras.

Sans un mot, Francis fondit en larmes dans les bras de son enfant. Longtemps pleura, déchiré de sanglots, un homme qui venait de perdre son ami. Peut-être deux. Et naquit une grande peine. Cautérisé de douleurs, brûlé jusqu'au fond de lui-même, Francis se sentit comme dans son enfance où il avait tant pleuré. « Un naufrage » avait écrit Michel. Quelques monosyllabes s'égouttaient encore dans le cou de son enfant. Jonathan, en silence, recueillait.

— Jonathan, Michel était mon ami. Il m'a tout donné. Il fut mon père, ma mère, l'exemple de ma vie. Tous les moments que j'ai vraiment vécus, c'est avec lui que je l'ai fait. Maintenant, c'est le vertige. C'est comme avant de le connaître: comme si je retournais dans l'enfance torturée que j'ai vécue sans lui. Si tu savais!...

Jonathan a frissonné. « Si tu savais!... » Toujours la même expression de désespoir de son grand-père biologique, François avant son suicide, de son père, Francis dans l'enfer de la drogue. Jonathan revivait, ressentait l'émotion de ces deux hommes qui l'avaient précédé et dont il avait lu l'histoire grâce à grand-père. Il se rappelait l'émotion qu'il avait vue briller aux yeux et s'ébattre au coeur de Michel. Jonathan sentait son père fragile dans ses bras, démuni, abandonné. « C'est à moi maintenant de prendre le flambeau, » pensa Jonathan. Il revit son grand-père, sentit sa chaleur, son sourire. « Oui, je serai toujours là, avec toi, avec vous tous, » avait-il promis. Jonathan sentait tellement la présence du grand-père!... Et devant son père démoli, encore traqué par son enfance, Jonathan se sentit devenir un homme. Un grand-père venait de naître en lui. Il serra encore davantage Francis dans ses bras et se sentit tellement responsable. Il promit tout bas: « Grand-papa, compte sur moi! »

Francis, vidé, soulagé, lentement, relâcha l'étreinte et regarda son fils:

— Jonathan, maintenant que grand-père est parti, je me sens projeté en avant, devant moi-même, basculé devant un miroir: ma propre image.

— C'est une très belle image, papa.

Le père sourit légèrement et, plein de reconnaissance, remercia Jonathan en lui serrant les épaules.

— Papa, il fait encore assez clair, c'est le temps: veux-tu venir avec moi, on va répandre les cendres de grand-père? Tu prends ton tout-terrain, moi, le vieux que Guy utilisait.

Les deux hommes, lentement, religieusement, semèrent à tour de rôle, dans le grand champ derrière la maison, les cendres d'un homme. Le leur. Pendant que deux femmes les regardaient par la fenêtre de la cuisine. Jonathan, lui, se rappelait une page de grand-père qu'il avait lue et relue la veille.

« La nuit se penche et se vide d'étoiles dans mon champ. Elles fourmillent et font des étincelles en se touchant. Le champ grésille de lumières et se recouvre de poussière d'étoiles. Le champ sera très fertile et offrira de beaux fruits, et qui sait, plein de froment pour l'éternelle amitié. »

Au retour, deux vieux gobelets écaillés remplis d'eau fraîche trinquèrent longtemps sous les étoiles. L'une d'elles, de toute évidence, était habitée.

— Ce sera la plus brillante, avait dit grand-père.
— C'est sûrement celle-là, montra Mélodie qui arrivait avec sa mère. Si on allumait un feu?...

Quatre enfants veillèrent très tard dans la nuit peuplée d'étoiles dont une seule demeurait importante. Ils chantèrent l'Hymne à la joie, s'amusèrent, ne devisèrent que d'avenir et de vie, entre une rivière et un puits, sous un grand chapeau d'étoiles.

Et comme un vieillard sans petits-enfants, Guy Martel arriva.

Alain Normandin, photographe

## FRANÇOIS le rêve suicidé (tome I)
de Jean-Paul Tessier

Un matin du mois d'octobre, j'ai reçu un étudiant avec un oeil au beurre noir. Discrètement, je me suis informé mais n'ai rien appris. Par Claude, un ami de la classe qui avait toute confiance en moi, j'ai fini par savoir que l'enfant avait été battu par son père. En cherchant davantage, j'ai su que le jeune avait plusieurs fugues à son actif et quatre tentatives de suicide. C'était François. Il avait quinze ans. C'est alors que j'ai décidé que ma paix et ma tranquillité passeraient après mon respect pour un enfant. Et commença la bataille contre la mort... et les préjugés.

*Tout éducateur digne de ce nom, devrait le lire (La Voix de l'Est).*

*Pages bouleversantes (Journal de Chambly).*

*... extrêmement émouvant et bien rendu (Editions Libre Expression).*

*Livre essentiel. Probablement le plus beau qui se soit écrit au Québec ces dernières années (Editions d'Ici et d'Ailleurs).*

234 pages - 14,95 $

Chez l'auteur, livres autographiés et 20% de réduction. Chèque visé, mandat postal, VISA, MASTERCARD.

Pour commandes postales ou téléphoniques, voir au début de ce livre.

Roddy de la Tour, artiste

## FRANCIS l'âme prisonnière (Tome II)

### de Jean-Paul Tessier

Francis dans l'enfer de la drogue. Francis, fils de François, naît trois mois après le suicide de son père. Enfant non désiré, mal aimé, il subit l'indifférence de sa mère et la violence de son beau-père alcoolique. Sous hypnose, Francis raconte son enfance-naufrage. Battu, il rêve au suicide à 9 ans; abandonné, il s'entoure de petits animaux qu'il finira par tuer pour se punir de ne pouvoir se faire aimer. « Et je suis revenu pleurer, pleurer, pleurer, étendu à plat ventre sur le bord du chemin, mon petit corps secoué, parallèle au cadavre d'une couleuvre écrasée (p. 241). »

Dans sa recherche désespérée de l'amour à donner et à recevoir, il finit par se révolter et sombrer dans la drogue, vol, prostitution, prison.

Quelles sont les causes et conséquences de la narcomanie, comment prévenir, réagir et s'en sortir....? Des situations vécues en famille répondent.

*Avec des accents criants de vérité. Bon nombre de passages semblent sortir tout droit des tripes (La Voix de l'Est).*

*Roman tout à fait bouleversant, probablement le plus important... (Steve Vermette, Réseau Pathonic).*

474 pages - 19.95 $

Chez l'auteur, livres autographiés et 20% de réduction. Chèque visé, mandat postal, VISA, MASTERCARD.

Pour commandes postales ou téléphoniques voir au début de ce livre.